SUPERVIELLE

LA BIBLIOTHEQUE IDEALE

Volumes déjà publiés :

CLAUDEL	par *Stanislas Fumet.*
SAINT-EXUPÉRY	par *Pierre Chevrier,* avec la collaboration de *Michel Quesnel.*
LÉAUTAUD	par *Marie Dormoy.*
MICHAUX	par *Robert Bréchon.*
CAMUS	par *Jean-Claude Brisville.*
MONTHERLANT	par *Henri Perruchot.*
JOUHANDEAU	par *José Cabanis.*
WHITMAN	par *Alain Bosquet.*
COCTEAU	**par** *Jean-Jacques Kihm.*
KAFKA	par *Marthe Robert.*
T.-E. LAWRENCE	par *Roger Stéphane.*
VALÉRY	par *Berne-Joffroy.*
ARAGON	par *Hubert Juin.*
SUPERVIELLE	par *Étiemble.*

A paraître :

SALACROU	par *Paul-Louis Mignon.*
HEMINGWAY	par *John Brown.*
AYMÉ	par *Pol Vandromme.*
MARTIN DU GARD	par *Jacques Brenner.*
GIONO	par *Pierre de Boisdeffre.*
MALRAUX	par *Gilbert Sigaux.*
GIDE	par *Jean-Jacques Thierry.*

LA BIBLIOTHEQUE IDEALE
Collection dirigée par Robert Mallet

SUPERVIELLE

par
Etiemble

nrf

GALLIMARD

L'homme

J'apprends ce matin qu'il y a une vache dans les armes de la ville d'Oloron. [...] Je suis heureux de retrouver ici une vache et à la meilleure place. De même qu'il y a un taureau dans l'écusson de l'Uruguay. Et je ne rougirais pas d'avoir été entre ces deux bêtes, avant moi très éloignées, un intermédiaire plein d'espérance.

(*Boire à la source*, p. 41.)

RENDANT LE RÉEL INOFFENSIF

On recevait à côté de lui, même silencieux, les images de grandes étendues, d'estuaires et de mers, et de plaines sans fin où l'on avance à cheval.

Il était en ce temps-là tumultueusement habité.

Des hommes pas d'ici, un peu baroques, Bigua, Guanamiru, beaucoup d'autres l'habitaient. Souvent même, Guanamiru se faisait plus entendre que Supervielle. Il pouvait avoir doute qui l'emporterait. On se retournait sur lui dans la rue. Ses territoires, les fantômes de ses frères, la grande Méditerranée de sa poésie bousculaient sourdement les passants, qui s'arrêtaient interdits.

Mais Guanamiru ne l'a pas emporté.

Depuis longtemps, et de plus en plus avec les menaces de l'époque mauvaise, propre à donner l'angoisse, Supervielle, au rebours de ceux qui y nichent, n'ayant rien à craindre, sûrs de garder leur équilibre, prenait peur de tout ce qui peut aider les forces de dislocation et de démence, guettant le poète qui se laisse aller, peur exagérée, semble-t-il, mais qui peut savoir ?

De plus en plus, se détournant des voies dangereuses, agissant à la façon des peuples qui appellent

« Beau Seigneur! Bon Seigneur! Noble ami! » celui
que seuls les imprudents nomment « Tigre », il se
plaisait à être gracieux et courtois avec les mots,
les états, les créatures, dans un immense désir de
rassurer, de calmer, de pacifier et, par le charme
des mots rendant le réel inoffensif, de faire que les
choses soient simples et non plus redoutables.

Ainsi il les fait voir, en innocence, sortes de disparate trésor sauvé d'un général naufrage, comme
elles apparaissent à la vue d'un convalescent épuisé,
sans conséquences presque, sans liens, nourrissant
la seule, la merveilleuse émotion d'être au monde.
La Poésie alors lui donne sa récompense. Celui
qui, avec les êtres inanimés eux-mêmes, est comme
avec les humains, méritait plus que tout autre de
regagner le Paradis terrestre.

Henri Michaux

(*Mil neuf cent trente, N. R. F.*, 1er août 1954).

HORS-VENU DU TEMPS ET DE L'ESPACE

Un *hors-venu*, en vérité. Hors-venu du temps et
de l'espace. Encore tout proche de la naissance
du monde et comme tombé d'un autre ciel que
celui de la terre. Stature de géant qui force à lever
les yeux vers les astres. Corps de cavalier penché
sur l'encolure de la bête invisible. Figure au relief
puissant de terres bouleversées par quelque séisme
humain, de rivages fouillés par l'océan. Deux yeux
inoubliables, dont l'un est de gaucho, et l'autre,
d'un enivré de songe. Corps et bras, hésitants et

gênés dans l'exiguïté de nos pièces et de nos rues, et qui auraient besoin de l'immensité de la mer et du ciel. Gestes de mains caresseuses qui « cernent les visions du rêve ». Voix lente, grave, lointaine comme le regard, et qui semble monter du fond de la chair et du cœur. Bref, Jules Supervielle, familier de l'au-delà...

CHRISTIAN SÉNÉCHAL
(*Jules Supervielle*, 1939.)

GRAND MINOTAURE DISTRAIT

Il est grand, maigre, plissé, caverneux, mal déplié dans son corps, comme un cheval qui se souvient d'avoir été préhistorique et de n'avoir pas eu de nom encore dans les dictionnaires des hommes à venir. Avant la guerre, il vivait boulevard Lannes, puis boulevard Beauséjour, après la pampa et avant d'y retourner, en exil, la guerre, dans un appartement-grotte tapissé de toiles de Maria Blanchard, de belles jeunes filles ses enfants, de messieurs leurs maris ou futurs, de jeunes poètes intimidés, de gens bien élevés, de stores rouges sur des balcons appareillant, semblable à une espèce de grand Minotaure distrait, ennuyé, malhabile, gentil, dans le creux de son labyrinthe d'idées pas fixes, de passages et de coups sourds frappés à la paroi. Il vit maintenant (provisoirement) dans une maison de Passy, couleur brou de noix et qui n'est pas à lui, remplie de peluches rouges et de meubles modern-style ou un peu moins (que moderne), où il s'est fait son creux, sa litière de livres, de

manuscrits, son fumier ordonné de poèmes griffon-
nés sur des bouts de papier, semblable à ce que
les volcans écrivent de leur grosse main tremblée
sur le papier blanc des sismographes. Il a une sorte
de majesté monotone, comme les nuages, des mains
qui ondulent autour de la voix comme les bizarres
poissons chinois de l'aquarium de San Francisco.
A force d'être belles, toutes les filles sont mariées
et les fils sont quelque part dans les pampas.

CLAUDE ROY
(*Jules Supervielle*, 1953.)

SA TAILLE L'ISOLE

Le génie de Supervielle, c'est de permettre que
coexistent en lui, sans heurt de notre part ni la
moindre gêne de la sienne, l'homme le plus familier qui soit et un personnage légendaire. De là,
je ne sais quoi de troublant qui distingue sa présence de celle de tout le monde, comme si sans
cesse son attention nous échappait et nous rat-
trapait. Sa grande taille, qui donne à son regard
l'occasion de nous survoler, l'isole. On ne sait
jamais tout à fait ce qu'il observe de particulier,
quand il fixe les yeux sur quelque chose ou sur
quelqu'un. Serait-il aveugle, Tirésias ? Non. Il voit
et non seulement il voit ce que nous voyons, mais
bien au delà. Ce qu'il surveille à travers les gens
et les choses, et guette et finit par contempler,
n'est pas certes à la disposition, à la portée de tout
le monde ; on ne le tient jamais tout entier ; une

part de lui, la plus noble, occupée ailleurs, nous
fausse compagnie, sans s'excuser, ce qui fait peser
sur sa présence un air d'absence. Toute la poésie
qui est la sienne propre tient à ce pouvoir absolu
de distraction qui le dérobe seul à nos préoccupa-
tions terre à terre, auxquelles il semble nous abandonner.

MARCEL JOUHANDEAU
(*Jules Supervielle,*
Livres de France, février 1957.)

MAINTENANT QU'ES-TU DEVENU?

Maintenant Jules qu'es-tu devenu
depuis que tu as perdu les vingt ans de ton ombre
que s'est fané le mimosa de ton gilet fleuri?
(dehors il y a un petit vent indien
qui pleure)

Comment s'imaginent ton visage
Ceux-là qui ne t'ont jamais vu
(assis sur les marches de tes livres
ou pieds nus dans tes sources)
A la clarté d'une bougie qui rayonne
de travers?

Si je leur disais que tu ressembles à un
facteur des montagnes
à un chêne déplumé par la nuit?
Éléphant et papillon réunis sous la même enve-
[loppe

(avec ton grand nez comme un sac de voyage)
Avec tes jambes qui n'en finissent plus
Car tu es long Jules comme deux fois ton âge

S'ils pouvaient entendre la voix aux grognements
[d'eau
voir sur tes épaules ce châle de pénitence
dans cette maison aux deux rues où tu portes Cou-
[ronne.

GEORGES SCHEHADÉ
(*Portrait de Jules, N. R. F.*, août 1954.)

CELA DÉPEND DES JOURS

Quel est pour vous le comble de la misère? *N'avoir rien à dire.*

Où aimeriez-vous vivre? *Où j'ai vécu.*

Votre idéal de bonheur terrestre? *…?*

Pour quelles fautes avez-vous le plus d'indulgence? *Pour celles des autres.*

Quels sont les héros de roman que vous préférez? *Don Quichotte.*

Quel est votre personnage historique favori? *Jeanne d'Arc.*

Vos héroïnes favorites dans la vie réelle? *Les plus vivantes.*

Vos héroïnes dans la fiction? *Les plus vivantes.*

Votre peintre favori? *Ils sont au moins une douzaine de tous les temps.*

Votre musicien favori? *Ils sont au moins une douzaine de tous les temps.*

Votre qualité préférée chez l'homme? *La virilité.*

Votre qualité préférée chez la femme? *La féminité.*

Votre vertu préférée? *La sagesse, l'ironie (laquelle est la nostalgie de la sagesse).*

Votre occupation préférée? *Écrire.*

Qui auriez-vous aimé être? *Poète et conteur et homme de théâtre.*

Le principal trait de mon caractère? *Je n'en sais rien, hélas.*

Ce que j'apprécie le plus chez mes amis? *L'intelligence ou la bonté, cela dépend des jours.*

Mon principal défaut? *Je voudrais bien le connaître.*

Mon rêve de bonheur? *Une tasse de café non décaféiné après chaque repas.*

Quel serait mon plus grand malheur? *Je ne veux pas y songer.*

Ce que je voudrais être? *Voir plus haut : « Qui auriez-vous aimé être? »*

La couleur que je préfère? *Cela dépend de celle qui est à côté.*

La fleur que j'aime? *Cela dépend des jours.*

L'oiseau que je préfère? *J'hésite entre le colibri et le marabout.*

Mes auteurs favoris en prose? *Aujourd'hui Chateaubriand, Rousseau, Renard.*

Mes poètes préférés? *Aujourd'hui c'est Ronsard, Baudelaire, Nerval.*

Mes héros dans la vie réelle? *Les aviateurs.*

Mes héroïnes dans l'histoire? *Les plus belles.*

Mes noms favoris? *Ceux de mes meilleurs amis.*

Ce que je déteste par-dessus tout? *Le potage froid.*

Caractères historiques que je méprise le plus ? *Les guerres inutiles.*

Le fait militaire que j'admire le plus ? *Je voudrais bien le connaître.*

La réforme que j'admire le plus ? *Je n'en sais rien.*

Le don de la nature que je voudrais avoir ? *Être un grand travailleur.*

Comment j'aimerais mourir ? *D'un accident ou plutôt en dormant.*

État présent de mon esprit ? *Voir mes réponses.*
Ma devise ? *Cela dépend des jours.*

> *(Réponse de Supervielle au « Questionnaire de Marcel Proust ».)*

Ⓓ Préface

Je vais faire un petit ouvrage court et pas très bien fait. Mais aussi c'est fait par un petit enfant de l'âge de neuf ans, vous voyez, il n'est pas trop âgé mais ça va être une chose qu'on peut appeler une bonne chose

Carnet de fables écrites par Jules Supervielle en 1893 :
la première *Fable du monde*. (Propriété
de la *Bibliothèque Jacques Doucet*).

Supervielle

NOM DE L'ÉTABLISSEMENT :

Jeanson de Sailly

CLASSE DE PHILOSOPHIE

APPRÉCIATIONS GÉNÉRALES ET OBSERVATIONS (Facultatives)

Professeur de Lettres. { _Plus de faiblesse que de Gélis. Pourrait vivre trop vite. Paraît peu réaliser s'il avait voulu._

Professeur d'Histoire. { _Travail insuffisant._

~~L'professeur de Langue vivante.~~ {

Physique et Chimie { _Des efforts assez soutenus — de la faiblesse quelquefois. Les progrès pendant le dernier trimestre me font espérer son succès._

Professeur de Sciences.

Histoire Naturelle { _Travail irrégulier. Capable de bien faire encore s'il le veut, et la preuve [?] que ce trimestre où des notes ont été très satisfaisantes et font espérer un succès final._

Chef de l'Établissement. { _Peut réussir, s'il le veut_

le ~~30~~ 30 Juin ~~septembre~~ 1901

Les Professeurs,

Appréciations des professeurs de Jules Supervielle, lycée Jeanson-de-Sailly (1899-1900). Son professeur de Lettres en rhétorique disait de lui : _Bon élève, travail sérieux auquel il s'intéresse. Est capable, souvent, en français, de trouvailles ingénieuses. Me paraît pouvoir réussir._

Les jours

1884.   Né Béarnais, Jules Supervielle (1852-1884) et Maria Munyo de Supervielle, originaire du pays basque (1856-1884), vivent à Montevideo; ils se sont expatriés pour fonder une banque. Le 16 janvier, un fils leur naît, Jules Supervielle. L'enfant n'a que huit mois lorsque pour la première fois il franchit l'Atlantique. Le voici au pays, dans cette région d'Oloron-Sainte-Marie (voyez *Boire à la source*). Ses parents y moururent l'année même, à une semaine d'intervalle, empoisonnés, semble-t-il, par de l'eau qu'ils avaient bue.

1886.   Après avoir passé deux ans chez sa grand-mère, l'orphelin repart pour l'Amérique du Sud, en compagnie de son oncle Bernard et de sa tante, qu'il prendra longtemps pour ses parents. Il ne sera détrompé qu'à l'âge de neuf ans. Enfance heureuse, à la banque Supervielle, en compagnie de ses cousins-frères, et de ses sœurs-cousines.

1893.   Pour un peu, Supervielle aurait gagné une course à pied. Voyant qu'il n'était pas premier, il se croit dernier et veut abandonner : son second père l'encourage, et il finit second.

1894. Supervielle entre en sixième classique au lycée Janson-de-Sailly; après tant de fantaisie à l'estancia, après tant de gauchos, d'autruches et d'ombous, les « bancs tachés d'encre » le déçoivent. Avant même d'obtenir son baccalauréat (1902), il compose des poèmes (sur un cahier daté 1899-1901). Trois voyages en Amérique du Sud à l'occasion des grandes vacances, à 17, 18 et 19 ans.

1900. *Brumes du passé*, premier recueil de vers.

1904. Supervielle termine en France, au 46ᵉ R. I. (Fontainebleau-Coulommiers), un service militaire qui lui laisse des souvenirs plus sombres encore que ceux du lycée. On lui avait assuré que ses nerfs, très délicats, s'en trouveraient mieux. Ce fut tout le contraire. Durant les grandes manœuvres, il ne dormit pas, épuisé par des marches de quarante kilomètres (on le versera plus tard dans le service auxiliaire).

1906. Après avoir hésité entre l'École des Beaux-Arts, le droit, les sciences politiques et les lettres, Jules Supervielle, qui se rappelle avec joie ses années

d'étudiant, et ne regrette pas d'avoir
abandonné le dessin (dégoûté par les
canons de l'École), obtient sa licence
ès lettres (espagnol). Entre temps, il a
fait un an et demi de droit et de
« sciences-po ». Continue à étudier les
langues étrangères : anglais, italien,
portugais. Prépare même, vaguement,
une thèse de lettres. Mais ce qui l'intéresse déjà, c'est la littérature.

1907.   Le 18 mai, Jules Supervielle épouse,
en Uruguay, Pilar Saavedra, originaire
elle aussi de Montevideo. De 1907 à
1909, long séjour en Amérique du Sud.
Voyage au Chili. Séjour d'un an à l'estancia. Naissance de son fils Henri.
Pilar Saavedra lui donnera encore deux
garçons et trois filles, dans l'ordre que
voici : Denise, Françoise, Jean, Jacques,
Anne-Marie. Les cinq derniers enfants
naissent en France. En 1910, il publie
son second recueil, *Comme des voiliers;*
de 1910 à 1912, quelques fragments de
ce qui aurait pu devenir une thèse de
lettres.

1914.   Supervielle est mobilisé. Comme il appartient au service auxiliaire pour raisons de santé, on l'affecte à l'Inten-
dance, station de Saint - Cyr - l'École,
puis, en qualité de sous-chef de service,
au 2e Bureau, contrôle postal (anglais,

italien, espagnol et portugais). Sur une
lettre, il remarque un blanc après les
mots que voici : « Aquí pongo un beso »
(Ici je pose un baiser). Le révélateur
découvre un message à l'encre sym-
pathique. Ainsi fut arrêtée l'espionne
Mata-Hari. Caporal à la fin de la
guerre, Supervielle retrouve son appartement du 47 boulevard Lannes, que
célèbre un poème souvent cité. Il y
vivra vingt-cinq ans.

1919-
1939.

Bien que Supervielle n'ait rien du Bar-
nabooth milliardaire, il est à l'abri de
tout souci financier. Tous les quatre ou
cinq ans, il fait un séjour en Uruguay,
où il écrit plus d'un livre. A la suite
des *Poèmes de l'humour triste* (1919), Gide
et Valéry lui écrivent. Il fréquente les
mercredis de Jacques Rivière, qui l'accueille à la *Nouvelle Revue française*. Il
connaît Paulhan, dont il devient l'ami
vers 1927-1928. Influence décisive pour
l'orientation de son œuvre : *J'ai pro-
fité de ses remarques, qui m'ont paru justes
la plupart du temps* (lettre à Étiemble,
8 décembre 1939). Il se lie également
avec Michaux et Marcel Arland. On
le rencontre donc à Port-Cros, avec les
piliers de la revue, en Uruguay avec
Michaux (1936), à l'abbaye de Pontigny, à celle de Royaumont. Sa santé,
toujours délicate, lui conseille souvent
de prendre du repos ; du moins peut-il

accorder à son œuvre toutes les heures qu'il donne au travail. Entre temps, il a quitté le boulevard Lannes pour le 82 rue de la Faisanderie, puis le 61 *bis* boulevard de Beauséjour. Le 2 août 1939, il s'embarque sur le *Groix*, des Chargeurs Réunis, qui doit mettre vingt-cinq jours pour atteindre Montevideo. Supervielle s'en félicite : il prépare un *Robinson* et sera bien sur l'île flottante. Il se propose de rester là-bas jusque vers le 15 octobre, chez Mlle Saavedra, Sarandi, n° 372.

1939-
1946.
Surpris en Uruguay par la guerre, Supervielle s'y établira jusqu'en 1946. Sarandi 372, puis Costa Rica 1958, Carrasco, Montevideo. Il travaille beaucoup; collabore aux périodiques de la France libre; notamment à la revue que Roger Caillois et Victoria Ocampo publient en Argentine *(Lettres françaises)*; à *Valeurs*, qui paraît en Égypte. Les *Poèmes de la France malheureuse* sortent en Argentine et en Suisse, un recueil de contes au Mexique (Éditions Quetzal).

1946-
1958.
La banque Supervielle ayant périclité, Supervielle se serait trouvé dans la gêne si le gouvernement uruguayen, qui admet la double nationalité de ses ressortissants, ne l'avait alors nommé

attaché culturel honoraire avec traite-
ment près l'ambassade parisienne. On
lui retint ses places sur le bateau qui
le ramenait en France avec les siens,
et on lui attribua une indemnité de
résidence. Solution d'autant plus heureuse que la tachycardie dont souffrait
l'écrivain a fait place à une arythmie
éprouvante; surviendront bientôt des
troubles pulmonaires (congestion, et sé-
quelles), qui ralentiront le travail, sans
jamais l'interrompre, ni au 27 rue Vi-
tal, ni dans l'appartement du quai
Louis-Blériot.

Officier de la Légion d'honneur depuis
la dernière promotion Jean Zay, vice-
président du *Pen Club* français, voici
que Supervielle obtient le Prix des Critiques (juin 1949) puis, en 1955, à l'unanimité, le Grand Prix de Littérature
de l'Académie française (pour son *Oublieuse Mémoire*). A l'unanimité encore
(ce qui ne s'était jamais produit), il est
élu en 1956 au jury du Prix Fénéon;
il siège également à celui du Prix Riva-
rol. En 1957, il partage avec le poète
italien, Camillo Sbarbaro, le prix inter-
national de poésie Etna-Taormina.

1960.   Sur l'initiative des *Nouvelles littéraires*,
Supervielle est nommé « prince des
poètes », succédant ainsi à ce Paul
Fort qui le préfaçait en 1919.

17 mai Supervielle meurt à Paris, dans son
1960.   appartement du 15 quai Louis-Blériot.

Vie sans histoires. Signes particuliers :
Supervielle n'avait jamais reçu de
lettre anonyme.

L'œuvre

LA POÉTIQUE

Au moment où M. Octave Nadal présentait à la Bibliothèque Jacques Doucet un ensemble de documents grâce auxquels éclairer l'œuvre de Jules Supervielle, voici paraître chez Droz et Minard un livre où Mrs. Tatiana W. Greene, professeur à Barnard College, consigne longuement, attentivement, et comme amoureusement, tout ce qu'on peut savoir aujourd'hui sur cet écrivain. De quoi deux fois réjouir ceux comme moi qui, depuis un quart de siècle au moins, ont trouvé en Supervielle, non seulement un poète, mais leur poète, non seulement une *main amie*, mais jusqu'à deux mains secourables. Parce qu'il nous délivra ou peu s'en faut de la rage, si Pasteur mérite qu'on l'appelle *bienfaiteur de l'humanité*, pourquoi contester ce titre au poète qui nous guérit d'une rage bien plus pernicieuse : ce mythe de la poésie, toujours fatal aux poèmes, dont Bernard Grœthuysen écrivait judicieusement : *Gardons-nous de faire à notre tour de la poésie un mythe, le seul que nous ayons encore conservé et qui finalement ne serait que le mythe du mythe.* Ce mythe auquel sacrifia l'un des critiques pourtant à qui nous devons un bon travail concernant Supervielle[1], M. Adolfo Casais Monteiro : *La voix de Supervielle est un désir constant de parvenir au silence, au silence parfait, au silence extatique de la parfaite compénétration.*

Étrange désir de silence, en vérité, celui qui, pour adéquatement se faire entendre, exige une cinquantaine de volumes ou de plaquettes; celui qui s'exprime par contes et romans, celui qui, empruntant la voix de Robinson et celle de Shéhérazade, celle de Barbe-Bleue et celle du Chat Botté, celle d'Adam et jusqu'à celle du diplodocus, n'a pas répugné à se produire sur les tréteaux; étrange désir de silence celui qui, non content de se manifester par la voix si charnelle d'un poète qui volontiers dit ses poèmes, n'a pas trop de celle d'autrui, bêtes et gens, pour parvenir à tout dire! Et si nous en finissions une bonne fois avec cette complaisance pour l'une des idées à la mode? Non, le langage n'est pas le silence. Non, la fable n'est pas l'ineffable. C'en est justement le contraire : la fable, c'est aussi le fable, c'est-à-dire le dicible, et non pas du tout l'indicible, l'infable, l'ineffable. Lisons plutôt l'œuvre abondant de Supervielle, et dans ses imperfections mêmes, dans cette heureuse tendresse qu'il éprouve pour tel poème ou tel conte moins accompli que d'autres, sachons découvrir qu'il n'a peur ni honte des mots, lui. C'est beau, *d'avoir aimé la terre,*

---

1. « A voz de Supervielle é um desejo constante de chegar ao silêncio, ao perfeito, extático silêncio de perfeita compenetração » *(A poesia de Jules Supervielle, Estudo e Antologia).*

Et d'avoir tous ces mots
Qui bougent dans la tête,
De choisir les moins beaux
Pour leur faire un peu fête,
D'avoir senti la vie
Hâtive et mal aimée,
De l'avoir enfermée
Dans cette poésie.

Oui, c'est beau d'être poète et de ne rougir point de faire des poèmes. Ne vous y trompez pas : *cette poésie*, cela veut dire en effet *ce poème*. Au plein de sa force et de sa gloire, dans un âge qui, pour la plupart des écrivains, n'est hélas jamais plus celui des jeux et de l'enfance, j'aime que Supervielle, tout simplement, tout enfantinement, dise *poésie* un *poème*. Je me revois, je le revois petit garçon : *Récite-nous ta poésie*. Si j'en crois Littré, c'est surtout au pluriel que *poésie*, dans le langage des adultes, désigne les ouvrages en vers. Selon le vocabulaire des vraies grandes personnes, un ouvrage en vers, ce serait plutôt *un poème*. Oui, sachons admirer cette fausse grande personne, ce vrai grand homme, qui par ce mot d'enfant avoue l'enfant qui le hante et grâce auquel il lui arrive encore d'écrire *une poésie*, c'est-à-dire *un poème*.

La plupart de nos vaticinants, l'avez-vous remarqué ? n'écrivent jamais de poèmes, eux. Ils préfèrent entrer en poésie, et proférer des oracles. Si j'aimais tant Supervielle, oui, plus que tout autre poète de son vivant, c'est aussi parce qu'il ose distinguer entre *la* poésie et *une* poésie, entre poésie et poème. C'est que, poète s'il en est par nature,

poémier, comme on l'a dit, bien sagement il réflé-
chit à la poétique, à l'art de faire des poésies.

Non pas qu'il ait toujours échappé à son temps,
à nos faiblesses. Comme à la plupart de ses contem-
porains, il lui arrive donc de jouer abusivement
sur l'étymologie, et de confondre alors *poésie* et
*geste divin, ainsi que le veut l'étymologie du mot poète,
qui vient du grec* poiein, *faire, créer.* Encore échappe-
t-il au pire : ne nomme-t-il pas *ex æquo* les deux
mots qui divisent en deux camps les poètes, ceux
qui prétendent *créer*, ceux qui se contentent de
faire ? En fait de création, quels poètes sauraient
se mesurer à Proust, Balzac ou Cervantès ? Comme
disait Diderot : *le poète, ou faiseur;* comme disait
Valéry : *le poète, ou fabricateur.* Si nos décerve-
leurs professionnels avaient une seconde réfléchi
au nom allemand du poète : *der Dichter,* lequel
ne *vient* pas, comme on dit, de *poiein,* ou encore
à son nom chinois, le *che-kia,* c'est-à-dire *fabricant
de poèmes,* ils se fussent épargné bien des naïve-
tés. Parce qu'il rapproche, et pour ainsi dire iden-
tifie, l'acte de *faire* et celui de *créer,* Supervielle
rétablit le poète dans sa complexité, celle de tous
les écrivains; et, du coup, dans sa modestie.

Depuis un siècle et demi, quiconque veut réussir à s'imposer comme poète, dès dix-huit ou vingt
ans ne manque jamais de fulminer un manifeste
qui propose une poétique; laquelle, de rigueur,
consiste à condamner avec la légèreté de toute ado-
lescence le peu qui subsiste encore de contraintes,
de formes, ou de style. Moyennant quoi, nos dernières poétiques aspirent au borborygme, et n'y
réussissent pas trop mal. Si je ne me trompe, Supervielle attendit soixante ans pour communiquer

Jules Supervielle au service militaire.
(Photographie Perrot, Fontainebleau) :

Familiers du lard, du saindoux, du gruyère
Nous sommes des soldats un peu lénifiés,
Un peu stupéfaits, un peu panifiés,
Mais, bref, notre œuvre est belle et fort nourricière.

1 - Jules et Pilar Supervielle à bord d'un transatlantique (1919) :

Mais sait-elle même qu'il existe

. . . . .

Le sait-elle, la mer, cette aveugle de naissance
Qui n'a pas encore compris ce que c'est qu'un noyé
Et le tourne et le retourne sous ses interrogations ?

2 - Jules Supervielle à l'Estancia Agueda, avec des amis uruguayens dont le poète Pedro Leandro Ipuche, à droite (1922).

enfin à l'Université centrale américaine de Montevideo ces *Éléments d'une poétique* que je publiai
deux ans plus tard, dans *Valeurs*. Il fallut attendre
1951, et *Naissances*, poèmes suivis de *En songeant à
un art poétique*, pour lire en France une version
remaniée, et qu'on peut estimer définitive, de
sa poétique personnelle. Supervielle avait alors
soixante-sept ans. Je ne m'interdirai pourtant pas
de compléter, par quelques indications éparses
dans son œuvre, ou dans les interviouves qu'il
accorda aux journalistes, ces deux textes essentiels.

En un temps où l'on croit exalter la poésie en
dénigrant la culture, il est satisfaisant de constater que Supervielle a fait quelques études, obtenu
plusieurs diplômes. De quoi le disqualifier! Bien
qu'il soit passé par la Sorbonne, dont on écrivait
récemment qu'elle ne produit que des ratés,
Supervielle n'est pas un raté. Il obtint pourtant
une licence d'espagnol. Quand on vous le dit, que
c'est un magicien!

J'ai lu plus d'une fois, ces temps-ci, que le savoir
tue le génie, et que celui-là ne saurait illustrer sa
langue qui en connaît plusieurs autres. Pas plus
que Pasternak ou Rilke, polyglottes, Supervielle
n'a pâti de savoir nativement l'espagnol, et l'anglais assez bien pour nous traduire si bien Shakespeare. En quoi déjà son exemple est salutaire.
[...] *connaître bien deux langues*, disait-il aux *Nouvelles littéraires*, le 7 octobre 1948, et *les parler cou-
ramment peut servir un écrivain*, car cela lui permet
*de voir un peu du dehors, avec l'émerveillement du specta-
teur, la langue qu'il écrit et dont les mots, même les
plus simples, prennent un air quasi miraculeux.* N'en

concluez pas qu'à la façon d'Eugène Jolas, par
exemple, Supervielle va tenter d'écrire en babé-
lien, de combiner les trois langues qui lui sont le
plus familières. *J'ai toujours délibérément fermé à l'espagnol mes portes secrètes*, écrit-il ailleurs, au *Journal
d'une double angoisse*. Quelles portes ? *Celles qui ouvrent
sur la pensée, l'expression et, disons, l'âme. Si jamais il
m'arrive de penser en espagnol, ce n'est que par courtes
bouffées. Et cela se traduit, plutôt que par des phrases
constituées, par quelques borborygmes de langage. Je parle,
je pense, je me fâche, je rêve et je me tais en français.*
Borborygmes, le mot dont je me sers volontiers
pour qualifier les sous-produits des poétiques à la
mode.

Uruguayen par *jus soli*, attaché culturel de
l'Uruguay en France, Supervielle s'est choisi poète
français. Une fois pour toutes, et d'emblée ; mais
il n'a pas d'emblée mis au point sa poétique. Vers
1934, quand il ne s'agissait que de *poésie pure*, de
prière et poésie, voire d'*expérience poétique*, Supervielle
adressait à Jean Paulhan un témoignage sur l'inspiration, et se bornait à y définir un « état d'ivresse
lyrique » que nous avons tous connu, si nous ne
sommes pas des brutes, mais que Supervielle lui-
même reconnaît n'avoir que *rarement éprouvé dans
toute sa plénitude*. La description qu'il en donnait
alors correspond tout à fait à *l'instant*, à cet état
de grâce grave que les amants et les mystiques
parfois ont obtenu de soi. *Les contraires n'existent
plus : l'affirmation et la négation deviennent une même
chose et aussi le passé et l'avenir, le désespoir et l'espérance, la folie et la raison, la mort et la vie.* Du pur
Tchouang-tseu, cela ; ou du pur André Breton.
C'est alors que Supervielle s'aventure à écrire que

le langage retrouve sa fonction démiurgique de verbe.
C'est alors aussi, ou peu s'en faut, qu'il compose
l'un des plus beaux volumes qu'il ait menés à bien :
cette *Fable du monde*, où il joue en effet à Dieu.
Observez toutefois qu'il écrit une *Fable du monde*,
manifestant ainsi un sens philosophique, et du
coup une discrétion, qui manquent chez tant de
poètes, et que, par ses voies, il retrouve la formule de Descartes dans une lettre à Mersenne :
*La fable de mon monde me plaît trop pour manquer à
la parachever.* Dix ans plus tard, il raccroche encore
poète à *poiein*, égalant le poète au Créateur, à Dieu,
mais le voici déjà qui reprend à son compte le
mot parfait d'Oscar Wilde : *L'imagination imite,
c'est l'esprit critique qui crée.* Dans sa poétique de
1951, il renonce enfin aux propos hasardeux sur
poète et *poiein.* Plutôt que de se borner à décrire
un état de transe lyrique, il s'efforce de nous faire
comprendre comment chez lui s'élabore un poème,
et ma foi il y réussit.

Dans tout poème, comme aussi bien dans toute
page de prose, qu'il faille faire la part de la fabu-
lation, de la mythomanie, bref, de la folie, ce
n'est pas moi qui le nierai. J'ai hanté ces confins,
et j'en parle en expert-géomètre. Mais alors que
notre temps s'égare jusqu'à simuler la folie afin
de plaire, et que les esprits les plus plats, les cœurs
les plus secs, les imaginations les plus débiles s'éver-
tuent à l'extravagance, Supervielle dut constamment se défendre contre le délire et la menace de
la folie. « *Vous ne faites pas assez confiance à votre folie*,
lui déclarait un jour le Père Lelong. — *Mais si,
mais si!* » Il y a dans toute expérience poétique un peu
poussée un risque de confusion qui peut aller jusqu'à la

folie, confiait Supervielle à M. Aimé Patri (*Paru*, août 1948). Bien éloigné de lui reprocher d'avoir su ne pas courir *exprès* le risque suprême : la drogue, la schizophrénie expérimentale et la folie qu'on enferme, je lui sais gré d'avoir pris en même temps que le risque poétique quelques sages précautions : par exemple de n'avoir lu Rimbaud que fort tard, quand il se crut à l'abri. Quelle chance pour lui, et pour nous ! A ceux qui estiment que Hölderlin n'est grand, ou Antonin Artaud, que pour et par la démence, ne peut-on opposer Valéry ou Claudel, dont j'ai ouï dire qu'ils auraient composé quelques poèmes passables. Valéry, Claudel, ou Supervielle.

Voilà donc un poète français qui, en plein xxe siècle, *freine* autant qu'il peut l'élan qui le déporte vers la folie. Saluons le rare courage de celui qui nous confie qu'il doit le meilleur d'une sagesse à l'effort qu'il sut faire pour *dompter un peu de folie*. Quand il se sent maître de soi, il lui arrive de hasarder quelque poème périlleux. Ainsi, à Pâques 1957, il reprit des projets anciens et produisit *Puisque* :

> *Puisque le jour n'est plus que pour les yeux ouverts*
> *Les ténèbres iront se jeter dans la mer.*
>
> *Puisqu'à force d'être étoilé le ciel chancelle*
> *Le ciel se videra d'étoiles comme d'ailes.*
>
> *Les cœurs s'arrêteront de battre et de souffrir*
> *Mais on ne saura plus ce que c'est que mourir.*

où la plus mystérieuse part du poème est enclose aux mots précisément qui feignent d'en marquer

l'articulation logique : *mais, puisque.* Devant ce
mais, ou ces *puisque,* je me trouve aussi émerveillé,
aussi démuni, que devant le *car* de Nerval aux
Chimères :

> *Car es-tu reine, ô toi, la première ou dernière ?*

car, le seul mot du poème devant lequel je me
sente privé de tout recours à la logique.

Mais Supervielle ne fait pas de la folie, ou de
l'opacité, le commencement et la fin de toute poésie. L'alpha peut-être ; assurément point l'oméga.
A propos de *L'Escalier,* M. Patri lui demandait
voilà douze ans : « *L'auteur en a-t-il la clef ?* » A quoi
Supervielle : « *Je vous avouerai bien volontiers que le
mystère subsiste pour l'auteur lui-même.* » A l'opposé
toutefois de ceux, la majorité, qui obscurcissent
artificieusement ce qui n'était que trop clair en eux,
Supervielle patiemment s'efforce toujours d'élu-
cider l'obscur.

Aragon ou Claudel, les exigences de la prédica-
tion, de l'enseignement, leur commandaient d'être
compris. Heureuse obligation ! Le moins prédicant,
le moins didactique des poètes, Supervielle, doit
beaucoup, lui aussi, *à l'existence du public,* et notamment de ce public pour lequel il écrivit diverses
pièces de théâtre : *Le théâtre m'aura aidé à rendre
ma poésie plus transparente.* Le lecteur d'une plaquette ou d'un volume de vers relira trois fois s'il
le faut, et vingt au besoin, le poème qui lui résiste.
Au théâtre, il faut passer la rampe et du premier
coup se faire entendre, car voici déjà la réplique
suivante et toute phrase perdue l'est pour toute
la soirée. Parce qu'il ne méprise pas le théâtre,

Supervielle a toujours rêvé d'être compris. *Person-nellement, je suis un peu humilié quand une personne sensible ne comprend pas un de mes poèmes. Je me dis que ce doit être ma faute et je tourne et retourne mon poème dans tous les sens pour voir d'où elle provient. Quand j'ai voulu dire quelque chose et pas autre chose, je tiens à ce qu'on saisisse exactement ma pensée.* Cher courageux Supervielle, qui osez parler de votre *pensée* en poésie, et d'une pensée qui serait ceci *exactement*; ceci, et non le contraire de ceci. Cher Supervielle qui acceptez la poésie discursive, et qui vous êtes toujours refusé, je vous cite, *à écrire de la poésie pour spécialistes du mystère* (telle du moins la confidence que vous fîtes un jour à Michel Manoll), sachez que nous vous aimons de nous avoir soustrait aux charmes de soi-disant magiciens, et qu'en nous désenchantant, vous nous avez mieux encore enchantés. Pour nous délivrer du parapluie, de la machine à coudre et de la table d'opération grâce à quoi Lautréamont devint ce qu'il ne voulait pas : l'un de nos mages, un demi-dieu, peut-être fallait-il un autre Uruguayen. A Breton, qui tient pour crétin quiconque n'est pas capable de voir un cheval galoper sur une tomate (rien de plus facile, car le dernier, et même l'après-dernier des crétins, voit ça en rêve toutes les nuits, et mieux encore), *ce qui me touche*, répliquez-vous, *c'est de savoir comment le cheval est entré dans la tomate, c'est le passage du réel à l'irréel*. L'idée vous est chère, et fixe : *J'aime par-dessus tout les états de passage*, disiez-vous à Claudine Chonez le 21 février 1934; or, qu'est-ce que votre *Jeune Homme du dimanche* sinon, une fois de plus, dans l'une de vos dernières œuvres, l'analyse d'un état de passage ?

Prémuni contre la folie, Supervielle sait s'abandonner à ce rêve dont, après les romantiques allemands, les surréalistes avaient fait leur tarte à la
crème; mais au lieu de s'évertuer à rêver, afin au
réveil de consigner des songes avec la cupidité
d'un client de psychanalyste qui serait doublé
d'un homme de lettres, Supervielle *rêve toujours un
peu* tout ce qu'il voit, et surtout à l'état de veille;
il vit un peu *à la dérive, j'allais dire* (dit-il) *à la
dérêve.* Encore un coup, notez le mot qu'en jouant
avec les mots il inventa : la *dérêve.* Le poète sera
donc celui qui rêve, mais, quand il le faut, qui
dérêve. *Jules Supervielle, ou le rêve surveillé,* dit exactement M. Nadal au *Mercure de France* (décembre
1958). Rêver, à la bonne heure!

> [*Mais*] *l'oiseau dans le peuplier*
> *Rêvant la tête dans l'exil*
> *Tout proche et lointain de ses ailes,*

que peut-il

> *Pour gauchir la destinée?*

Admettons que le silence le protège, et la nuit;
après la nuit, voici poindre le jour :

> *Alors l'oiseau de son bec*
> *Coupe net le fil du songe*

et voici naître le chant; pour un homme, le poème.
Sauf les vers en effet *donnés,* comme disait Valéry,
le poème n'est jamais le fils du songe. Il ne s'achève,
ne se parachève qu'en état de veille, et même de

vigilance ; il est conquis, par une attention lucide
et sévère, sur les prodigues dons, et sur les *digue-
don* du songe.

> *Je caresse la mappemonde*
> *Jusqu'à ce que sous mes longs doigts*
> *Naissent des montagnes, des bois.*

Jusqu'à ce que; tout est là. Et ce *jusqu'à ce que* peut
durer très, très longtemps : des années. *Parfois, ce
qu'on nomme l'inspiration vient de ce que le poète bénéficie d'une opiniâtreté inconsciente et ancienne qui finit
par porter ses fruits.* Le génie redevient la longue
patience de Newton. Le nom d'un savant s'impose pour un autre motif, veuillez le croire, que
de scandale. Il s'impose, parce que Supervielle en
personne l'impose. Comme s'ils n'avaient jamais
rien lu, parce qu'en vérité ils n'ont jamais rien lu sur
la psychologie de l'invention, de la création scientifique, trop de soi-disant poètes opposent à plaisir
le génie poétique et le génie scientifique. Valéry,
Queneau, André Bellivier, ne démontrent-ils pas
aujourd'hui que la culture scientifique et le don
mathématique n'ont jamais empêché poète de par-
faire ses poésies ? Or, écoutez le Supervielle de
1951 : *Le poète ne peut compter sur les moments très
rares où il écrit comme sous une dictée. Et il me semble
qu'il doit imiter en cela l'homme de science lequel n'attend pas d'être inspiré pour se mettre au travail. La science
est en cela une excellente école de modestie puisqu'elle fait
confiance à la valeur constante de l'homme et non pas
seulement à quelques moments privilégiés.* Quels progrès dans la poétique depuis 1925, et même depuis
1934 ! Désormais, Jules Supervielle accepte de faire

plus de la moitié du chemin à la rencontre des *instants*.

Non pas que tous les dons qui favorisent le savant soient également nécessaires au poète. A plus d'un égard, par exemple, le savant a besoin d'une mémoire aiguë, qui sache lui présenter, à chaque moment, les milliers de petits faits épars, et les moins apparemment apparentés, d'où peut-être jaillira, en un rapprochement imprévu, la découverte sublime. En littérature, il en va tout autrement. Tel écrivain dispose d'une mémoire à souvenirs précis, localisés, implacables, et saura en tirer de beaux effets. Il se peut. Le plus souvent, un poète, un romancier, un dramaturge, sont affligés, ou si l'on préfère : favorisés, d'une mémoire spontanément fabulatrice. Elle déplace, colore, ampute, rétrécit ou grossit à son gré des souvenirs souvent banals, et les modèles selon des lois confuses qui varient selon chaque tempérament, constituant ainsi autant d'univers poétiques, c'est-à-dire *mythistoriques* pour reprendre un mot que j'aime, un mot désormais indispensable à l'intelligence du monde. Quand ils appellent Τὸ μυθιστόρημα, c'est-à-dire *mythistoire*, le genre littéraire que nous autres Français appelons le *roman*, les Grecs d'aujourd'hui publient la vérité : que le conteur d'histoires nous expose une fable du monde. Créateur (va pour ce mot, si nous le dépouillons de toute tentation d'angélisme!), créateur donc, celui-là dont la mémoire joue bellement avec les souvenirs. Pour le sculpteur qui travaille à même le bloc de bois ou de marbre, l'art, selon le mot fameux, c'est bien d'enlever *ce qu'il y a de trop*. Une bonne mémoire de poète, pourquoi ne serait-ce point celle qui enlève ce qu'il y a de trop, épargnant ainsi à l'écrivain le soin de découper et redistribuer le réel pour en faire de la beauté? Considérez les *Mémoires du comte de Gramont* : ce que fut, d'une part, la très longue vie du héros; et le peu, mais comment choisi, qu'en retint Hamilton. Insoucieux de mériter son titre alors à la mode : *Mémoires du comte de B...* ou *Mémoires de la marquise de Z...*, Hamilton camoufle en *mémoires* ce qu'il eût mieux intitulé : *Les Oublis du chevalier de Gramont.* Savoir oublier, pour l'écrivain, presque tout est là. Tel romancier de mes plus chers amis, à qui je reprochais un jour des pages superflues manifestement étrangères au sujet, et nuisibles par conséquent à la beauté de l'œuvre, me répondit : *Vous avez raison; mais en cette ville je fus heureux avec une femme; ce bistro que vous me reprochez, c'est là que pour la première fois, avec elle, etc.* Parce qu'il ne voulait rien oublier de sa vie, ce romancier pourrait bien avoir composé là, mais mal composé, un livre qu'on oubliera. Que ne s'est-il confié au ciseau du sculpteur, ou, s'il a cette chance, à son *Oublieuse Mémoire ?*

> *Je lui donne une branche elle en fait un oiseau,*
> *Je lui donne un visage elle en fait un museau,*
> *Et si c'est un museau elle en fait une abeille,*
> *Je te voulais sur terre, en l'air tu m'émerveilles!*

L'heureux homme, ce Supervielle! Qu'il n'espère donc pas que nous nous affligions quand il feint de se demander :

> *Mais avec tant d'oubli comment faire une rose,*
> *Avec tant de départs comment faire un retour,*
> *Mille oiseaux qui s'enfuient n'en font un qui se pose*
> *Et tant d'obscurité simule mal le jour.*

Il joue à se faire peur, cela s'entend; il sait obscuré-
ment, et parfois dit en clair, qu'il a *beaucoup colla-
boré avec l'oubli en poésie.*

De la folie, du rêve, de l'oubli, le tout surveillé,
contrôlé par la patience et la raison, voilà de
quoi se construit la poésie de Supervielle. Reste à
faire un vers, un poème, ou un conte. Faut-il parler au cœur ou à l'intelligence, c'est-à-dire, en l'espèce, à l'oreille, car la poésie est faite pour la
bouche et l'oreille exclusivement. Ceux-là la per-
vertissent qui ne l'écrivent que pour les yeux. Un
poème ne se lit point; il s'apprend par cœur,
c'est-à-dire *par bouche*, comme disaient les Grecs.

> *Écoute, apprendras-tu à m'écouter de loin,*
> *Il s'agit de pencher le cœur plus que l'oreille,*
> *Tu trouveras enfin des ponts et des chemins*
> *Pour venir jusqu'à moi qui regarde et qui veille.*

Nous en sommes encore au *Forçat innocent*, en un
temps où, de fait, pour aimer Supervielle, il fallait
quelquefois pencher le cœur plus que l'oreille; les
quatre vers où il nous donne cet avis, démentent
pourtant à merveille le conseil justement qu'ils
donnent. Les temps forts et les temps faibles, les
rimes, tout ce qui dans le poème se propose de
caresser l'oreille, et selon des chemins détournés,
mais certains, de s'associer aux battements du
cœur, au rythme respiratoire, ne récompensent-ils
pas l'oreille qui se penche?

Je voudrais surtout me garder de tirer à la
mienne la poétique de Supervielle. Je l'ai lu d'assez près, depuis assez longtemps, pour n'ignorer
pas qu'il se sert en effet de formes poétiques très

diverses : *vers réguliers (ou presque), vers blancs qui riment quand la rime vient à moi, vers libres, versets qui se rapprochent de la prose rythmée. Aimant par-dessus tout le naturel, je ne me dis jamais à l'avance que j'emploierai telle ou telle forme. Je laisse mon poème luimême faire son choix. Ce n'est pas là mépris, mais assouplissement de la technique.* A la bonne heure! Après avoir étudié les variantes de plusieurs volumes, celles notamment de *Débarcadères* et des *Gravitations*, j'ai cru pouvoir affirmer, et non pas seul, puisque, dans son *Jules Supervielle, eine Stilstudie* (1942), Mme Lotte Specker, qui avait fait le même travail sur les *Gravitations*, est parvenue à la même conclusion : que les poèmes de forme libre sont les plus violemment remaniés, alors que les poèmes de forme fixe, et surtout les heptasyllabes, ne subissent presque pas de changements. Qu'est-ce à dire, sinon que, lorsque, pour obéir à son génie, Supervielle choisit d'écrire en ce qu'on appelle si imparfaitement le vers libre (car le *vers libre* c'est, au mieux, un cercle carré), il ne peut, faute de contraintes ou de normes, obtenir d'emblée le meilleur de soi-même. Je sais qu'il arrive encore à Supervielle d'écrire en versets comme claudéliens cette *Chanson du malade*, par exemple, qu'il publia dans *La Table Ronde* en mars 1952. Entre les poèmes de *Débarcadères* d'une part et les *Gravitations* première manière, la *Fable du monde* d'autre part, *Naissances*, ou ce *Mirliton magique*, qui formule en deux mots l'une des dominantes de son génie — enchantement et naïveté — impossible de le nier : le courant nous emporte vers la rigueur, et du coup, la vigueur. Un seul exemple : on lisait à la fin d'*Élévations*, en 1925, quatre vers qui ne maintiennent avec le reste de l'œuvre que des rapports artificieux :

> *Je sens l'effort du gazon*
> *Pour ne mourir sous la neige*
> *Celui que fait l'attentive médiatrice du cerveau*
> *Pour demeurer la raison qui sourdement le protège.*

Sept ans plus tard, isolées et modifiées, ces lignes inégales deviennent un quatrain autonome dans la section *Suffit d'une bougie* :

> *Je sens l'effort du gazon*
> *Qui veille sous tant de neige*
> *Et l'effort de la raison*
> *Dans l'esprit qui la protège.*

Cette fois, Supervielle obtient l'unité de sujet, l'unité de mesure (quatre heptasyllabes), quatre rimes au lieu de deux, la suppression enfin de plusieurs tours gauches ou pédantesques *(l'attentive médiatrice du cerveau, pour ne mourir sous)*. Anarchiste littéraire au départ, classique à l'arrivée, oui, c'est bien lui. C'est bien celui qui, parti du pastiche symbolisant et même parnassien — voyez les *Brumes du passé* — connut de 1920 à 1930 une période anarchisante et, peu à peu, triomphant de l'académisme et du refus des règles, sut se choisir, sinon toujours s'imposer, une poétique conforme à son tempérament et aux caractères de la langue française, laquelle, privée du jeu des ïambes, des anapestes, des péons, amputée des rimes ou du moins des assonances, ne saurait produire de poème achevé : celui qui comble en même temps les muscles et l'intelligence, les muqueuses et le cœur, l'oreille et l'imagination.

Classique, en effet, le poète qui ne se fait ni l'adorateur ni même le *serviteur du vocabulaire*, et qui, renonçant aux effets jolis mais faciles que produit le mot rare :

> *Paroares, rolliers, calandres, ramphocèles,*
> *Vives flammes, oiseaux arrachés au soleil,*

accepte simplement de dire un jour : *oiseau*. Classique, celui comme Supervielle qui écrit *avec les mots de tous les jours* et se méfie de ceux *qui font poétique*. Classique, enfin, celui qui, renonçant à parler le langage des dieux ou d'Adam, a compris qu'en principe *esbaco* ou *escabeau* faisaient aussi bien l'affaire et qu'il ne s'agit que d'employer au mieux les milliers de hasards, historiques, analogiques et autres, dont se compose une langue : y compris ces *heureuses impropriétés qui font mieux voir la chose que si on la nommait directement*. Quiconque a réfléchi au langage sait en effet que, l'onomatopée mise à part, la nature des mots n'est nullement de coïncider avec les choses et qu'à la différence du père Adam de Supervielle, le poète contemporain n'a plus le choix entre *esbaco* et *escabeau*. S'il veut *nommer* l'astre brillant du jour, le poète français doit se contenter de *soleil*, l'anglais de *sun*, l'allemand de *Sonne*.

C'est pourquoi l'image est utile au poète. Mais alors, par l'heureuse impropriété dont je parlais à l'instant, le poète sera-t-il condamné à toujours évoquer *l'astre brillant du jour*, ou comme un enfant de dix ans que je connais, un enfant à la page, *le grand mangeur de microbes ?* Au lieu de nommer la lune, devra-t-il, inexorablement, faire monter aux cieux *le char vaporeux de la reine des ombres ?* Devra-t-il identifier l'image et la poésie ?

Autrefois, disait Supervielle en 1944, *autrefois j'avais beaucoup d'images dans mes poèmes, maintenant il m'arrive de n'en avoir qu'une qui sert d'épine dorsale à tout le poème. Dans le premier cas se trouve* Le Portrait, *dans le second* Les Chevaux du Temps *ou* L'Escalier. Or, ceux de ses poèmes où l'image prolifère se signalent aussi par le refus des rimes et des rythmes : comme si, lorsque l'écrivain renonce aux normes du poème, il était condamné, pour donner l'illusion poétique, à quelque délire imageant. Regardez *Le Portrait :*

> *Mère, je sais très mal comme l'on cherche les morts,*
> *Je m'égare dans mon âme, ses visages escarpés,*
> *Ses ronces et ses regards.*
> *Aide-moi à revenir*
> *De mes horizons qu'aspirent des lèvres vertigineuses,*
> *Aide-moi à être immobile,*
> *Tant de gestes nous séparent, tant de lévriers cruels!*

Étudiez ces lignes inégales, sans rythme aucun et sans rime, vous y découvrirez qu'elles sont découpées selon les usages de l'analyse grammaticale, lesquels n'ont rien à voir, mais rien, avec la technique du poème. En revanche, voici *L'Escalier*, où se développe une seule image :

> *Parce que l'escalier attirait à la ronde,*
> *Et qu'on ne l'approchait qu'avec des yeux fermés,*
> *Que chaque jeune fille en gravissant les marches,*
> *Vieillissait de deux ans à chaque triste pas,*

— Sa robe avec sa chair dans une même usure —
Et n'avait qu'un désir, ayant vécu si vite,
Se coucher pour mourir sur la dernière marche;
Etc.

et voici *Les Chevaux du Temps* :

Quand les chevaux du Temps s'arrêtent à ma porte
Je ne puis m'empêcher de les regarder boire
Puisque c'est de mon sang qu'ils étanchent leur soif.
Ils tournent vers ma face un œil reconnaissant
Pendant que leurs longs traits m'emplissent de faiblesse
Et me laissent si las, si seul et décevant
Qu'une nuit passagère envahit mes paupières
Et qu'il me faut soudain refaire en moi des forces,
Pour qu'un jour, où viendrait l'attelage assoiffé,
Je puisse encore vivre et les désaltérer.

Dans l'un et l'autre cas, le rythme de l'alexandrin, constamment soutenu, soutient l'image solitaire; de sorte que, satisfaits du plaisir auquel les convie le rythme, la chair et l'esprit n'ont pas besoin de constamment recourir à quelque nouvelle image; de sorte aussi que le développement de l'image solitaire transforme le poème en *une sorte de mythe* qui a vraiment *sa vie propre. Alors, le poème se rapproche du conte.* Or, le plus mystérieux des poèmes de Supervielle, n'est-ce pas *L'Escalier,* justement, ce conte entre tous qui s'ouvre sur l'abîme? De quoi nous corriger de cette fureur imageante qui s'imagine à tort qu'un kaléidoscope fabrique des poèmes, et qu'un enchaînement de synonymes autonomes, ce rêve des imagistes et des surréalistes, peut constituer *une poésie.* J'aime les

kaléidoscopes, mais non pas en tant que poètes.
Lanterne magique au milieu de l'obscurité, voilà
l'image, pour Supervielle. Lanterne magique et
non pas figure de kaléidoscope, en effet.

Cette fois, nous savons tout de la poétique, et
par conséquent de la poésie de Supervielle. Mais
les thèmes ? Eh bien, quoi ! la vie, la mort, l'amour,
la guerre, la nuit du corps et celle des nuits, les
pins devant la mer et les poissons des profondeurs,
pourquoi voulez-vous que, pourvu d'une poétique
à ce point réfléchie, équilibrante, le poète s'inter-
dise ou se refuse quoi que ce soit de ce qu'il sent
ou voit sur la *belle terre tourneuse* ?

Fort de sa poétique, le poète Supervielle est
capable de tout.

2

LA PROSE

Oui, Supervielle est capable de tout : d'écrire à *n'importe quelle heure du jour ou de la nuit, avec des périodes plus fécondes que d'autres* (*Les Nouvelles littéraires*, 17 septembre 1953); de composer en prose, ce qui, pour tout esprit non prévenu, est autrement malaisé que de rimer un poème; de publier, en 1911 et 1912, des fragments de ce qui aurait pu devenir une thèse, et où vainement vous chercheriez l'annonce du prosateur qu'il a su devenir; enfin, de commettre quelques-unes de ces fautes de français qui scandalisent les spécialistes du *Ne dites pas... mais dites*, et que se permettent sans trop de scrupules, sûrs qu'ils sont de les racheter, les véritables écrivains. Il arrive donc à Supervielle d'employer un *décade* où le puriste exigerait *décennie;* comme à M. de Montherlant, et comme s'il oubliait que *moindre* chez nous exprime à soi seul le comparatif de *petit*, il lui arrive d'écrire *les moindres petits ressorts*, et autres non moindres négligences. Même, je l'ai vu risquer — risquer, ou lâcher? — un *Allez-vous me fiche la paix, bondit l'enfant :* de quoi faire bondir M. Le Bidois, qui

certes a bien raison de condamner ces emplois de
bondir, *sursauter*, ou *frissonner*, dans les incidentes
où l'on attendrait un verbe d'élocution. Son souci
d'une langue pure, Supervielle ne le dévie pas en
culte de l'archaïsme : comme vous, comme moi,
comme nous tous aujourd'hui, il accepte *tout de
même* au sens désormais irrésistible de *néanmoins*,
alors que les académiciens s'efforcent de n'employer cette expression qu'avec le sens de *pareille-
ment*. Le charme de Supervielle volatilise en quelque
sorte, et ces négligences, et cet abandon à la néolo-
gie. Sans jamais l'obscurcir ou la rendre précieuse,
la poésie nourrit sa prose, l'embellit, l'excuse quand
il le faut (et la prose en revanche soutient la poésie, qui redevient discursive, intelligible).

Qu'il avait donc raison, l'écrivain, de confier à
la radio, le 13 novembre 1951 : *Les caractères de
ma poésie se retrouvent à travers tous mes livres; les
thèmes principaux s'enlacent, des lianes relient les livres
les uns aux autres* [...]. *Une évolution, oui, mais concen-
trique à partir d'un même noyau.* Plus d'un conte en
effet fut d'abord un poème (*L'Enfant de la haute
mer*, *Le Petit Bois*, etc.); plus d'un roman devint
conte *(L'Homme de la Pampa* préparant *Le Jeune
Homme du dimanche)*, ou pièce de théâtre *(Le
Voleur d'enfants)*. Chez Supervielle, en effet, le
poème parfois se rapproche du conte et, lors même
qu'il n'est pas aussi exactement poème en prose
que *Le Bol de lait*, le conte confine au poème.

Parmi toutes les raisons que j'ai de rester fidèle
au souvenir de Pierre Petitbon, l'une des têtes les
plus douées de ma génération, celle-ci n'est pas la
plus faible : il arriva un jour en turne, à l'École,
et me dit : « *Lis ça.* » *Ça*, c'était *Le Bœuf et l'Ane*

de la crèche dans la *Nouvelle Revue française*. De ce jour, j'aimai Julio.

Tout n'est pas égal en ces recueils; mais en les écrémant on composerait un ensemble où le naturel et la simplicité (un naturel, une simplicité d'autant plus louables que plus évidemment acquis sur et par la culture) imposent le fantastique et la magie. S'il est vrai que, dans *Les Premiers Pas de l'Univers*, l'allégorie parfois l'emporte sur la féerie, et sur la poésie la bouffonnerie, je cherche en vain le « chinois chinoisant » qu'on prétend qui s'y cache. Certains désapprouvent ce rien d'extravagance qu'on peut, si l'on y tient, expliquer par le milieu baroque, hispanisant, où Supervielle vécut son enfance, mais qu'on justifierait aussi bien par l'évidente et parfois un peu naïve complaisance de notre temps pour le baroque; de fait, entre les objets qui lui sont chers, Supervielle préfère sans doute telle statue baroque et polychrome, où j'avoue ne rien déchiffrer, moi, de ce que j'aime dans les contes. Tout n'est pas égal dans les contes, non; mais, presque partout, Supervielle s'y impose à moi avec l'insinuante, la terrifiante évidence du mythe.

Port-Cros, 1931 : Supervielle et Anne-Marie, l'enfant née depuis peu, regardent un mur de pierres sèches. Un lézard soudain sort d'un trou, qui veut profiter lui aussi du soleil. Émerveillement de la petite fille, chez qui bientôt succède le dépit, car, prudence ou timidité, le lézard soudain s'escamote. Alors, Anne-Marie, à son père : « *Encore!* » Elle ne savait sûrement pas qu'il venait d'écrire *La Fable du monde*, mais elle sentait le démiurge, le dompteur de lions, le charmeur de lézards. Quelques années après avoir lu *L'Enfant de la haute mer*, lorsque pour la première fois je traversai à mon tour l'Atlantique, anxieux de me percevoir si vulnérable au-dessus de toute cette eau qui ne demandait qu'à s'ouvrir, à peine si j'osai me rassurer en songeant à des êtres chers, car une phrase depuis des années m'obsédait : *Marins qui rêvez en haute mer, les coudes appuyés sur la lisse, craignez de penser longtemps dans le noir de la nuit à un visage aimé.* Je croyais si dur à *L'Enfant de la haute mer*, si doucement, que, malgré ma défiance pour les histoires de revenants et de houbilles, je craignais en vérité de faire surgir quelque merveille du même ordre. J'ai dû traverser plus d'une fois les mers avant d'oser la nuit évoquer un visage aimé : *Le Village* des *Gravitations* n'avait point eu pour moi la même vertu, car il arrive à Supervielle d'être plus poète encore dans ses contes que dans ses vers.

Rien de plus facile que de classer toutes ces féeries selon qu'elles lui furent suggérées par la mythologie grecque, le folklore sud-américain, la fable judéo-chrétienne, les temps modernes, ou ses intimes obsessions. D'une part, *Le Centaure* et *Orphée;* de l'autre, *Rani, La Piste et la mare;* dans le troisième groupe, *Le Bœuf et l'Ane de la crèche, La Fuite en Égypte, Tobie;* dans le quatrième, les *B. B. V.;* dans le dernier, *L'Inconnue de la Seine, Les Boiteux du Ciel, L'Enfant de la haute mer*, etc. Supervielle lui-même absout ceux de ses exégètes qui se sont ingéniés à ce genre de gloses. Ne divisa-t-il pas en deux parties *Les Premiers Pas de l'Univers : Contes mythologiques* et *Autres Contes.* Cette habile répartition n'explique ni des différences de qualité, ni l'unité pourtant de l'œuvre.

Elle n'explique nullement, par exemple, le bestiaire de Supervielle. Sur les cent quatre-vingt-cinq animaux à qui Lautréamont confia le soin d'exprimer la cruauté, ce n'est point hasard si fourmillent les bêtes à griffes et à ventouses, symboles, selon Bachelard, de la volonté pure, du *vouloir attaquer;* ce n'est point hasard, non plus, si Lautréamont n'a cité que sept bêtes à cornes, et si le cheval et le chien *n'appartiennent pas au cruel blason du comte de Lautréamont.* Outrant la *mission* sociale que s'arrogeaient plusieurs poètes démagogues, Rimbaud voulut se charger *des animaux mêmes.* Il n'alla jamais plus loin que cette profession de foi, et saint François d'Assise, pour ne citer que lui, fut, en cela du moins, cent fois plus *poète* que Rimbaud. Si tant d'écrivains qui naquirent au début du siècle ont aimé en Supervielle un remède à Lautréamont, c'est notamment parce que son bestiaire nie celui de Lautréamont : le cheval et le chien en sont les rois, avec les vaches, les moutons. Pour que Supervielle mentionne des outils dangereux, des pinces, il faut qu'il pense aux tramways, avec *leurs pattes de crustacés.* Aux tramways, non pas aux bêtes : *Quel beau parc zoologique inoffensif l'on composerait avec les animaux de Supervielle,* dira É. Noulet, dans *Orbe* (juillet 1945). *Terre heureuse où rien ne nuit, rien ne meurt, ni les hommes, ni les bêtes.* Certes, il faut à notre poète *tout le jeu de cartes des animaux;* mais lors même qu'il accueille un tigre, un faucon, un vautour, un condor, un boa, de toute évidence il leur préfère les biches, les éléphants, les gazelles, *un regard de lama* ou ces *hamacs vivants* qu'offrent à l'homme les dromadaires. Présentera-t-il à l'enfant

Jésus les bêtes dangereuses? Oui, mais désarmées, désarmantes : *De quelque côté qu'on se retournât, on assistait à des scènes édifiantes : un crocodile berçait dans sa gueule affectueuse la tête d'un porcelet profondément endormi, le poil fauve et la laine blanche sympathisaient négligemment comme des amis d'enfance qui n'ont plus rien à se dire, mais se réjouissent quand même du voisinage. Et s'il arrivait au lion de lécher l'agneau, nul n'y voyait une intention apéritive. Quant à l'agneau, ne pouvant mieux faire, il tenait à la bouche une petite touffe d'herbes qu'il traitait avec toute sorte de ménagements. Alors que la joie chez les animaux reste d'habitude opaque à cause de tout le poil, la plume, l'écaille qui la retiennent, toutes les bêtes, avec aisance, rayonnaient de la tête à la queue.* Nous ne sommes pas tout à fait dupes; pour composer le monde vrai, et non pas *La Fable du monde*, les requins n'importent pas moins que les pandas géants; les pieuvres, que les hippocampes; les crocodiles, que les oiseaux-mouches; les guépards, que les gazelles. Mais, fable pour fable, je ne vois pas en quoi le bestiaire de Supervielle serait moins convaincant que celui de Lautréamont; ou serait-ce qu'Adolf Hitler est plus *vrai* que François d'Assise? Parce que le poète est *le plus doux des animaux*, Supervielle lie compagnie avec les bêtes les plus douces (celles aussi, rappelons-le, qui occupèrent à l'estancia son enfance émerveillée : les vaches précisément, les moutons, les chevaux et les chiens).

Ceux qui détestent La Fontaine — tant pis pour eux — résisteront sans doute aux animaux de Supervielle, et leur reprocheront d'être humains, trop humains. De fait, Supervielle n'a jamais senti entre les bêtes et lui cet abîme pseudo-métaphy-

sique et surtout théologien creusé par le christia-
nisme. Il a vu des chiens, notamment, *dont le regard
témoigne d'une humanité assez gênante, comme s'ils se
disposaient à sortir de leur domaine pour pénétrer dans
le nôtre;* à l'en croire, il n'y a même que les chiens
et les singes *pour avoir parfois de ces regards qu'ils
semblent nous emprunter — à moins que nous ne les
tenions d'eux-mêmes — quand il s'agit d'exprimer la tendresse, la douleur, la misère de vivre.* (Présentation de
Chiens, par Ylla.) Mais le chat? Supervielle me
disait un jour qu'il situe le chat *hors de l'humanité;
et comme ma poésie est humaine...* Il faut attendre en
effet *Le Jeune Homme du dimanche*, et que Supervielle ait tout près de soixante-dix ans, pour que
le chat puisse intervenir gravement dans un conte :
ce chat de gouttière qui *est* le jeune homme du
dimanche : *Désormais embourgeoisés, le félin des gouttières et l'étudiant en droit, tous deux sous une fourrure
unique, menaient maintenant, chez mes amis, une vie d'intérieur, de famille.* [...] *Je n'aurais jamais cru qu'il était
aussi simple de ne faire qu'un avec un être jusque-là
entièrement différent. J'étais en quelque sorte le locataire
du chat sans qu'il perdît l'usufruit de ce logement qui
restait entre nous indivis. C'est ainsi, du moins, que mes
livres de droit auraient expliqué la chose. Chacun de nous
avait sa conscience et sa pensée propres, mais c'est moi
qui gouvernais le tout. Pourtant, il m'arrivait d'être surpris par quelque geste de la patte ou un léchage de poils
fait sans mon consentement, mais c'était là un phénomène fort rare que je ne note que par scrupule.* Qu'un
poète qui étudie le droit, qu'un double par conséquent de Supervielle ait fini par se métamorpho-
ser en cet animal entre tous inhumain paraît-il
qu'est le chat, voilà qui me prouve que la tenta-

tion de la métamorphose est devenue chez lui proprement invincible.

A Serge Montigny qui lui demandait un jour
pourquoi chez lui tant de métamorphoses : *Parcs
que l'on parle toujours d'évasion et que ce mot est gal-
vaudé* (19 mai 1955). Réponse évasive, car évasion n'est point métamorphose. Les dieux et les
demi-dieux, dont on imagine mal qu'ils rêvent
d'évasion, aiment les métamorphoses : Jupiter, que
Supervielle baptise *futur partisan des métamorphoses*,
en cela du moins ressemble aux jeunes Français
qui éprouvent un *besoin si naturel de métamorphose*.
Il arrive chez Supervielle qu'on se métamorphose
par simple intérêt, pour *voir de loin*, par exemple
(c'est le cas de l'écureuil quand il devient oiseau);
ou encore, par délicatesse (ainsi Jupiter, quand il
ravit Europe) ou encore, pour échapper au danger (comme les dieux en général). Le plus souvent, on se métamorphose pour des raisons plus
graves : quel ennui de ne vivre que sous une peau!
et qu'il doit être plaisant de combiner en soi,
quand on aime les vaches comme Supervielle, ou les
taureaux comme Pasiphaé, l'une et l'autre formes
vivantes! Voilà pourquoi Pasiphaé mit au monde
son minotaure; et Supervielle le sien. Voilà pourquoi
le héron de Supervielle pense en langue *héron-bovine*.
On se métamorphose également parce que c'est entre
vivants d'espèces différentes qu'on trouve parfois le
plus d'amitié et de mutuelle compréhension. Fra-
ternellement ami des bêtes, et fort peu vaniteux
d'être homme, Supervielle ni n'exalte l'homme, ni
n'abaisse les animaux en tâchant de les unir dans
une diffuse et indivise *humanimalité :* telles en lui
les audaces de l'humanisme.

Ce qu'on appelle parfois le goût de Supervielle pour la monstruosité n'est probablement qu'un cas-limite, ou singulier, de celui qu'il publie pour les métamorphoses. Au regard de Dieu, disait déjà Montaigne, il n'y a pas de monstres. Dans l'univers fluide où évolue l'imaginaire de Supervielle, la seule tare, le seul péché, c'est d'être enfermé dans l'immobilité ou dans l'identité : *N'est-il pas horrible de penser que tout restera éternellement à la même place depuis les montagnes jusqu'à la mer, cette énorme masse inutile, inachevée, bêtement salée partout, à qui on ne permet que les marées, fantaisie prévue, surveillée par la lune,* se demandait voilà trente-cinq ans *L'Homme de la Pampa.*

> *Et les rivières, les collines, les nuées*
> *En vos gestes vivants volent se transmuer.*

Cela fut écrit entre 1939 et 1945. La même impatience tourmente aujourd'hui le septuagénaire : *Les Suites d'une course,* mimo-farce en un acte, élaborée en 1955 à partir d'un conte écrit voilà vingt-cinq ans au moins, et qui transforme en cheval un amoureux, témoigne de la persistance d'une obsession que nous avons revécue avec le chat-jeune-homme-du-dimanche.

Je me demande parfois si cette aisance avec laquelle les amoureux de Supervielle se déguisent en animaux (le Chat botté aime la Belle) ne confesse pas, discrètement, les difficultés que dut éprouver, dans la vulgarité de la *belle époque,* un adolescent *délicat* autant que Jupiter : délicat, ou timide ? Une autre vérité se réfugie pour moi sous les métamorphoses : on n'aime jamais son semblable. Dans *Une Métamorphose ou l'époux exemplaire*, c'est la monstruosité du mari, en tout cas son ambiguïté — gratifié qu'il est d'un pied de bouc — qui garantit la cohésion du couple. Sitôt qu'à force d'amour la géante a métamorphosé en géant celui qu'elle aime, elle cesse de l'aimer. Il est maintenant de sa race : elle n'en espère que déboires.

Que l'agrément des contes ne nous dissimule donc pas la gravité de plusieurs thèmes; l'image de ses parents règne toujours sur Jules Supervielle, et lorsqu'il écrivit *Les Bonshommes de cire*, que voulait-il qu'exprimer à sa guise la souffrance que lui causa cette salle quasiment vide devant laquelle les Pitoëff avaient joué *La Belle au Bois?*

Supervielle écrivit pourtant certains contes par jeu, et comme en s'amusant, et parmi eux l'un des très beaux. Jean Grenier avait eu l'idée d'une collection d'ouvrages à la gloire des *Bêtes illustres*. Le projet fut abandonné; il en reste quelque chose, *Le Bœuf et l'Ane*, justement. Dès les *Poèmes de l'humour triste*, Supervielle s'était amicalement égaré vers

[...] *l'ancêtre hébreu, Ane du Temps Jadis*
Qui broute au ciel parmi les Très Saintes Brebis,

mais la suggestion de Grenier lui permit de réaliser ce qu'il n'avait jusque-là que rêvé.

Oui, décidément, Supervielle est capable de tout : d'écrire les contes les plus divers, de mêler en un seul récit tous les tons, d'imposer partout l'unité de son obsession, de parler en langage écrit, d'écrire en langue parlée; bref, d'exprimer l'irréel avec la nécessité, la transparence d'un théorème, avec la cohésion et le charme d'un mythe.

* *

Alors que Supervielle a conquis d'un coup sa gloire de conteur, on lui contesta longtemps le génie et même le talent dramatique. A voir les tranches noircies, la reliure usée de son *Shakespeare*, on est pourtant fixé sur sa passion pour le théâtre, et l'on devine quel est son maître. N'importe : sous prétexte qu'en 1934 *Comme il vous plaira* connut au Théâtre des Champs-Élysées un échec bruyant compliqué d'une façon de scandale où l'antisémitisme et la xénophobie n'eurent pas le plus beau rôle, et bien que *Le Temps* du 13 octobre ait excellemment résumé la situation (Supervielle se tire de cette aventure *indemne et même admiré*) certains ne veulent voir là que l'échec; ils en oublient que la pièce n'est pas de Supervielle, mais d'un débutant contesté, un certain Shakespeare, écrivain anglais, semble-t-il; ils en oublient même que l'échec fut compensé plus tard : à Bruxelles en 1944, à Paris en 1951.

Plus poétique encore qu'historique, malgré ses onze tableaux en belles images d'Épinal, le *Bolivar* de 1936 ne tint que quinze jours l'affiche. C'était le temps du Front populaire. Bolivar, ce révolutionnaire, ne disait rien de bon au public des loges et des fauteuils d'orchestre. On se chamailla dans la salle. James de Coquet, René Doumic étaient contre, comme il se doit; *Le Temps* et Jean-Louis Vaudoyer, pour. Dans la *Nouvelle Revue française* d'avril 1936, Jean Guérin boudait la pièce : *M. Supervielle avait-il prévu que ses épisodes entraîneraient fatalement un déploiement spectaculaire qui étouf-*

*ferait ses intentions. Rien n'est plus aisé que d'écrire sur
le papier :* tremblement de terre. *Sur le théâtre, il
en va autrement.* Quatorze ans plus tard, une malen-
contre du même genre fera tort au Libérateur :
l'opéra que Darius Milhaud composa d'après le
Bolivar de Supervielle blessa une France alors tout
empêtrée dans la guerre d'Indochine, et qui n'ap-
préciait guère cette apologie pour les peuples colo-
nisés. Henri Hell n'eut pas le droit de publier à
La Table Ronde, dont il était chroniqueur musical,
le bien qu'il pensait de la musique de Milhaud.

Malgré ces deux échecs, Supervielle s'était, sinon
imposé avant-guerre avec *La Belle au Bois,* du
moins signalé comme un rare dramaturge. Les
Pitoëff avaient proposé au directeur bruxellois des
galas de comédie, M. Adrien Mayer, d'écouter
une lecture de cette féerie. Supervielle y donnait
la réplique à Georges et à Ludmilla. La pièce fut
créée à Bruxelles pour le réveillon de 1931, puis
portée sur la scène parisienne du 2 au 21 mars
1932. On la reprit en Belgique dès 1932 (Oscar
Lejeune), puis en 1938 et souvent depuis lors, en
1954 notamment (Louis Boxus). Jouvet en choisit la version remaniée pour sa grande tournée en
Amérique du Sud, avec Madeleine Ozeray dans la
Belle, Renoir pour Barbe-Bleue, et Jouvet comme
Chat botté. L'accueil de la presse fut pourtant
mitigé : Giraudoux régnait quasi absolu sur le
théâtre *poétique,* et Supervielle dérangeait. Jean
Prévost regrette que *le beau style de Supervielle* perde
beaucoup, beaucoup trop, au débit des Pitoëff,
mais il reconnaît que le second acte à lui seul
suffit à sauver la pièce. Robert Brasillach, en revanche,
écrit le 13 mars 1932 que le second acte lui semble

*une des choses les plus purement poétiques que nous ayons
entendues au théâtre*, et que le premier est *admirable
de finesse, de joie, d'étincelante poésie* (tout au plus
Supervielle a-t-il manqué le troisième). Qu'importe, puisque jamais, jamais *nous ne sommes sortis
d'un théâtre avec une impression plus absolue d'émerveillement.* Cette féerie eut à Lyon du succès, où
le rideau fut relevé huit fois. Bruxelles, Rome,
Strasbourg, Lausanne, Genève, Paris l'applau-
dirent.

Dès 1930, les Marseillais avaient découvert
Adam, grâce au *Rideau gris*. *Adam*, première version de ce qui allait devenir *La Première Famille*
avec André Roussin dans le rôle d'Adam, et la
Compagnie des Quinze. Cette farce fut reprise le
9 novembre 1934, puis à Paris, en 1938, sans parler d'une représentation d'amateurs à Pontigny,
en 1937 (où Jules Supervielle, qui était censé jouer
le Diplodocus, se prit soudain pour le renne, cependant que j'essayais la massue du père Adam).
Plus porté sur les filles que sur sa femme, Adam,
qui se console de sa fidélité forcée en inventant
le vin, incarne une des tentations de Supervielle :
époux et père modèles, il n'en a pas moins pensé
courageusement à l'amour libre. Comme un jour
il me le disait : « Quand il s'agit des autres, je
serais volontiers pour l'amour libre. » Farce de
bonne qualité, *La Première Famille* n'explique pas
encore le charme d'une *Belle au Bois* dont le ton
évoque celui des plus beaux contes.

Ces trois pièces exceptées, le théâtre de Supervielle fut créé à partir de 1948, et trois pièces cette
année-là. L'auteur avait alors soixante-quatre ans.
Il m'avait autorisé à publier dans *Valeurs*, en

Égypte, une première version de *Merci Shéhérazade*, qu'il me parut d'autant plus pertinent de révéler au monde arabe qu'en 1926 le poète écrivait à *Messages d'Orient*, la revue de Carlo Suarès : *Je vous avouerai que je n'ai pas subi jusqu'ici l'appel de l'Orient. Peut-être étais-je trop occupé à digérer la France et l'Amérique du Sud. Mais je crois sentir depuis quelque temps un souffle nouveau qui ne me vient pas du Sud, ni du Nord, ni de l'Ouest et qui accélère déjà les mouvements de mon cœur.* Le 17 juillet 1948, Jean Vilar présenta *Shéhérazade* au Festival d'Avignon et ce fut pour Supervielle une de ses *plus belles soirées d'auteur dramatique*. Le 1er septembre 1948, la pièce était reprise à Paris. Déjà anxieuse de retrouver son théâtre des boulevards et le cocuage de rigueur, la critique salua fraîchement la pure princesse d'Orient. Le même mois, une première version de *Robinson*, jouée par les Francs-Alleus à la Cité universitaire, avait déçu tout le monde ou peu s'en faut, mais le 29 octobre, dans un décor de Malclès, la pièce plut à Bruxelles, pendant une douzaine de jours. On la reprit à l'Œuvre en 1952, puis en Angleterre, où l'auteur craignait le pire : pensez! en 1939, quand il en avait commencé la rédaction, il n'avait lu que quelques pages du roman de Daniel Defoe, et encore, négligemment! *Je craignais qu'on ne trouvât que j'en prenais trop à mon aise avec les héros de l'île déserte.* Supervielle, cette fois, craignit en vain. La B. B. C. s'y intéressa! Cette même année 1948 vit enfin sortir *Le Voleur d'enfants*, que Supervielle construisit à partir de deux de ses romans : *Le Voleur d'enfants* et *Le Survivant*. Fort du succès que lui avait valu en Amérique du Sud *La Belle au Bois*, Louis Jouvet avait demandé à Supervielle de lui écrire une autre pièce. La lecture eut lieu devant Jean Giraudoux et Madeleine Ozeray. Cassandre était choisi comme décorateur, et Jean Français pour la musique de scène, lorsque Jouvet lâcha Supervielle pour jouer du Giraudoux. Ni *Shéhérazade*, ni *Robinson* n'avaient sujet d'encourager un homme de théâtre qui, tout grand qu'il était, ne prenait pas volontiers les risques auxquels les Pitoëff devaient une gêne souvent voisine de la misère. Or, par un juste retour des choses, en montant *Le Voleur d'enfants* le 15 octobre 1948, Raymond Rouleau réalisa une de ses meilleures mises en scène, et Supervielle obtint enfin la faveur du public : plus de trois cents représentations à Paris. Auparavant, les Argentins, les Péruviens, et les Uruguayens avaient eu la chance de voir cette pièce dans une version de Rafael Alberti, jouée par la compagnie de Margarita Xirgú. Après son succès parisien, *Le Voleur d'enfants* fut joué à Bruxelles du 19 au 22 mai 1949. Raymond Rouleau y admire une des œuvres les plus belles du théâtre contemporain. Alors que les *Lettres françaises* avaient soutenu *Shéhérazade*, et Pol Gaillard *Robinson*, les communistes cette fois, seuls à peu près à refuser l'union sacrée — puisque Jean-Jacques Gautier s'est rallié à une dramaturgie qui n'est pas tout à fait la sienne et que Robert Kemp accueille avec faveur *un bibelot exotique, un oiseau, une boule de plumes, un bengali aux jolis tiri-titi —* attaquent cette *fausse poésie*, cette littérature *prétenduement d'évasion* (Parrot, Gandrey Réty).

En dépit de Jean-Louis Barrault qui, secondé par la musique de Sauguet, anima *Les Suites d'une course*, le 8 décembre 1955, cette pantomime parlante n'obtint pas, tant s'en faut, le même succès que *Le Voleur d'enfants*, ou que, vers le même temps, *Beauty in the wood*, adapté par Lucienne Hill pour la scène anglaise. Supervielle avait voulu composer là, en vers *volontairement faciles*, une pièce poétique *écrite pour la simple joie de la chose contée avec la sécheresse de couleurs très vives et presque sans nuances, poésie de la place publique si l'on veut, et dont le mystère vient non pas des mots mais de l'art de rendre plausible une histoire incroyable : un fils devenant cheval dans une très honorable famille de bipèdes endurcis*. Offrir au public bourgeois du Théâtre Marigny une pièce de place publique, c'était défier le destin!

Au cheval-homme des *Suites d'une course* si je compare l'agneau pascal (ou Pascal) de *Christine opéra bref* qui parut dans la *Nouvelle Revue française* d'août 1958, manquerai-je de révérence pour le sacré? Non pas, car le ton de cet *opéra*, c'est le même ou peu s'en faut que celui du *mimodrame*. Pour que ces deux divertissements me satisfassent tout à fait, sans doute faudra-t-il que, fidèle à sa méthode, Supervielle plusieurs fois encore les récrive. *Shéhérazade* excepté, qui fut donné assez vite, Supervielle retoucha et remania beaucoup ses pièces. Comme Dieu de l'homme, il pourrait dire de ses personnages :

> *Je les garde, je les retarde*
> *Afin de les mieux concevoir.*

De *La Belle au Bois*, nous connaissons au moins trois versions : celles de 1931, 1947 et 1953. En travaillant, l'auteur supprime toute une scène inutile, et deux pages encore au premier acte; au

5

second, il concentre plusieurs scènes un peu lâches;
quant aux quinze scènes qui, en 1931, alour-
dissaient le troisième acte, il les ramène à cinq
en 1947, pour en faire six en 1953. L'ordre, la
concision, la vraisemblance, voilà ce qu'il cherche,
obstinément, à travers toutes ces variantes. Comparez au premier *Robinson* le texte de 1952; là encore,
Supervielle n'hésite pas à remplacer par un *yard*
tel *mètre* vraiment déplacé, et il élimine avec soin
les plaisanteries un peu grosses. Mêmes scrupules
quand il revoit son *Bolivar* : tout cela disparaît
qui sonne invraisemblable, ou superflu ; ainsi ce
personnage du percepteur. Le plus beau résultat,
et le plus rare, étant de libérer d'autant plus la
fantaisie qu'on recherche la vraisemblance.

Ce n'est pas la moins précieuse pour nous de
ses leçons, que cette complicité chez lui du naturel avec la poésie, et de la concision avec l'image
la plus belle. Mais quoi, jusqu'à ces temps derniers, c'était le *b. a. ba* de toute rhétorique! La
loi du théâtre évidemment l'encourageait à cette
ascèse, de sorte qu'on a pu dire que le progrès
de Supervielle vers le classicisme (ce progrès qu'ont
observé, admiré, Jean Prévost, É. Noulet, d'autres
encore) fut chez lui favorisé par *l'influence de la
rigueur scénique*.

On a reproché à Supervielle d'ignorer les rudi-
ments de la dramaturgie, de ne pas respecter les
lois du genre, de ne jamais faire la scène à faire,
bref, de décourager les honnêtes critiques. Ni la
vis comica n'est son fort, ni l'art de l'intrigue, ni
le coup de théâtre, c'est vrai. Jusqu'en sa version
finale, le dernier acte de *La Belle au Bois* traîne
un peu, ou beaucoup. Supervielle n'est pas Fey-

deau. Point de conflits dans son théâtre. Tout au plus, une *hantise qui se met à vivre*, comme l'enfant de la haute mer. *Les héros de Charles Perrault à force de vivre sous la couverture d'un même livre devaient finir par se connaître et par agir les uns sur les autres*, et voici naître *La Belle au Bois*. Dans une pièce meublée d'une machine à coudre, Supervielle aperçoit un jour le père d'un de ses amis, chapeau melon enfoncé jusqu'aux oreilles : *Aux fils blancs que je voyais traîner sur sa robe de chambre, je me suis douté qu'il cousait;* et voici naître *Le Voleur d'enfants*. D'une machine à coudre, Supervielle a su tirer, plus étonnante encore, cette machine à rêver qu'est le colonel Bigua. Puisque Supervielle dit volontiers : *Je ne suis pas un dramaturge-poète, mais un poète-dramaturge*, le danger serait pour lui de laisser le poète l'emporter sur le dramaturge; il le sait : *La poésie m'aura servi de passerelle entre mon roman et la pièce qui porte le même titre. Mais si elle m'a aidé à faire ma pièce, j'ai dû veiller à ce qu'elle ne la défît pas dans un même temps, en me dispersant hors de mon sujet ou en se mettant en travers de mon action* (interviouve accordée à Claude Cézan, *Pourquoi êtes-vous venu au théâtre, Nouvelles littéraires*, 1er septembre 1949). De fait, si *Le Voleur d'enfants* fut le seul grand succès de Supervielle au théâtre, c'est aussi la seule pièce que l'auteur a voulue *rigoureusement construite du point de vue dramatique. Hanté par mon personnage, je l'ai entièrement revécu pour le théâtre.* Dans les autres pièces, c'est au seul merveilleux que Supervielle demande d'organiser sa matière; et ce merveilleux c'est d'abord l'amour, l'amour-miracle. Sans doute Adam renifle-t-il toutes les filles qui passent, mais dans cette solitude paralysante qu'éprouvent les

principaux héros (Bigua, qui se veut seul quand
il coud; Robinson, qui se trouve seul quand sa
fiancée l'abandonne pour John; Bolivar, qui confie
à Manuela être *seul après la bataille*), voici soudain
que l'amour devient le premier moteur, un amour
autant que possible imprévisible : pour Bigua,
Marcelle; et pour Barbe-Bleue, la Belle. Devant
cette *inimaginable*, devant cette *fraise des bois*, celui
qui ne savait pas *ce qui s'appelle une femme* et qui
allait à la femelle *comme un taureau à l'abattoir*, d'un
coup fond de tendresse et renie *les grandes chiennes,
les renardes, les dindes confites, les puces sauteuses, les
robes de cour sans tête, les perruques sans visage*. Que
les vers de mirliton, qui *sont là pour le sourire*, selon
le mot de Supervielle, ne nous distraient donc pas
du vrai sujet de *Robinson* : l'amour plus fort que
la mort, l'amour qui sait

> *Vaincre le temps au cœur de roche
> Et tout l'espace environnant!*

Ainsi dans *La Belle au Bois*, où la vie et la mort
ne jouent plus contre l'homme, mais pour la scène
et la beauté; de sorte que la métamorphose des
personnages

> *n'a rien d'inquiétant
> dans leur espace et dans leur temps.*

Ainsi encore, au onzième tableau de *Bolivar* quand
le libérateur et Maria Teresa se sentent *incorrup-
tibles*.

* *
*

N'étaient plusieurs images forcées — *l'eau obéis-
sante et radieuse comme une fiancée* — qui nous assurent
que si l'auteur, comme il l'espère, a passé l'âge
où *de bêlants crépuscules comblent l'âme de leur tremblement élégiaque*, il n'est pas encore parvenu à celui
où la force coïncide avec la simplicité; n'étaient
quelques préciosités indignes des *amis inconnus* qui
s'annoncent discrètement à la page 31, *L'Homme
de la Pampa* tiendrait exactement la promesse de
Supervielle en son avant-propos, celle qui présage-
rait aussi bien les contes et le meilleur du théâtre :
rêves et vérité, farce, angoisse, tout se conjoint en effet
dès ce *petit roman* qu'il écrit pour l'enfant qu'il fut
et qui lui demande des histoires. La sirène qui
monte à bord, le dialogue qui s'ensuit, mais c'est
déjà le ton de *L'Inconnue de la Seine*, et de plusieurs autres fables! Dans les vers déjà de mirliton :

> *A l'avant clame :* Qui vive ?
> *Trouveras de la chair vive,*

comment ne pas discerner l'air précisément du
mirliton magique qui enchantera les spectateurs de
Robinson ou de *Shéhérazade ?* Devant ces femmes qui,
à l'aspect de la sirène, disparaissent du pont *comme
si elles avaient craint pour le siège même — et le piège
— de leur féminité*, devant ces deux hommes dont
l'âme, au sourire de la sirène, prend *la forme et
la couleur de ses lèvres humides, si bien qu'ils en furent
gênés tous les trois*, comment ne pas déjà discerner

la sensibilité amoureuse qui s'affirmera bientôt :
quelque chose comme une *inépuisable virginité*, celle
des hymens élastiques que ne déflore aucun geste,
et si profond que vous l'imaginiez, aucune caresse,
et fût-elle administrée par une fille au nom de
lionne : Line du Petit Jour. La moindre ébauche
de caresse va pourtant volatiliser un bras, un genou,
les deux lèvres de Line. Ne vous étonnez pas :
Supervielle s'est aussi généreusement distribué dans
la peau de cette courtisane que dans celle de Guanamiru : qui donc veut *composer de nouveaux paysages*, et *pousser un peu la Patagonie vers le Nord ?*
Supervielle ou sa Line ? Et je n'ai rien dit encore
ni du volcan devenu portatif, ni de la singulière
croissance, puis décroissance, du quinquagénaire
(où le moins gaucho des lecteurs saura identifier
l'obsession du gigantisme), ni de cette foi écla-
tante, qui nous avoue sur quelle démesure, quelle
hantise, et quelles menaces peu à peu s'élaborera
ce qu'il faut appeler la sagesse de Supervielle :
*Guanamiru mourut par éclatement, de mégalomanie érup-
tive, parmi des nuages de cendre, de soufre volcanique,
et une horrible lave.*

Supervielle heureusement lui survivra, pour
écrire *Le Voleur d'enfants* et, justement, *Le Survivant*. Malgré le rôle du fogon et du maté, des chevaux et de leurs gauchos, malgré la cueillette des
plumes d'autruche et la marque du bétail, où survit en effet l'homme de la Pampa, c'est un personnage nouveau que Bigua : une machine à
rêver, certes, comme Guanamiru, mais qui remplace le volcan portatif par une machine à coudre.
Serait-ce que l'Europe apprivoise le dompteur de
taureaux ? En dépit de la Boërmans, de son eau

de rose et de la simplicité plus que rustique avec laquelle, sans mot dire de prélude, elle assouvit un désir sinon de Bigua du moins du mâle qu'est aussi le colonel, ces deux romans qui n'en font qu'un, à supposer qu'ils traitent d'un seul sujet, il faut que ce soit : *Tous les malheurs qui naissent spontanément de l'amour* quand cet amour n'est pas aussi nature que les gestes de la Boërmans.

Rien ne nous éloigne mieux du roman à la française ; rien qui rappelle Laclos ou Balzac, Crébillon fils ou Marivaux, Proust ou Zola, Charles Sorel ou Stendhal. En ceci néanmoins il s'agit d'un roman que Supervielle y projette les personnages qu'il se refuse. Tous ces hommes purs et blessés qui composent des livres blessants et durs, comment ne déchiffreraient-ils pas en Supervielle romancier une façon d'esprit fraternel, en Bigua ce colonel-voleur-d'enfants, le père et le grand-père comblés ? Pour comprendre la page démesurée de Bigua contre Desposoria l'irréprochable épouse, ne faut-il pas savoir qu'après quarante années de fiançailles et de mariage, Supervielle peut encore dédier un livre à Pilar *pour la remercier de lui être si chère ?* Cela précisé, lisons cette page : *Pour son air de contentement vis-à-vis de lui, le même air qu'elle prenait quand on servait du poulet à table, car elle adorait le poulet, la garce ! Pour tout, pour tout, pour tout* [...] *Il la hait incalculablement, infiniment, isolément, et universellement. Tous les adverbes de la terre ne seraient pas de trop ! Il la hait dans toute sa triste et grasse et tiède féminité ! Il hait toutes les femmes, mères, épouses, sœurs avec leurs affreuses jupes qu'elles poussent dans la vie, les maisons et les apparte-*

ments, pour le besoin qu'elles ont d'intervenir dans la misérable existence des hommes et de les obliger à faire ce qu'elles veulent, ce qu'elles couvent, ces poules de malheur!

Là sans doute gît le secret de la gêne que nous laisseront ces romans : ce qu'il y a de plus vrai, chez Supervielle, ce n'est sûrement pas cette inversion de soi (alors que pour Balzac, aucun doute : la vraie vie se joue dans celle de ses personnages, les vraies femmes seront celles avec qui on ne couche pas). La littérature de compensation — sous cette forme, j'entends — ne lui est pas assez nécessaire pour nous le devenir : fables aimables, non point légendes hallucinantes.

De vrai, pour que ses récits nous touchent au vif, il faudra que, renonçant au *poncho* du *gaucho*, aux galons du colonel pour *pronunciamientos*, Supervielle se présente au naturel, et que, sans feindre pour se peindre, il se borne à se fier aux chers oublis de sa mémoire; et c'est *Boire à la Source.*

Mieux encore que dans les deux derniers romans, si le style parvient là au dépouillé frémissant, ne serait-ce point parce que l'auteur est *ému à la pensée de [se] trouver, [lui] qui nage si mal, à peu près à l'endroit où le héros d'un de [ses] romans se jeta à la mer, et pour n'y point périr?* Bigua qui nage si bien, et qui par timidité fréquente les bordels, quoi, vous l'auriez pris pour Jules Supervielle?

Si vous souhaitez connaître Julio-Jules Supervielle — et cela sans indiscrétion —, à quoi bon toutes nos psychanalyses simili-existentielles, qui ne nous expliquent ni la beauté de la moindre phrase, ni la place d'une virgule décisive? Mieux vaut *Boire* avec lui *à la Source* de ce qu'il devint :

Basque par sa mère, Béarnais par son père, Uruguayen par *jus soli* et par les prestiges d'une
enfance à l'estancia. Pour le flâneur de deux rives
éloignées par tout un Atlantique, la France, la mer,
l'Uruguay, ces trois patries n'en font qu'une. La
belle terre tourneuse ne tourne-t-elle pas pour les
terres et pour la mer (la mer, *pourvoyeuse d'images
instantanément prêtes à surgir pour figurer l'invisible du
monde extérieur*), pour les moutons et leur tournis,
pour les gaves et leurs détours? Nul pittoresque
en ces mémoires : aux cataractes de l'Iguazú n'es-
pérez pas les pages d'anthologie qui feraient dans
les *Morceaux choisis* un si joli pendant à celles du
Niagara. *Laissons cela*, oui, afin de plutôt nous laisser déporter aux apparentes fantaisies de notre
mémoire si ingénieusement oublieuse qu'elle ne
retient que l'essentiel : la pampa, l'océan, les chevaux, les vaches, les chiens, les nuages, l'agonie
des bêtes, la mort des parents, la souffrance des
travailleurs, la muselière de la petite esclave, le
gaucho qui aime à *passer aperçu*. *Boire à la Source*
paraît en 1933. Supervielle alors s'est obtenu. L'auteur de ces confidences a publié *L'Enfant de la haute
mer*, *Le Forçat innocent*, *La Belle au Bois*. Tous ceux
qui savent lire l'ont déjà mis au premier rang.

3

LES POÈMES

Romancier, peut-être. Conteur, certainement, et le seul en France qui ait écrit sur ce ton-là. Homme de théâtre, oui aussi, encore que les maniaques de la *pièce bien faite* n'hésitent pas à lui reprocher d'avoir réussi par des moyens qui ne sont pas de jeu; en tout cas, pas de jeu dramatique. Romancier, conteur, dramaturge, Supervielle est toujours poète. Pas plus qu'il ne peut s'empêcher d'être grand, d'avoir une voix grave, et deux bras qui, comme des ailes qui seraient des rames, battent derrière lui un vol marin, il ne peut échapper au don de poésie.

Pourtant, il ne suffit pas d'être né poète; il faut le devenir. Ce que prouvent assez bien les premiers vers de Supervielle. Pour avoir découvert l'enfance (ce qu'il convient de mettre à son crédit), notre siècle est tombé dans un infantilisme qui ne veut apprécier désormais dans les œuvres que la précocité. Or, Supervielle s'est obtenu très tard. Comme un jour il me l'écrivait en parfaite modestie, il est parti *de rien*, de ce rien où arrivent tant de gens qui se disent ou qui passent pour poètes. Le garçon de seize ans qui publie les

Brumes du passé se garde sagement de faire rimer les singuliers et les pluriels; pas une fois il ne se trompe en comptant les pieds de ses vers; ni le nombre ni la qualité des adjectifs ne descendent au-dessous de ce qu'est en droit d'exiger le public :

> *Dans les vases meurent les fleurs.*
> *Des tristes feuilles satinées*
> *Des roses, montent des senteurs*
>   *Fanées.*

Au milieu de thèmes convenus, éclate pourtant ce qui deviendra telle ou telle obsession du poète accompli. Si les romantiques avaient raison, s'il suffisait pour avoir du génie de se frapper le cœur, Supervielle, dès ce temps-là, serait écrivain génial. La mort de ses parents le tourmente, et celle aussi des Africains, des pauvres Boers qui résistent à l'Angleterre. Pourtant, il n'en sort que des bouts-rimés, des répétitions si convenues, des points de suspension si banals que l'expression le trahit :

> *Je les cherchais longtemps et je les cherche encore*
> *Ils ne sont plus... Ils ne sont plus.*

Comme des voiliers paraît neuf ans plus tard. L'épi-thète y fourmille encore, bien sage : *pesant*, l'en-nui; *large*, le ciel; etc. Ainsi que chez Laforgue ou Verhaeren, l'adverbe en -*ment* s'étale au long des vers, indéfiniment :

> *Tout son être est allongé démesurément*

ou bien :

> *Ils vont, les longs troupeaux, sombres, aux champs livides*
> *Interminablement.*

En dépit de trop de résonances verlainiennes, *Comme des voiliers* marque un progrès. Soit qu'il développe en un vers

La pampa sans un pli, sans un nid, sans un bruit,

(avec cet obsédant retour de l'*i* qui assourdit curieusement la voyelle la plus aiguë de notre langue), soit que, déjà familier des animaux, le poète les aime de porter *leur douleur comme l'arbre son fruit*, peu à peu il se découvre à lui-même. Autre période silencieuse, aussi longue que la première, d'où sortiront les *Poèmes de l'humour triste* et *Le Goyavier authentique*. Là encore, Supervielle se cherche dans deux des directions qui plus tard le conduiront vers *le lieu et la formule*, mais ni l'exotisme apparent ni l'humour triste justement qui, plus tard, deviendra tout naturellement l'un des tons de Supervielle, ne le conduisent ici à la perfection.

Supervielle est si conscient de sa lente genèse que le *Choix de poèmes* publié en Argentine durant la guerre, exclut toutes les œuvres des vingt premières années. Eût-il procédé comme Thierry Maulnier dans son *Introduction à la poésie française*, il aurait pourtant pu sauver un vers par-ci un vers par-là, qui sont déjà pur Supervielle :

Le lait bleu de la lune et le miel des étoiles

ou encore, car la lune lui réussit :

La lune, au loin, n'est plus qu'un peu de laine morte.

J'aime aussi la vertu d'un *zèbre peint de frais*, mais il faut attendre août 1919 pour que Supervielle publie dans *Les Dits Modernes* (qui paraissaient à Vienne) un texte burlesque où il signifie congé aux influences, et affirme enfin sa volonté d'être soi :

> — *Laforgue, furtif nourricier*
> *Vois-moi, je dépéris, daigne enfin me sevrer.*
> *Je me sens en cette saison*
> *Assez de mûre déraison*
> *Pour faire un Poète*
> *A ma tête.*
> *Délivre-moi de la tutelle*
> *De tes rigueurs spirituelles;*
> *Souffre que je sois Supervielle.*
> *Enseigne-moi l'ingratitude,*
> *Nécessaire béatitude;*
> *Loin de ta chère Ombre importune,*
> *Ah! fais-moi une*
> *Petite place dans la Lune!*

En fait, Supervielle ne s'obtiendra pleinement que vers 1930, avec *Le Forçat innocent*, premier recueil de vers depuis *Gravitations*. Toutefois, dans l'autre *Choix de poèmes* qu'il publia chez Gallimard en 1947, Supervielle a réhabilité plusieurs textes jadis publiés dans *Débarcadères*. Sans doute a-t-il eu raison, car on y voit très bien d'où il part, où il va :

> *Paroares, rolliers, calandres, ramphocèles,*
> *Vives flammes, oiseaux arrachés au soleil,*
> *Dispersez, dispersez, dispersez le cruel*
> *Sommeil qui va saisir mes obscures prunelles!*

La répétition un peu gauche de *dispersez* nous renvoie aux premiers poèmes; la beauté un peu voyante, un peu exotique des noms d'oiseaux nous rappelle opportunément que Supervielle, poète français, est aussi l'attaché culturel de la République uruguayenne en France; mais voici le verbe *saisir*, qui deviendra tout un recueil, et l'une des clefs de l'œuvre. De plus, *Débarcadères* propose quelques poèmes en *vers libres :*

Derrière ce ciel éteint et cette mer grise
Où l'étrave du navire creuse un modeste sillon,
Par-delà cet horizon fermé,
Il y a le Brésil avec toutes ses palmes,
D'énormes bananiers mêlant leurs feuilles comme des élé-
*   [phants leurs mouvantes trompes,*
Des fusées de bambous qui se disputent le ciel...

Que Supervielle ait alors lu ou non les poèmes de Rimbaud, peu importe. Il est trop évident que le navigateur a *vu* des sillons dans la mer. Mais pourquoi faut-il que les images neuves, irréfutables, le poète les dispose selon ce qu'il croit honnêtement la poétique du *vers libre*, celle qui, avec le symbolisme et le surréalisme, va devenir partout de rigueur, encore qu'elle soit de complaisance? Quand vous aurez durement bataillé avec ces *vers* pour en chercher la raison d'être, vous ne pourrez plus vous en cacher le secret, à savoir que Supervielle, comme tous les poètes du *vers libre*, découpe sa prose imagée en tronçons inégaux selon les mécanismes scolaires de l'analyse logique.

Derrière ce ciel éteint et cette mer grise

complément circonstanciel de lieu d'*il y a;*

Où l'étrave du navire creuse un modeste sillon

proposition relative déterminant *mer grise;*

Par-delà cet horizon fermé

complément circonstanciel de lieu, juxtaposé, d'*il
y a;*

Il y a le Brésil avec toutes ses palmes

proposition principale;

*D'énormes bananiers mêlant leurs feuilles comme des élé-
phants leurs mouvantes trompes*

apposition à *palmes;* etc.

Le Forçat innocent, daté 1930, est dédié à Jean
Paulhan. Supervielle n'a jamais caché ce qu'il
doit aux conseils, aux exigences de ce critique et,
plus généralement, à l'esprit qui était alors celui
de la *Nouvelle Revue française.* Qui compare l'évolution de la poétique chez Supervielle entre 1922
et 1934 à travers les variantes de ses poèmes
(Lotte Specker qui étudia les variantes de *Gravitations;* Tatiana W. Greene qui, aux pages 330-
388 de son *Jules Supervielle,* examine l'ensemble
des variantes, y compris celles des recueils tardifs
comme *Naissances,* ou *L'Escalier;* moi-même enfin,
qui m'occupai des variantes de *Débarcadères* et de
Gravitations), est conduit aux mêmes conclusions.
Mme Lotte Specker observe que l'image devient
plus concentrée, que Supervielle ajoute rarement,
supprime souvent, que les poèmes à forme fixe ne

sont presque pas remaniés alors que les poèmes
en prétendus *vers libres* souvent varient du tout au
tout. Pour conclure son étude des variantes, Tatiana W. Greene signale que Supervielle *vise à la
clarté et veut éviter toute ambiguïté* [...] *selon l'esthétique
développée dans* « En songeant à un art poétique ».
Moi qui étudiai les variantes avant ces deux uni-
versitaires et sans rien connaître de leurs travaux,
j'étais arrivé à des conclusions analogues, un peu
plus roides peut-être. Chaquefois que, de 1922
à 1934, Supervielle remplace un mot, une expression, c'est pour substituer au vague le précis, au
diffus le concis, au tour recherché le tour simple.
Après avoir écrit :

> *La nef cherche la mer*
> *de la coque qui résiste*

le poète apparemment remarqua les deux défauts
du second vers : l'impropriété du mot *coque* et la
laideur de *coque qui* avec les trois explosives qui
butent l'une sur l'autre, la seconde chevauchant
presque la troisième à cause de l'*e* qu'on dit muet.
Lorsque plus tard il écrira :

> *La nef cherche la mer*
> *de l'étrave qui résiste*

Supervielle d'un seul coup supprime la cacophonie en plaçant à point le mot propre (pour Littré,
étrave désigne ces pièces de bois, courbes, qui
forment la proue d'un vaisseau ; à la bonne heure !).
Voici un autre cas où le souci de clarté paraît singulièrement louable : quelque part, Supervielle

disait un ciel *effroyablement transparent*. Or, il voulait dire que la transparence l'effraie. Notre langue
a évolué de telle sorte que l'adverbe *effroyablement*,
usé qu'on le sent, et placé de la sorte, risque d'in-
duire en erreur quelque lecteur imparfait qui n'y
verra qu'un ciel *formidablement transparent*.

> *Le ciel est effrayant de transparence*

écrira plus tard Supervielle, et l'équivoque disparaît.

Outre la précision, la simplicité toujours gagne.
Entre *mille moutons bêlant de vieux clairs de lune* et
ce même nombre d'animaux *usé par les clairs de
lune*, entre une *bouche immensifiée* et celle qui, tout
uniment, est *immense*, entre *la lucarne d'une hypo-
thèse* et la *petite lucarne* qui remplace enfin cette
étrange architecture, entre *un vieux croûton de sommeil* et rien du tout, qui ne préfère le texte des
derniers *Débarcadères?* Progrès dans le même sens
à travers les *Gravitations* : aux *mains marines d'écume*
de 1925, je préfère sans inquiétude les *mains d'écume
marine;* aux *ténèbres fabricantes de l'oubli*, les ténèbres,
sept ans plus tard, *où se développe l'oubli*. Et voici
que Supervielle enfin comprend qu'il avait tort
de répéter deux fois, trois fois un même mot comme
pour lui donner de la force, alors que cette répétition ne savait que l'affaiblir. A partir de 1932,
ce réflexe disparaît :

> *Sans parvenir, sans parvenir*
> *Sans parvenir à se défaire*

devient :

> *Sans parvenir à se défaire.*

Ce puérilisme affleurant des profondeurs, j'aime que Supervielle ne l'ait pas respecté.

Toujours plus de simplicité, de pureté, de conscience, c'est cela aussi, cela tout à la fois que suggère la réflexion sur les titres amendés en 1932. Tant de titres anciens pèchent par un je ne sais quoi de volontairement insolite, qui était alors à la mode. Non seulement les titres de 1932 annoncent et résument le texte qu'ils précèdent, ce qui me paraît somme toute la seule raison d'être d'un titre : du plan de la simili-métaphysique ils passent à celui de la grammaire, et par conséquent du poème : *Métaphysique du 47 boulevard Lannes* devient *Boulevard Lannes* et telle *Table*, qui fait un peu tapis volant, devient humblement *La Table*.

Bien qu'il s'accuse de ne percevoir que vaguement certains défauts d'euphonie, Supervielle, de 1924 à 1932, améliore souvent, sinon toujours, la sonorité de ses vers. Que d'*a* nasalisés disparaissent, et par conséquent que de participes présents! Que d'allitérations aussi, dont s'encombre souvent le poète novice, et que rien ne justifie, ni l'euphonie, ni l'heureuse cacophonie, ni les harmonies *imitatives*.

> *Que fais-tu là, diplodocus*
> *Avec ta tonne d'os têtus ?*

ne me paraît pas beaucoup plus satisfaisant que la parodie fameuse :

> *Tu tâtais tes tétons, Hottentote authentique*
> *Tes traits trop tentatifs tentaient ton tentateur.*

Supervielle l'a compris en 1932 :

> *Que fais-tu là, diplodocus*
> *Avec tes os longs et têtus ?*

Certes, Supervielle n'est pas un dogmatique, et
ce serait le trahir que de prétendre que toute sa
poétique ne tend qu'à restaurer une métrique régu-
lière. Jusqu'aux derniers recueils, on le verra, selon
les circonstances, composer des poèmes plus ou
moins rigoureux. Ce serait pourtant le desservir
que de ne pas montrer que chez lui la contrainte
embellit presque toujours, presque jamais n'atté-
nue ou ne détruit la poésie. Je citerai deux exemples
dont l'un porte sur un vers, l'autre sur tout un
recueil :

> *Et le tigre me voit tigre, le serpent me voit serpent,*
> *Le rat musqué s'approche de moi, tourne autour de mon*
> *   [pelage,*

écrivait Supervielle en 1925 dans *Le Survivant*. Sept
ans plus tard, cela devient :

> *Et le tigre me voit tigre, le serpent me voit serpent,*
> *Chacun reconnaît en moi son frère, son revenant.*

Le second vers de la première version, dans sa
première partie du moins, n'a qu'un rythme imperceptible ; dans la seconde édition, apparaît un vers
de quatorze syllabes, égal au précédent et composé,
selon les lois du vers français, d'ïambes et d'anapestes. Et qu'ajoute-t-il au sens, le second vers
de la première version ? L'appoint d'un nouvel

exemple, ni plus ni moins important que le premier. Dans l'édition amendée, Supervielle formule un axiome de psychologie fantastique. Enfin, les deux vers du premier texte ne riment point; sept ans plus tard, ils composent un couple à la fois rythmique et rimé, dont la vigueur accrue appuie la force du sens nouveau. Non moins convaincante la conclusion qui s'impose quand on a bien étudié tous les amendements aux poèmes des premières *Gravitations* : s'il arrive qu'un poème rythmé ou rimé subisse en 1932 des retouches importantes ou nombreuses, elles concernent la disposition des vers et des strophes; elles ne concernent que le détail. En revanche, la plupart des textes construits en *vers libres*, versets ou prose découpée, deviennent méconnaissables : des pages entières disparaissent, certains poèmes se divisent par scissiparité, et les détails du style, qui varient gravement, trahissent l'embarras de celui qui ne sait à quelle discipline obéir.

Sans doute serait-il possible d'améliorer encore ces nouvelles *Gravitations*. Comme Supervielle me l'écrivait en septembre 1940, les subdivisions en restent *fortuites* et le classement de 1932, tout nouveau qu'il est, reste bien fantaisiste. Voici même subsister quelques-unes de ces répétitions qui lui sont si naturelles :

> *Et souvent il passait*
> *La main dessus la flamme*
> *Pour se persuader*
> *Qu'il vivait*
> *Qu'il vivait.*

Il arrive même que la seconde édition vaille moins que la première. Telle était en effet la première version de *Tiges* :

> *Alors l'oiseau de son bec*
> *Coupe net le fil du songe.*

En 1932, Supervielle écrivit hélas :

> *Alors l'oiseau de son bec*
> *Coupe en lui le fil du songe.*

Même si l'on admet que l'expression *en lui* ajoute une nuance à l'idée du premier texte (et j'en doute car où veut-on qu'il le coupe, ce fil du songe ? Hors de lui ?), même si l'on admet que la succession des liquides, *lui le fil* est plus douce à l'oreille que *coupe net le fil*, la première leçon, moins euphonique assurément, composait une réussite plus rare qu'on pourrait rapprocher de ces deux effets analogues :

> *Et que si l'or sec de l'écorce* (Valéry)
> *La mésange craque son cri sec* (André Spire).

Par bonheur, après que nous en eûmes discuté, Supervielle rétablit le texte de 1925, où les occlusives qui se heurtent (be*c*, *c*oupe) et la netteté des mots brefs à vocalisme identique *(bec, net)* expriment fortement la rupture d'un fil dont les consonnes tenues de f*il* et de *songe* n'expriment pas moins fortement la durée.

L'œuvre subséquente de Supervielle illustre cette vérité. Même après 1934, même au mieux de son

génie et de son métier, Supervielle patiemment se
relit, se corrige. Étudiez ses manuscrits : les dix,
vingt, trente états d'une strophe; et, d'une édition
à l'autre, toutes les hésitations. Vous comprendrez
que l'aisance est une dure conquête et que ce
chant qu'on lui reproche parfois, le chant de Supervielle le vielleux, comme on dit, est souvent sorti
de vagues borborygmes. Comparez au *beau monstre
de la nuit* qui parut dans *L'Avant-Poste* celui qui
reparut en 1938 dans les *Nocturnes en plein jour*.
Un *cœur qu'use* s'adoucit en *cœur hâtif usé de patience;*
de jolis détails apparaissent : de *sourdes fourrures*,
et ces *petits reculons* si charmants. D'un seul coup,
la ponctuation se régularise et le sens de l'œuvre
s'élargit : aux portes de la nuit se surimposent,
plus exigeantes, celles de la mort.

L'histoire est donc édifiante de ce poète en effet
parti d'à peu près rien, et qui, sans sacrifier aux
modes, sans se rallier aux écoles en vogue, réussit
à s'obtenir. Édifiante en ceci d'abord qu'elle récon-
cilie le travail et l'inspiration. Supervielle a trop
exactement décrit ce phénomène pour qu'on puisse
douter qu'il en soit favorisé; mais nous avons cent
manuscrits, tous plus raturés les uns que les autres,
pour nous prouver que, sans travail, l'inspiration
sera toujours incapable d'un poème. A la différence de tous nos romantiques, Supervielle eut
l'extrême courage d'admettre qu'on ne peut fonder une œuvre sur les seuls moments d'extase.
Partagé entre la confiance qu'il avoue faire à la
spontanéité, et je ne sais (peut-être ne sait-il clairement) quelle force plus forte que l'instinct qui
sans cesse l'incite à regretter, *anarchiste littéraire* au
départ, *classique* à l'arrivée, Supervielle rétablit le

poète dans une complexité qu'il avait trop longtemps sacrifiée, tantôt à l'inspiration, tantôt à l'illusion que la forme à elle seule peut créer de la
poésie. Après les tentatives désespérées de Rimbaud et de Mallarmé, celui-là persuadé qu'on ne
pouvait s'en tirer à moins de courtiser la folie et
de se créer une langue autonome, celui-ci résigné
à célébrer l'horreur de la page blanche, avec la
sainteté (quand ce n'est pas la vanité) de l'écriture, après les outrances — utiles contre les académies, mais fatales au génie — de l'école surréaliste, un poète enfin, dédaigneux des recettes
autant que des incantations, accepte simplement
sa grandeur involontaire et la servitude volontaire que lui composent les devoirs de son métier.

Supervielle, ou le remède à Rimbaud. Dans le
numéro d'hommage que lui offrit *Regains* en 1938,
nous étions plusieurs à l'éprouver, à le publier :
*La blessure qui saigne depuis Rimbaud et que Jacques
Rivière pensait guérir par les dogmes catholiques, cette
blessure, Jules Supervielle est venu, non pour la guérir,
certes, mais pour la transfigurer et pour nous consoler,*
écrivait André Bellivier. Lucien Becker : *Il a éclairé
notre route, il nous a garés en donnant un coup mortel
au surréalisme* psychologique *dans l'atmosphère duquel
nous nous sommes débattus pendant des années. Et je me
demande si ce n'est pas l'apparition de Supervielle qui
a fait disparaître en Éluard tout ce que certaines de ses
démarches pouvaient comporter de gratuit, de complai-
sant.* Croyez-en Armand Robin l'anarchiste : *Depuis
longtemps nous saignions des plaies de nos créatures; la
poésie de Rimbaud surtout, ce cauchemar d'un patriarche
tragique, nous conviait à nous passer d'enfance. Et comme
ils avaient été bien tués, bien dépouillés du dernier lam-*

beau d'humanité, ces beaux esprits très fats, qui au len-
demain de la guerre oublièrent que, s'il faut tant aimer
les mots, c'est que d'abord les choses sont belles.

En chaque poème de Supervielle *hésite au moins la*
vertu d'une eau frêle, d'un ciel tremblant d'aurore, d'une
clairière menacée d'ombrage. C'est renaître au monde que
d'en chérir la fragilité, c'est renaître à la poésie que de
chérir dans les mots leur réalité. Près de vingt ans plus
tard, Alain Bosquet dira la même chose à peu près
dans l'*Hommage à Supervielle* qu'il écrivit pour
Combat (13 mai 1954) : *Vous êtes venu nous dire que*
tout est merveille, depuis ce bout de pain moisi jusqu'aux
comètes que nous ne verrons pas. Vous avez changé notre
peur en enchantement, notre existence en surprise perpé-
tuelle, notre mort en énigme parfumée. [...] *Oui, nous*
sommes tous à jamais réconciliés. [...] *Nous étions petits;*
vous nous avez faits grands par la gentillesse et la dignité.
Même sentiment, chez Max-Pol Fouchet, à pro-
pos du fameux *Hommage à la vie* : *Par la seule*
approche de l'invisible, et par sa définition en poésie, un
poète nous délivre du néant. Que d'autres encore je
pourrais citer qui, comme pour justifier d'avance
le sous-titre : *Un anti-Rimbaud* à propos de Supervielle (dans *L'Express* du 23 juin 1955), ont rendu
grâce au poète d'avoir pour eux exorcisé tous les
fantômes rimbaldiens. J'en sais quelque chose, moi
que Rimbaud ravissait et ravageait; moi qui, dès
1938, deux ans après la publication de mon premier livre sur Rimbaud, celui que j'écrivis avec
Yassu Gauclère, rédigeai pour *Regains* quelques
pages intitulées *De Rimbaud à Supervielle* : *Super-*
vielle a surmonté le titanisme et l'oniromancie. Ce n'est
proscrire ni le rêve ni le sens cosmique, précieuses aubaines
d'aujourd'hui. S'il a connu Rimbaud et subi le surréa-

*lisme, il ne s'est point pétrifié à la fontaine du sommeil.
Il ajouterait :* J'ai connu Rimbaud assez tard. *Peut-
être doit-il à sa maturité d'avoir poussé plus loin que*
cette fin du monde en avançant, *d'avoir marché jusqu'aux* matins du monde *et chanté sans dégoût les*
commencements :

> *De ce futur cheval n'existe
> Encor que le hennissement
> Et la crinière dans sa fuite
> Que se disputent quatre vents.*

*Démiurge que n'abuse pas son pouvoir, lorsqu'il recrée
le monde c'est sous forme d'une* Fable. [...] *Il ne prétend point que* Gravitations *infirme la gravitation.* Les
gravitations intimes lui importent au moins autant
que la gravitation; d'où le pluriel. Beaucoup moins
cosmique assurément qu'on ne l'a dit, Supervielle
est aussi le poète par excellence *domestique,* celui
de la maison et de l'épouse, de l'enfant nouveau-né
et des étranges escaliers.

Nous a-t-on rebattu les oreilles avec les vertus de
la nuit primordiale, celle d'avant le *fiat lux ?* Supervielle ne serait pas d'aujourd'hui s'il ne cédait à
cette séduction : *Enfant perdu maltraité par le jour
et la grande lumière,* il se voit (peut-être parfois se
veut-il, lui l'insomnieux) *ramassé par la nuit poreuse
et pénétrable.* Toutefois, si l'adjectif *étoilé,* si le verbe
s'étoiler ont pour lui l'importance à peu près de
pur chez Valéry, c'est qu'il n'exclut point de sa
nuit toute lumière : on peut aimer l'obscurité, mais
reposer son œil aux *flamants de l'aurore,* cueillir les
pêches de la nuit, mais chanter *l'aube dans la chambre,*
ce *rendez-vous des couleurs vagabondes :*

La blanche vient de Timor et toucha la Palestine.

Avec lui, toutes ses créatures confessent la lumière. Si

> *les poissons des profondeurs*
> *qui n'ont d'yeux ni de paupières*
> *inventèrent la lumière*
> *pour les besoins de leur cœur,*

si les fleurs du matin tournent au soleil leur visage,
si le papier peint lui-même, de ses belles couleurs,

> *dans la nuit à tâtons*
> *sans se tromper jamais*
> *élabore l'aurore,*

c'est que Supervielle, plus familier de la nuit que
la plupart de ceux qui en font un métier, ne se
lasse pas de nettoyer chaque matin son regard *grevé*
d'un peu d'obscurité. Au reste, puisqu'il a composé
une *Fable du monde,* Supervielle était maître absolu
d'interdire à son dieu le *fiat lux.* Or, *tout se précise*
en moi-même, je gagne! Que la lumière soit!

Bien que Supervielle se soit pris *dans les rets étoi-*
lés, son amitié avec le ciel nocturne ne lui conseille
pas de considérer la nuit comme le symbole de
l'amour, de la vraie connaissance, de la perfection.
Dans la nuit de Supervielle brille toujours Bételgeuse et, du même coup, cette raison chez nous
tous, chez lui surtout, si menacée :

> *Debout sur le plus bas degré des nuits sans lune*
> *Je veux voir affleurer ma sereine raison.*

Tel, dans la nuit, émerge le vrai poète.

> *Mais laquelle des deux nuits,*
> *Du dehors ou du dedans ?*
> *L'ombre est une et circulante,*
> *Le ciel, le sang ne font qu'un.*

Avec Michaux, qui s'aventura fort avant jusqu'au *Lointain intérieur*, Supervielle, de tous les poètes français, me semble celui qui a le mieux parlé du corps et de la chair. Non pas seulement des formes et des gestes, des visages et des mains, mais de toute cette *sanglante écurie* des viscères, des plateaux teints de sang, des nerfs et des artères au cruel milieu desquels le *cœur, notre patrie*, veut battre et doit se débattre. Favorisé d'un cœur toujours maladif, Supervielle, comme pour justifier le mot de Pascal sur cette faiblesse de l'homme qui lui permit d'inventer le luth, doit à son peu de santé quelques-uns de ses plus beaux vers, et de nous avoir guidés dans le *paysage humain* :

> *Et comme un voyageur qui arrive de loin*
> *Je découvre en intrus mon paysage humain.*

Voilà trente ans et plus que Supervielle tourne autour de son cœur : dès les *Poèmes de l'humour triste*. *Le Forçat innocent* explore de nouveau ces *régions sauvages,*

> *Hauts plateaux faits de sang*
> *Épaisseurs interdites.*

A mesure que les années passaient, et que plus insistantes se faisaient la pensée, puis la hantise de la mort, plus profonde se fit la conscience du corps : os, nerfs et sang.

> *Écoutez, obscurs humérus,*
> *Les ténèbres de chair sont douces*
> *Il ne faut pas songer encore*
> *A la flûte lisse des morts.*

Les *omoplates* de Rimbaud n'entraient dans le vers que pour scandaliser. Vertèbres, flux sanguin, Supervielle d'un coup les impose à la poésie, et c'est l'un des poèmes les plus beaux de notre langue :

> *Quand dorment les soleils sous nos humbles manteaux,*
> *Dans l'univers obscur qui forme notre corps,*
> *Les nerfs qui voient en nous ce que nos yeux ignorent*
> *Nous précèdent au fond de notre chair plus lente,*
> *Ils peuplent nos lointains de leurs herbes luisantes*
> *Arrachant à la chair de tremblantes aurores.*
> *C'est le monde où l'espace est fait de notre sang;*
> *Des oiseaux teints de rouge et toujours renaissants*
> *Ont du mal à voler près du cœur qui les mène*
> *Et ne peuvent s'en éloigner qu'en périssant,*
> *Car c'est en nous que sont les plus cruelles plaines*
> *Où l'on périt de soif près de fausses fontaines.*
> *Et nous allons ainsi, parmi les autres hommes,*
> *Les uns parlant parfois à l'oreille des autres.*

Un surréaliste yougoslave, à qui je récitais ce poème pour le séduire à aimer Supervielle, et qu'en effet le début, je le voyais, avait ému, éclata de rire aux deux derniers vers, qu'il jugea prosaïques, discursifs, bref *pompier*. Or, pour moi, la

simplicité voulue de ces deux vers, si elle n'ajoute
pas à la beauté du poème, en tant que celui-ci
est surtout chargé d'images, lui confère une gentillesse, une inquiète fraternité à quoi j'avoue être
sensible. Si prisonnier qu'il soit de sa chair attentive, si attentif qu'il soit à sa chair prisonnière,
le poète veut rester un homme parmi les autres
et, autant que possible, comme les autres.

Depuis soixante ans bientôt qu'il écrit, Supervielle s'éprouve et se veut solidaire de tous les
humiliés, et de tous ceux qui souffrent. Dès sa
première plaquette, contre les oppresseurs il a pris
le parti des peuples asservis : lorsque l'Angleterre
essaya d'écraser les Boers, il écrivit pour eux *Le
Commando, à Krüger*. Lorsque le général Franco
mit l'Espagne une fois encore sur la table de sacri-
fice, et qu'Adolf Hitler son complice se jura s'as-
servir le monde, Supervielle intervint contre les
tyrannies : il a très bien compris que la guerre
d'Espagne prélude à pire encore :

> *Un son plus triste de guitare*
> *Que s'il venait des doigts d'un mort*
> *A traversé l'Andalousie*
> *Et s'achemine vers le Nord.*

En mars 1939, quand *la guerre déjà tâte nos cœurs
dans l'ombre*, il ne *peut rien regarder sans rougir*. Après
juin 40, voici paraître à Buenos Aires les *Poèmes
de la France malheureuse* qui, à travers l'Atlantique,
font écho au *Crève-Cœur* d'Aragon. La poésie chu-
chotée, le sublime familier qu'il a conquis contre
les règles des écoles et les éclats de la passion le
préservent de cette grandiloquence contre laquelle

ne se sont pas toujours bien défendus les autres
défenseurs de la France malheureuse : une image
toute simple, mais désormais celle même de Paris,
et nous voici en poésie :

> O Paris, ville ouverte
> Ainsi qu'une blessure.

Une image raffinée peut-être vous plairait mieux ?
La voici :

> Voulant rester secrète
> Au milieu du danger
> S'éteint quelque merveille
> Qui préfère mourir
> Pour ne pas nous trahir
> En demeurant pareille.

Cette guerre, qu'il avait comme nous tous attendue chaque année depuis Adolf Hitler, il avait
espéré la conjurer, merveilleusement, par une
Prière à l'Inconnu :

Je voudrais, mon Dieu sans visage et peut-être sans espé-
> [rance,
Attirer ton attention, parmi tant de ciels vagabonde,
Sur les hommes qui n'ont plus de repos sur la planète.
Écoute-moi, cela presse, ils vont tous se décourager.

Le souvenir restait cruel en lui du train de blessés de l'autre guerre, et des batailles *tenaces comme
la gangrène sur la plaie.* Par pudeur sans doute, il
avait déguisé sa douleur en chinoiserie :

Ah! depuis trois ans épais
S'offrent les jeunes guerriers
Qu'étouffe la bataille ainsi qu'un dragon jaune.

Ce pacifique, assez ami des vaches et des moutons pour comprendre jusqu'à la naïveté de nos
végétariens, est aussi un pacifiste; mais, avec ses
allures de hors-venu, un pacifiste qui savait fort
bien qu'une paix hitlérienne est pire que toute
guerre, et qui choisit la France libre. Si la paix
vraiment était donnée aux hommes selon leur
bonne volonté, l'univers de Supervielle n'accepterait jamais la guerre. Jusqu'aux montagnes chez
lui sont de bonne volonté : « *C'est par ici, regardez-
moi*, crie le mont Ararat aux animaux de l'Arche.
Je suis une montagne de bonne volonté. » Les bombes
elles-mêmes deviennent des B. B. V., des *Bombes
de Bonne Volonté* : silencieusement distribuées par
le père Noël d'après les plans d'un inventeur, elles
reconstruisent, dans la nuit du 25 décembre, après
la guerre de 39, tout ce qu'avaient rasé ou tué les
autres bombes, les B. M. V., je suppose, les *Bombes
de Mauvaise Volonté*. « *Toute mon œuvre est pacifiste* »,
me disait un jour Supervielle, et c'est vrai. L'éloge
du guerrier Bolivar n'y a donc place que dans la
mesure où ce soldat fut le *Libertador* : on a prétendu que c'est une pièce *front populaire*. L'accueil
réservé qu'on lui fit ne s'explique pas seulement
par les imperfections de cette grande machine, et
certains fascistes, dès 1934, avaient attaqué Supervielle dans *Je suis partout* : pensez donc, un homme
fort répandu chez ces bolchéviks mondains qui sont si gentils pour le Juif souffrant! En 1943, lorsque Darius
Milhaud composa la musique de *Bolivar*, l'idée de

libération *pesait sur tous les cœurs,* ainsi que le musicien le disait à ce propos ; mais, quand on présenta l'opéra, sept ans plus tard, les ignobles déjà redressaient la tête, et caressaient leurs casse-tête. A l'exception d'Henri Hell, qui est Juif, et de Claude Roy, qui était alors communiste et salua *l'opéra de la révolution* — digne à son avis d'être comparé au *Soulier de satin* — on éreinta une œuvre engagée à exalter la résistance des peuples opprimés. La guerre d'Indochine en avait fait un opéra subversif.

Malgré la tolérance que lui manifestaient alors les communistes — on lui ouvrait les *Lettres françaises,* où parut, le 21 juin 1946, un conte aussi peu réaliste-socialiste qu'*Orphée ;* on suggérait, dans *Action,* que ses poèmes sur le corps humain composent en un sens, et dans le sens *le plus noble,* une poésie matérialiste — le pacifique et pacifiste Supervielle, esprit *aussi peu dialectique que possible* comme il disait lui-même au cours d'une interviouve avec Adrien Jans, resta sur son quant-à-soi. En novembre 1956, lorsque les étudiants et les prolétaires hongrois durent céder aux chars des Russes, une fois de plus, infailliblement, il fut avec les victimes, car il n'est pas en vain l'auteur de *Bolivar.* Un tract circula dans Budapest, traduction d'un poème qu'il avait composé en l'honneur des insurgés, et qui parut chez nous au *Figaro littéraire* du 19 janvier 1957, *A nos amis Hongrois :*

Magyar baratáinkhoz

Tájaival miközben
a Föld kegyetlenül

jar kis Magyarországa
körül sötét közönyben
s miközben áldoz az vért
mind az öt kontinensért,
sorsotok, a rémséges,
bennünket bünössé tesz.
Mint kik igaz bírónak
szavára szomjuhoznak,
tárgyalas elején,
megnyit juk ablakunkat
a fénybe s fáj a fény.
Mi tehetetlenek s ti,
segithetetlenek,
mit tudunk egvebet
tenni, mint, térdre esni,
oh mi hitetlenek,
könyörgünk értetek.

Pendant que la planète
Avec tous ses pays,
Tourne cruellement
Autour de sa Hongrie,
Montagneuse, saignant
Pour les cinq continents
Votre sort détestable
Fait de nous des coupables.
Comme pour comparaître
Devant un juste Maître,
Avec son tribunal,
Nous ouvrons nos fenêtres
Dans le jour qui fait mal,
Nous qui ne pouvons rien
Vous qui manquez de tout,
Nous qui ne pouvons rien

Que nous mettre à genoux
Nous qui ne croyons pas,
Nous qui prions pour vous.

En février de la même année, un des écrivains
du cercle Petöfi réussit à lui transmettre le message que voici : *Il m'est impossible de vous dire à quel*
point nous étions touchés, mes amis et moi, en lisant
votre beau poème. Vous êtes aimé et estimé en Hongrie
depuis bien longtemps. Nous connaissons donc la valeur
humaine et poétique de votre geste. Permettez-moi de vous
exprimer la gratitude de tout un pays.

Aussi inclassable en politique, ce diable
d'homme, qu'en poésie ou en métaphysique ! Certains catholiques ont pourtant souhaité récupérer
celui qu'un peu ingénieusement sans doute Claude
Roy interprétait en poète matérialiste. Celui par
exemple qui écrivait naguère à Supervielle : *Vous*
détériorez votre œuvre en insinuant ainsi (le mot est trop
faible) qu'elle est hétérogène à la foi. Il suggérait que
Supervielle étant un poète cosmique, c'est-à-dire
de l'univers, c'est-à-dire universel, et l'Église,
catholique, c'est-à-dire universelle, l'Église romaine
et le poète cosmique allaient de concert vers une
même vérité. Le subtil dominicain suggérait aussi
que, le catholicisme comptant toujours *un grain de*
folie (ne serait-ce que ce qu'on appelle la folie de
la Croix), un homme tel que Supervielle a tout
ce qu'il faut pour composer un bon chrétien. Moins
convertisseurs, d'autres catholiques gardent plus
de mesure : M. Popinot, par exemple, tient que
le Dieu de *La Fable du monde* est aussi mal dégagé
de ses créatures que *le peut imaginer le plus obstiné*
panthéiste. A l'occasion du même recueil, la pro-

bité de M. Pierre-Henri Simon lui commandait
d'écrire dans le *Journal de Roubaix*, le 30 décembre
1938, que, *bien loin d'être chrétien*, Supervielle est
lui-même. « *C'est poétiquement que je parle de Dieu*,
déclara Supervielle à Pierre Lagarde, quand sortit *La Fable du monde*. *Je suis de famille catholique,
mais je ne pratique pas depuis ma plus jeune enfance.
J'en ai même perdu le souvenir. Mon esprit est pourtant
religieux à sa façon. Le Dieu dont il est question dans
mes poèmes, s'il a un arrière-fond chrétien dû à l'ata-
visme, est un Dieu de poète.* » Non, aucun théologien
catholique ne saurait prétendre que le Dieu de
Supervielle, ce Dieu *très atténué* des feuilles et des
branches, ce Dieu *raturé, invalide en quelque sorte*, ce
Dieu peut-être *avorté*, mais *attirant, triste et hostile*,
ressemble à la très sainte et très auguste Trinité.
Et l'âme de Supervielle, la direz-vous conforme
au dogme apostolique ? Sûrement pas, si vous avez
lu le dialogue de l'âme et du corps :

> *C'est ta peur de la mort qui nous réconcilie,*

dit l'âme au corps, qu'elle connaît bien. Ame très
atténuée elle aussi, et en laquelle il est aussi
malaisé de croire qu'en Dieu :

> *C'est peut-être pourquoi tu ne crois pas en moi.*

Ame de poète, sans plus ; âme que le poète identi-
fie au cœur, lequel, courageusement,

> *S'efforce dans sa nuit de devenir une âme.*

Au ciel des Boiteux, les Goths et les classiques,
les Huns et les romantiques, les pumas et les

mignons, les protestants et les coccinelles, les catholiques et les sarcelles, vivent côte à côte leur existence d'ombres, car bêtes et gens, tous sont égaux
devant la vie, tous ont un cœur courageux qui
bat et qui se bat pour devenir une âme, mais qui
jamais n'y parvient. En ceci enfin Supervielle
n'est point chrétien que ce qui lui importe après
la mort, ce n'est pas un paradis d'abstractions, et
de ces abstractions d'abstractions que sont les
essences, et de cette essence d'essences que serait
l'Être : *La grande tristesse des ombres venait surtout
de ce qu'elles ne pouvaient rien saisir.* [...] *Avoir à soi
un bout d'ongle, un cheveu, un croûton de pain, n'importe quoi, mais qui fût consistant.* Un Dieu sans
visage et sans mains, sans poil et sans plume, à
quoi bon ? Malgré les espoirs de l'âne, lequel,
devant l'enfant Jésus, suggère discrètement au *petit
jeune homme* de supprimer les côtes et même les
montagnes *(Est-ce que de la plaine partout ne ferait
pas l'affaire de tout le monde ?),* Jésus ne sera pas le
médiateur de Supervielle. Image sulpicienne, bien
plutôt :

> *...demain,*
> *Jésus aura oublié,*
> *Ne sera qu'une statue*
> *Peinte sur la cheminée.*

Pour triompher d'une mort qu'il appela jadis la
Surfaite, qu'il eut naguère en horreur, et à laquelle
enfin il se réconcilia, rien ne lui vaut une fourmi,
et si petite soit-elle, la vapeur sortant d'un naseau,
l'aiguille d'un pin, la lampe électrique d'un poisson abyssal.

Je voudrais dire avec vous, humbles pattes d'antilopes,
Ce que je ne puis penser sans vos petites béquilles,
Je voudrais dire avec vous, museau fourré du chat-tigre,
Ailes d'oiseaux et vos plumes,
Et nageoires des poissons,
Ce qui sans vous resterait cherchant une expression.
Rien ne me serait de trop,
Ni le bec de l'alouette ni le souffle du taureau,
J'ai besoin de tout le jeu de cartes des animaux,
Il me faut le dix de grive et le quatre de renard,
Et si je devais me taire
Ce serait avec la force de vos silences unis,
Silence à griffes, à mufles,
Silence à petits sabots.

Jusqu'aux figures de la géométrie, qu'on peut saisir :

> *La mâchoire d'un angle s'ouvre*
> *Est-ce une chienne ? Est-ce une louve ?*
> *Et tous les chiffres de la terre*
> *Tous ces insectes qui défont*
> *Et qui refont leur fourmilière*
> *Sous les yeux fixes des garçons.*

Voilà les médiateurs, voilà les rédempteurs.

D'autres poètes ont glorifié le monde. Claudel, mais non sans arrière-pensée prédicante; Saint-John Perse, plus désintéressé, et qui peut-être aurait pu nous aider, lui, à nous réconcilier :

O j'ai lieu de louer! ô fable généreuse, ô table d'abondance!

car il avait besoin, lui aussi, de tous les animaux.

Je sortirai, car j'ai affaire : un insecte m'attend pour
[*traiter. Je me fais joie*
Du gros œil à facettes : anguleux, imprévu, comme le
[*fruit du cyprès.*
Ou bien j'ai une alliance avec les pierres veinées-bleu.

Mais ce même Saint-John Perse qui, dans un
monde comme le nôtre menacé par les religions,
le scientisme et le reste, assigne au poète, à lui
seul, de mettre en clair le message du monde, n'a
pas toujours tenu parole : tendu, altier, allusif parfois, toujours chargé de savoir, son langage poétique, j'en sais quelque chose, invite au contre-
sens un lecteur même attentif et décourage plus
d'un à qui Supervielle sait parler plus simplement.

Chez celui-ci, aucun danger : nous saisissons
toujours les choses qu'il nous offre car toujours il
les tend sous les mots les plus simples. *Poète de la
simplicité*, dit très bien Pierre Emmanuel. *Mon via-
tique : je l'emporte partout à l'étranger et le partage
avec tous comme le pain.* Moi aussi.

A partir de *La Fable du monde* et jusqu'aux derniers recueils *(A la nuit, Naissances, L'Escalier,
Oublieuse Mémoire)* sans se lasser, sans nous lasser,
Supervielle reprend les thèmes désormais dominants d'une œuvre dont il varie la forme poétique
selon des intentions parfois malaisées à justifier
mais qui souvent, je présume, lui sont dictées par
l'état de son cœur ou de ses nerfs. Pour grave
depuis une douzaine d'années que soit chez lui la
méditation de la mort, l'humour et l'espièglerie
ne perdent jamais leurs droits. Ainsi, le récent
Bestiaire humain :

Quand le cerveau gît dans sa grotte
Où chauve-sourient les pensées

. . . .

Quand les chats vous hantent, vous hantent,
Jusqu'à devenir chats-huants.

et alors, ô merveille, voici que la répétition cinquantenaire enfin pleinement se justifie :

Quand les chats vous hantent, vous hantent.

Jusqu'à son dernier souffle, Supervielle restera celui qui n'a pas honte de s'amuser, celui qui inventa l'*esbaco* et la *tuvoire* et qui doit à l'obsession de la *Glycothymoline* le *blicotimoli* d'un de ses bons sauvages. En même temps qu'il se réconcilia pour nous avec la mort, c'est-à-dire avec la vie, j'aurais aimé que Supervielle se réconciliât tout à fait avec les formes poétiques et que son exemple, aujourd'hui si cher à tant de jeunes poètes, les encourageât à ne rougir plus de composer des œuvres non point académiques, certes, mais constamment régies par toutes les lois qui concourent à faire la poésie française. N'est-ce pas lui qui disait en octobre 1946 : *Je pense de plus en plus à la cohérence, à la plausibilité du poème, aux trouvailles qui, loin de vous sauter à la figure, s'accrochent au texte, de toutes leurs forces.* N'est-ce pas lui qu'annonçait Max Jacob, à son insu, à son escient, quand il conseillait ainsi son ami Edmond Jabès : *Nous sommes à une époque de grand changement dans l'art et je crois qu'on ne peut continuer vers l'exaspération, le brillant et l'associationnisme d'idées ou d'images. L'humanité prend conscience d'elle-même, il faudra lui parler son langage, et le poète sera celui qui le lui parlera avec grandeur*, c'est-à-dire en parfaite simplicité. Supervielle toutefois entend rester disponible. Comme en 1938, il pourrait dire encore, dans la prière d'insérer de ses derniers volumes de vers : *Je ne me refuse pas aux diverses tentations du vers régulier, du vers libre et du verset, tout dépend de ce que j'ai à dire*.

L'anarchisto-classique aura le dernier mot. Comment ne pas lui faire confiance, puisque, quand il le veut, il use avec bonheur des ressources traditionnelles : dans *Fugitive Naissance, une longue lionne à la langue qui luit* combine agréablement l'allitération en liquides et la chute sur deux *i*, cette voyelle aiguë, lumineuse (et Supervielle le sait si clairement qu'il reprend la même chute à la fin d'un vers de *Naissances : naïve, la voilà comme une fleur qui luit*). J'aime aussi qu'au moment *où l'on périt de soif près de fausses fontaines*, vers la fin du poème que je cite volontiers comme un des plus beaux de notre littérature, l'accumulation des consonnes tenues, à la fin d'une longue phrase, vide si parfaitement les poumons du diseur qu'il éprouve l'angoisse de celui qui périt. Pour leur halètement, je n'aime guère moins, commandés qu'ils sont par le thème, les pentasyllabes de *Plein Ciel* :

> *J'avais un cheval*
> *Dans un champ de ciel*
> *Et je m'enfonçais*
> *Dans le jour ardent.*
> *Rien ne m'arrêtait*
> *J'allais sans savoir,*
> *C'était un navire*
> *Plutôt qu'un cheval,*

C'était un désir
Plutôt qu'un navire,
C'était un cheval
Comme on n'en voit pas.

Relisons maintenant les premiers vers que j'ai trouvés dans un carnet de Supervielle. Ils sont datés du 2 décembre, Supervielle avait neuf ans, l'âge à peu près de Minou Drouet :

Quienes son aquellos que pasan por el lado del río ?
Es mi gato y mi tío
Adonde van ?
A comprar pan
Y después ?
A ver a Andrés
Y donde más ?
A ver a Tomás
Van en carruaje ?
Si porque hay un grande equipaje.

Je me demande si, relisant aujourd'hui ce texte, Supervielle dirait de soi, comme il fit de Minou Drouet le 7 février 1956 : *Le plus doué de mes jeunes confrères;* mais je sais que, relisant après celui-ci les poèmes que Supervielle écrivit depuis soixante ans, je prends sur moi d'affirmer de lui ce qu'il hasardait alors de la Minou Drouet : *A fait des progrès si rapides qu'elle vous en coupe le souffle.* Non, je me trompe : *A fait des progrès si lents qu'il nous en a rendu le souffle.*

* *
*

J'en connais qui se piquent de poésie et que Supervielle n'a pas encore convaincus de son génie.

Tandis que les uns lui reprochent de s'abaisser aux mètres réguliers, ou de chercher une nouvelle poétique, d'autres lui font grief de poèmes en effet assez lâches, et dont la nécessité n'apparaît pas toujours. Trop *pompier* pour les surréalistes, trop malaisé pour les lecteurs de *Toi et Moi, il s'amuse,* me disait un jour un critique : ce n'est *donc* pas un grand poète. Le beau péché !

Orphelin, malade et hanté par la mort, que Supervielle, dans son œuvre en effet s'amuse et, au prix de quelle souffrance discrète, rende à la vie un perpétuel hommage quand même, qu'il panse ainsi la blessure que Rimbaud nous avait infligée, voilà de quoi nourrir notre amitié, notre affection, notre reconnaissance.

Et comment marchander une admiration que peu de gens désormais lui refusent à celui qui, contre toutes les raisons qu'il avait d'échouer (trop de facilité au début, et tant d'académisme ; la tentation plus tard de l'exotisme ; presque toujours celle de l'anarchie), s'est lentement dégagé des lois apprises, mais afin de s'en inventer de plus neuves, et plus efficaces ? A celui qui, sans chercher à le faire, nous a démontré que si l'intelligence ne se confond pas avec la poésie, il n'est, sans la cruelle intelligence, aucune tendre poésie ?

Oui, tel a des chants plus purs ; tel autre, la voix plus forte ; celui-là, un accent plus hautain ; tel, enfin, courtise de plus près la folie. De plus humain, chez les poètes d'aujourd'hui, de plus complet, de mieux tempéré, qui voyez-vous ?

Les livres

Brumes du passé, s. l. n. d. (1900). — En épigraphe : « Mon cœur a trop saigné aux épines des
roses. » Tristesse et feuilles d'automne ; amants rêveurs ;
le souvenir ; quelques fleurs ; les baisers du printemps.
Le tout, dans une forme conventionnelle. Quelques
thèmes déjà pour annoncer les livres futurs : les parents
perdus, l'orphelin, l'oubli, l'intérêt pour les peuples
asservis *(Le Commando, à Krüger)* ; et cette confidence :
« Je ne crois plus à rien, si ce n'est au néant. »

Comme des voiliers, Paris, la Poétique, 1910. — *Le
Clair Sourire, Les Regrets, In Memoriam, La Pampa (impres-
sions d'Amérique), Un peu de soleil, A mon livre. Les Vieux
Airs* se trouvait aux *Brumes du passé*, mais dans
une version différente, dont ne subsiste plus qu'une
strophe : la première. Aux thèmes du précédent recueil
s'ajoutent la pampa, avec ses bœufs, dont « la force est
douce infiniment », avec l'*ombù* et les chers eucalyptus, les Andes, l'estancia. L'enfant qui détestait
les voyages survit en l'homme :

> *Le voyage soudain trouve en nous un cœur lâche.*

Et, toujours, la pitié devant tout ce qui souffre.

Poèmes, Paris, Eugène Figuière, 1919. — « Jules
Supervielle est notre égal et notre frère », écrit Paul
Fort dans sa préface ; il signale « comme un *frisson
nouveau* », « un vent puissant du large » dans ce recueil
dédié « A ma mère », et qui comprend *Voyage en soi*
(poèmes où le vers se libère discrètement de quelques

vaines servitudes — le singulier y ose rimer avec le
pluriel par exemple — cependant que le poète se
libère de quelques angoisses : la peur de la mort, le
souvenir de la mère); *Paysages* (poèmes où la France,
la haute mer et la pampa débouchent curieusement
sur une Chine conventionnelle, le tout sur fond de
tristesse : « Tout me brise, tout me blesse »); *Les
Poèmes de l'humour triste*, avec des variantes par rapport
à l'édition qui était sortie un peu plus tôt la même
année, chez Bernouard. Le « premier accessit d'insomnie » s'amuse de soi et de son expérience militaire;
Le Goyavier authentique (poèmes de la haute mer, des
escales, des créoles américaines).

> *Je m'étais bien promis de rire jusqu'au bout,*
>   *De badiner dans ce voyage;*
>
> . . . .
>   *Je n'ai plus aucun goût à rire;*
>   *L'orgue forain en moi s'est tu*
>   *Et j'en suis tout hurluberlu.*
>   *Ah! qu'est-ce à dire?*

Débarcadères, Paris, *Revue de l'Amérique latine*, 1922.
— « Je dédie ces poèmes à Louis, mon frère. » Sous-
titres : *La Pampa, Une Paillote au Paraguay, Paquebot,
Distances, Flotteurs d'alarme*. Ce sont les thèmes encore
du recueil précédent, mais la forme change : le « vers
libre » souvent se substitue aux mètres réguliers, et
aux vers que parfois on dit « libérés ». Chevaux, vaches
et chiens, les animaux les plus modestes y rencontrent
des rolliers, des calandres, des ramphocèles. Déchiré
entre la France et ses Patagonies,

> *sans mémoire et sans yeux comme l'eau des rivières,*

Supervielle se cherche « une sérénité »; à cette fin, il
demande conseil à l'éléphant, au dromadaire.
Beaucoup de ces poèmes furent écrits en 1919-1920.

L'Homme de la Pampa, Paris, Nouvelle Revue
française, 1923. — Conte de fées pour adultes, selon

Benjamin Crémieux. Qu'on en juge : Guanamiru-Supervielle a passé l'âge des « bêlants crépuscules » et arrive à celui des « amis inconnus » (p. 31). Il a besoin « d'un volcan pour être heureux », et décide par conséquent de s'en faire bâtir un, avec monte-lave et tout le tremblement : petits pains de savon et de pierre ponce, éruptions-surprise diffusant médicaments, livres de morale ; mais la presse locale ne comprend pas cette philanthropie, et Guanamiru choisit d'émigrer. Quand il veut emporter sa montagne, elle se trouve détruite, « en méconnaissables fragments ». A bord, il ouvre sa valise ; le volcan y repose, devenu portatif. Dialogue volcan-Guanamiru, le premier s'exprimant avec des parfums. Bien d'autres aventures, non moins étranges, occupent la traversée : Guanamiru fait à volonté disparaître dans la mer, puis reparaître, les passagers. Sans parler d'une sirène. A Paris, les miracles continuent : au lieu de Line du Petit Jour, voici qu'il trouve dans son lit Juana Fernandez y Guanamiru, sa « sœur invétérée » : ce n'est pourtant que le plus banal de tous. Le bon sens alterne avec une folie « devenue brusquement plusieurs fois millénaire ». Pour finir, Guanamiru meurt « par éclatement, de mégalomanie éruptive, parmi des nuages de cendre ».

Gravitations, Paris, Nouvelle Revue française, 1925. — Comme l'a dit le critique portugais Monteiros, si *Débarcadères* est la poésie du nouveau monde, les *Gravitations* nous découvrent celle d'un monde nouveau. Le recueil est dédié à Valery Larbaud. Poèmes dédiés à Max Jacob, Jorge Guillén, Ricardo Güiraldes, Henri Michaux, Maria Blanchard. Supervielle rompt avec l'académisme. Les poèmes réguliers, rimés, ou du moins rythmés, sont mêlés à des textes en « vers libres ». Pour épigraphe, un vers de Tristan L'Hermite, qui résume assez bien l'une des idées fixes de Supervielle en ce recueil, et dans sa vie tout entière :

Lorsque nous serons morts, nous parlerons de vie.

Bien qu'il reprenne plusieurs des thèmes déjà traités dans les premiers recueils — *Le Portrait*, par exemple — ce n'est point hasard si Guanamiru-Supervielle donne ici quelques *Poèmes de Guanamiru*. L'univers de *Gravitations* est aussi fabuleux que celui où vivait l'homme de la pampa. Terre et ciel, vie et mort agréablement confus, se doublent et se prennent l'un pour l'autre. Supervielle semble avoir été secoué par quelques vieilles idées touchant la panspermie. Dès lors, abusivement, il est classé poète *cosmique*. Comme pour bien marquer à quel point l'œuvre est une, voici, sur le thème qui sera celui d'un roman, le poème intitulé *Le Survivant;* voici même un premier état de *L'Enfant de la haute mer : Le Village sur les flots*. Les sections du recueil s'intitulent : *Les Colonnes étonnées, Poèmes de Guanamiru, Suffit d'une bougie, Cœur astrologue, Géologie.*

Le Voleur d'enfants, Paris, Nouvelle Revue française, 1926. — Supervielle nous a mis en garde contre la manie de ceux qui l'identifient aux héros de ses romans. Supervielle-Guanamiru, passe encore; mais Supervielle-Bigua, non! Bigua, « c'était un homme qui aimait tellement les enfants qu'il en volait. Or moi, j'en ai six, je n'ai pas besoin d'en voler ». (*Le Figaro littéraire*, 4 juin 1955.) Donc, le colonel Bigua vole quelques enfants abandonnés; mais il aime une Marcelle qu'il a tirée d'un milieu quelque peu suspect. Desposoria son épouse va-t-elle mourir, comme tant de Parisiens, de la grippe qu'on disait alors espagnole ? Non. Mais Joseph courtise un peu trop la fillette. Par prudence, Bigua emmènera son petit monde en Amérique. Hélas, Joseph s'est embarqué, en qualité de marin. Marcelle descend avec lui dans les soutes et Bigua se jette à la mer.

Le Survivant, Paris Nouvelle Revue française, 1928. — A la fin du *Voleur d'enfants*, Bigua se jette à la mer. Au début du *Survivant*, Desposoria, son épouse, lance à la mer ses bijoux, son attirail de maquillage : « Pour qu'il revienne, mon Dieu! » Bigua nage très

Jules Supervielle d'après un portrait à l'huile de son ami
Daniel Chénier, fait à Vinon (Cher), vers 1920.

1 - Jules Supervielle avec, de gauche à droite :
Jean, Denise, Pilar et Henri, à l'estancia uruguayenne (1922).

2 - Jules et Pilar Super-
vielle avec leurs enfants
(1926).

bien. On le sauvera. Il prétend être tombé par accident; Marcelle et Desposoria consentent à jouer le jeu. En Amérique, Bigua retrouve sa mère, Misia Cayetana. « O retour au pays natal! Un grand calme descend sur moi. » Dans huit jours, Marcelle sera mariée à son Joseph. Mais comment résister au désir qu'il a de Marcelle, et dont tout le monde s'aperçoit, y compris Misia Cayetana. Elle en parle à Desposoria et lui apprend, incidemment, que Bigua est « incapable d'être père, sinon un mari véritable ». Bigua s'absente quelque temps, cela vaut mieux. Au retour, plus de Marcelle. Misia Cayetana l'a placée au couvent. Bigua partira pour l'estancia. Il apprend sa ruine, s'engage comme péon, marque au fer rouge le bétail, et doit subir le désir de la patronne, une grosse Belge, la Boërmans : « Donnez-vous un peu de bon temps. La vie, l'amour, ce n'est pas si grave que ça. » Il repart pour une autre estancia, qui lui appartient encore, ce qu'il ignorait. A Rivera, dans la ville voisine, il entend la voix de Marcelle et celle d'un homme : elle va s'enfuir vers le Brésil. « Qu'un peu de paix se pose enfin sur mon cœur comme un plumage d'oiseau! », se dit Bigua. En effet : Desposoria revient à l'estancia. De joie, Bigua « baisse la tête sur le perron de sa demeure ».

Bolivar et les femmes, Paris, 1930. — « Nouvelle historique », précise le sous-titre. *Fiancé à dix-sept ans, marié à dix-huit, veuf à dix-neuf*, pense Bolivar avec tristesse. *C'est donc ça la vie, cette chose qui m'échappe tout le temps*. Non, certes! Fanny, Anita Lenoit, Josefina Madrid, Manuela, sont déjà destinées au lit du Libertador. Premier état, si l'on veut, de ce qui deviendra *Bolivar*, pièce en trois actes et onze tableaux.

Le Forçat innocent, Paris, Nouvelle Revue française, 1930. — Outre *Oloron-Sainte-Marie* et *Saisir*, précédemment publiés en plaquettes, ce recueil rassemble *Le Forçat innocent, Intermittences de la terre, Ruptures, Peurs, Derrière le silence, Les Amériques, Mes Légendes, L'Enfant*

née depuis peu (c'est-à-dire : Anne-Marie Supervielle).
Il est dédié à Jean Paulhan, et c'est justice, car les
conseils du critique ont aidé Supervielle à produire
ce livre de la maturité, dont Gabriel Bounoure écrit
pertinemment : « Saisir la merveille inconnue qui est
sans doute l'être même derrière les apparences d'êtres,
Supervielle l'espère par le moyen du sommeil et par
le moyen de la mort, deux recours contre cette douloureuse plaisanterie, ce déchirant cache-cache, cette
captivité. Ce n'est point le rêve d'échapper à la Terre,
mais au contraire celui de la bien connaître et de
cesser d'être sur elle comme un somnambule. » Cette
fois, Supervielle a trouvé sa formule. Beaucoup moins
de vers libres et de versets que dans *Gravitations;*
une imagination mieux dominée; des rythmes poétiques, des rimes, des assonances et, pour conclure un
ensemble où la mort obsède, cet hommage à la vie,
déjà, qu'est le poème offert à l'enfant née depuis peu.
La strophe que voici *(Oloron-Sainte-Marie)* donnerait
le ton dominant :

> *Et toi, rosaire d'os, colonne vertébrale,*
> *Que nulle main n'égrènera,*
> *Retarde notre heure ennemie,*
> *Prions pour le ruisseau de vie*
> *Qui se presse vers nos prunelles.*

L'Enfant de la haute mer, Paris, Nouvelle Revue
française, 1931. — « Une tendresse particulière m'in-
clinerait peut-être, tout de même, vers *L'Enfant de
la haute mer*, vers *Le Voleur d'enfants*. » (Supervielle,
aux *Nouvelles littéraires*, en 1955.) Un premier état du
conte qui donne son titre au recueil avait paru six
ans plus tôt dans *Gravitations (Le Village sur les flots);*
Supervielle l'avait trois ans plus tard développé en
mythe et publié à Buenos Aires en même temps que
Les Boiteux du Ciel, autre texte de ce volume.
La Piste et la mare avait paru dès 1927, à petit
nombre d'exemplaires. Autres contes ici rassemblés :
*Le Bœuf et l'Ane de la crèche, L'Inconnue de la Seine, Rani,
La Jeune Fille à la voix de violon*. Comme pour bien

marquer la continuité des genres et des époques dans
l'œuvre du poète, voici en forme de conte *Les Suites
d'une course*, dont nous lirons plus tard, après l'avoir
vu jouer par Barrault, une version dramatique (*Les
Suites d'une course*, mimo-farce en un acte, dans *Entregas
de la Licorne*, Montevideo, 1956, n° 7.)

Dans *Rani*, *La Piste et la mare*, le folklore sud-américain nourrit l'imagination de Supervielle; dans *Le
Bœuf et l'Ane de la crèche*, c'est la légende chrétienne, à
l'occasion d'un projet formé par Jean Grenier (une
série de volumes sur *La Vie des bêtes illustres*). Avec
cette obsession de la métamorphose d'une part, et
d'autre part de l'osmose entre les morts et les vivants,
les autres contes appartiennent à la mythologie personnelle de l'écrivain.

La Belle au Bois, pièce en trois actes, Paris, Nouvelle Revue française, 1932. — Voici la première des
trois versions de ce qui fut d'abord une « pièce » (en
1932 et 1947) avant de virer à la « féerie » (en 1959).
De même que *Le Bœuf et l'Ane de la crèche* rénove le
mythe chrétien, *La Belle au Bois* rassemble, au château
de la Belle, Barbe-Bleue, le Chat botté, la fée Cara-
bosse et le Prince charmant. La Belle s'ennuie; arrive
Barbe-Bleue, maître des lieux; la bonne fée s'allie avec
le Chat botté, amoureux celui-ci de la Belle, pour
décourager le tueur qui frappe en vain la fée. La
Belle, de toute évidence, aime en ce Barbe-Bleue le
premier homme qu'elle voie. Sa bonne marraine l'en-
dort pour lui épargner le pire, mais Barbe-Bleue se
fait endormir par la sienne. Au troisième acte, les
acteurs sont réveillés par un hourvari à la porte :
c'est le prince de Beauval, un nigaud qui leur met
sous le nez les *Contes* de Perrault et leur apprend que
le monde entier sait leur histoire. Sur ce, irruption
du monde vrai, qui semble devoir tuer les personnages
de la féerie. Non pas : plus fort que le réel, l'amour
de la Belle pour Barbe-Bleue lui permettra de repartir
avec lui pour le sommeil magique. De la chanson à
la méditation, de la gravité au burlesque, la pièce

oscille ou hésite. En tout cas, elle enchante, et non pas seulement les acteurs.

Boire à la Source, Paris, Corrêa, 1933. — *Récit*, précisait la couverture; et encore : *Confidences de la mémoire et du paysage*. La réimpression, qui paraîtra chez Gallimard, en 1951, porte en sous-titre *Confidences*, ce qui convient mieux que « récit ». Livre capital pour l'intelligence de Supervielle. Par exemple, ceci : « J'apprends ce matin qu'il y a une vache dans les armes de la ville d'Oloron. On donne même son portrait. Elle traverse légèrement toute l'histoire de la ville, et s'en va vers l'avenir tournant allégrement la tête à droite et à gauche. Je suis heureux de retrouver ici une vache et à la meilleure place. De même qu'il y a un taureau dans l'écusson de l'Uruguay. Et je ne rougirais pas d'avoir été entre ces deux bêtes, avant moi très éloignées, un intermédiaire plein d'espérance.» C'est d'abord le carnet d'un retour au pays natal : les Pyrénées, Oloron-Sainte-Marie, le cimetière des parents inconnus; puis l'Uruguay; puis, entre les deux, l'Atlantique, qui unit les terres beaucoup plus qu'il ne les sépare. Puis un carnet de voyage à Ouro Preto (1930); des notes, enfin, sur un voyage au Paraguay.

Dans l'édition de 1951, trois textes complètent la section uruguayenne. Ils furent écrits plus tard, durant le long séjour qui coïncide avec la guerre de 1939 : *Journal d'une double angoisse* (1939-1946); *Le Temps immobile; Les Bêtes*. (Cette « double angoisse » est celle de la guerre et celle de la maladie; mais attention : « Mon ami Saurat dit, dans *Modernes*, que je suis un écrivain sain. Est-ce parce que je fuis le morbide de toutes mes forces ? Mais je ne puis le fuir qu'en l'affrontant en vers ou en prose. Après tout, c'est peut-être cela qu'on appelle la santé. ») A propos des bêtes, cette réflexion, d'autant plus belle que les Supervielle faisaient plutôt dans la banque : « La noblesse des animaux, ce qu'il y a de pur dans leurs yeux vient sans doute de ce qu'ils ignorent l'usage de l'argent. On ne donne pas plus vingt sous à un tigre qu'à une fourmi. »

Les Amis inconnus, Paris, Nouvelle Revue française, 1934. — Au sommaire de ce recueil : *Les Amis
inconnus, Le Hors-Venu, Les Veuves, Le Sillage, Le Spec-
tateur, Lumière humaine, Ma Chambre, Les Animaux invisibles, Le Miroir intérieur, Le Matin et les arbres, Visite
de la nuit, Le Temps d'un peu*. Le côté franciscain de
Jules Supervielle l'emporte ici sur le côté Guanamiru.
« D'un rire épais et rance », les visages grossiers peuvent
évidemment attrister le poète; il lui reste les animaux,
mais non sans difficulté :

> *Mémoire des poissons dans les criques profondes,*
> *Que puis-je faire ici de vos lents souvenirs?*

et non sans péril pour les bêtes :

> *Mais quelle horreur cachait votre douceur obscure*
> *Ah! vous m'avez tué je tombe de mon arbre.*

Comme il arrive souvent dans cette œuvre merveilleusement emmêlée, deux poèmes annoncent, qui, un
conte (*L'Arbre*, qui deviendra *Le Petit Bois*), qui, un
récit (*Le Désir*, qui sans doute prépare *Le Jeune Homme
du dimanche*); cependant que la partie de billard évo-
quée au *Tapis vert* nous renvoie aux billes fabuleuses
de *L'Homme de la Pampa*, celles qui parfois mettaient
huit jours à s'atteindre.

Phosphorescences, Paris, Librairie de France, 1936.
— « Et quant à *Phosphorescences* ce sont des commentaires à des gravures du peintre Lespinasse, qui
m'avaient été demandées et n'ont pas d'importance
particulière. Je n'en ai même pas d'exemplaire à la
maison. » (Supervielle, *Lettre* du 20 juin 1953 à Tatiana
W. Greene, citée dans *Jules Supervielle*, p. 145.)

Bolivar, pièce en trois actes et onze tableaux, suivie de *La Première Famille*, farce en un acte, Paris,
Nouvelle Revue française, 1936. — Première version
d'une pièce qui germait évidemment depuis *Bolivar*

et les femmes (1930). On avait proposé à Supervielle
de composer le scénario d'un film sur le *Libertador*.
Revoici Maria-Teresa la jeune épousée, la jeune morte,
et Manuela Saenz, l'amoureuse qui partout l'accompagne durant les campagnes, y compris durant la
traversée des Andes. Mais Bolivar avait juré de ne
pas se remarier. A la fin de la pièce, Bolivar redevient le jeune époux du premier acte et retrouve sa
jeune femme. Entre temps, succession de tableaux à
grand spectacle, évoquant divers moments de la guerre
émancipatrice. Le tout, pour aboutir à ces ultimes
répliques : « Bolivar [...]. — Maria-Teresa, nous
avons de grandes choses à accomplir ensemble! Maria-
Teresa. — Sans la guerre, n'est-ce pas, mon ami ?
Bolivar. — Oui, sans la guerre, Maria-Teresa, et
sans politique non plus. Une belle vie obscure et pleine
d'amour. Cette fois, ma chérie, je me contenterai d'être
le maire de mon village. » En 1950, la guerre étant
survenue, et l'autre angoisse, celle de la maladie,
Supervielle modifiera *Bolivar* pour lui donner quelques-
uns des sentiments qu'il éprouva lui-même de 1939
à 1945.

Sinon en ceci qu'Ève la première femme n'a pas
de nombril, et pour cause, cette *première famílle* ressemble singulièrement à toutes les familles. Ceux qui
aiment les farces de Claudel ne devraient pas bouder
celle-ci, aussi grosse, et non moins drôle. Séduit par
toutes les femmes, et notamment par les pucelles,
Adam ne sera pas moins vertueux que le colonel Bigua.
Il se résignera au statut domestique : « Tout le monde
est bien gentil pour moi. » C'est qu'entre temps il a
inventé le vin : « Ah! petit vin des familles! Petit vin
qui nous aide à supporter la famille. »

La Fable du monde, Paris, Nouvelle Revue française, 1938. — Ce recueil, l'un des plus importants
de Supervielle par l'ambition du propos, se divise en
trois parties. La première, qui donne son titre à l'ensemble, est une genèse, une *Fable du monde;* titre
modeste, par où Supervielle communie curieusement,
mais profondément, avec Descartes écrivant au Père

Mersenne : « La fable de mon monde me plaît trop pour manquer à la parachever. » Certains poèmes sont adressés par le poète à un Dieu de poète *(Prière à l'Inconnu, O Dieu très atténué)*, d'autres racontent avec tendresse la création du monde, celle des arbres, des bêtes et des hommes. Une seconde partie, *Nocturne en plein jour*, présente un ensemble de poèmes très neufs et très beaux sur les viscères, et la grande nuit intérieure. D'autres poèmes enfin complètent cet ensemble, notamment *La Pluie et les tyrans*, qui présage hélas, trop explicitement, les *Poèmes de la France malheureuse* :

> *La pluie qui se répète*
> *Mais ne peut attendrir*
> *La dureté de tête*
> *Ni le cœur des tyrans.*

Comme quoi, lors même qu'il joue à Dieu, et s'enfonce au plus secret de soi, Supervielle entend et sait rester un homme parmi les autres.

L'Arche de Noé, Paris, Nouvelle Revue française, 1938. — Année riche entre toutes, 1938 voit sortir un second recueil de contes. Les deux premiers, *L'Arche de Noé*, *La Fuite en Égypte*, continuent la veine du *Bœuf et l'Ane de la crèche*. *La Fuite en Égypte* en constitue la suite même. *Antoine-du-Désert* reprend une fois de plus l'histoire de l'anachorète. Les autres contes rassemblés appartiennent à la mythologie personnelle de l'écrivain : *L'Adolescente*, *Le Bol de lait*, *Les Bonshommes de cire*, *La Femme retrouvée*. Une adolescente dont les dons mystérieux nous font penser à la jeune fille à la voix de violon, et qui les perd vers le même âge (pour les mêmes raisons sans doute), ce qui lui permet de trouver enfin le bonheur; un adolescent, qui pourrait être une façon de réplique à l'enfant de la haute mer, puisque le voici condamné lui aussi « à accomplir ces mêmes gestes, chaque jour, à la même heure, par tous les temps »; un auteur dramatique au cœur fragile (malgré l'intervention de spectateurs en cire, l'échec d'une de ses pièces va le tuer) ; un homme qui s'ennuie au paradis des ombres, accepte d'entrer dans la peau d'un fox-terrier afin de revoir sa femme, qu'il aimait sans le savoir et qu'il a quittée pour faire naufrage ; mais il doit assister aux amours de sa belle avec un boucher vulgaire. Il en meurt de rage, mais redevient là-haut un humain comme avant.

1939-1945, Paris, Gallimard, 1946. — Outre les *Poèmes de la France malheureuse*, qui avaient paru séparément en Argentine, *Ciel et Terre* (publié dans le *Choix de poèmes* rassemblé à Buenos Aires en 1944) et quelques autres vers également publiés dans cette anthologie (sous le titre *Vers récents*) et redistribués ensuite, *1939-1945* comporte les sections que voici : *Temps de guerre, Hommage à la vie, Arbres, Le Mort en peine, Portraits sans modèles, Visites, L'Air* et *Hommages*. On y trouve notamment *Le Petit Bois* qui deviendra un conte (*Le Petit Bois et autres contes*, Mexico, 1942). Recueil un peu disparate ; qui s'en étonnerait, puisque l'auteur rassemble toute sa production de guerre. On trouve même un fragment sur *L'Air* qui aurait dû faire partie de *La Fable du monde* :

> *Et pour donner du prix aux choses*
> *J'ai voulu les couronner d'air,*
> *Pour l'hirondelle qui se pose*
> *Comme pour l'homme sur la mer.*

Toujours présente, la hantise de la mort :

> *La lune qui te suit prend tes dernières forces*
> *Et te bleuit sans fin pour ton ultime jour.*

Toutefois, le poète peut désormais se dire enfin réconcilié :

> *L'horreur de la mort, avouée,*
> *En feuillages s'est dénouée,*

libre par conséquent pour l'*Hommage à la vie* qui est déjà l'un des poèmes les plus célèbres de Supervielle.

A la nuit, Neuchâtel, Paris, La Baconnière, Le Seuil, 1946. — *A la nuit, Les Deux Voix, Visages, Vivre encore, Du fond des âges révolus..., Ces longues jambes que je vois..., Images.* Dans la veine des *Nocturnes* rassemblés à la suite de *La Fable du monde.* A quoi s'ajoute un dialogue de l'âme et du corps : l'âme sent bien que le corps ne croit pas en elle, mais le corps, lui, n'ignore pas que le cœur

> *mineur obscur dont on entend les coups de pioche*
> *s'efforce dans sa nuit de devenir une âme.*

Quelques autres poèmes, graves, tendres, un peu mélancoliques, rythmés et rimés selon la métrique libérale et réfléchie qui désormais est la sienne, disent la vie, la mort.

Postface d'Albert Béguin : *Jules Supervielle poète des deux nuits,* essai sur les thèmes et le sens général de l'œuvre. Rien sur la forme, ainsi qu'il se doit aujourd'hui. Si « la joie n'éclate pas dans les chants de Supervielle », ce serait parce que « Dieu reste un inconnu, très aimé mais lointain, partout présent, mais très atténué ».

Oublieuse Mémoire, Paris, Gallimard, 1949. — *Oublieuse Mémoire, L'Homme, Naissance de Vénus, Un Braque, Gravures, La Terre chante, Marines, Dans la rue, Champs-Élysées, Genèse, Anniversaire, Guerre et Paix sur la terre, Poésies et Chansons, Poèmes perdus et retrouvés.*

Le désordre un peu voyant de ce recueil ne saurait en cacher l'unité plus secrète, celle d'un homme en pleine connaissance et de soi et de ses moyens. Tous les thèmes désormais familiers : le hors-venu, la genèse du monde, les nerfs, l'escalier, la mer, sont traités en rythmes et rimes qui l'emportent sur les versets ou les « vers libres ».

Dédié à Octave Nadal, *La Terre chante* fait penser à l'hymne du *Véda* sur le même sujet : même ampleur, même et noble naïveté. L'ensemble, offert à Marcel Arland, s'harmonise en effet très bien à l'œuvre de ce romancier.

Robinson, Paris, Gallimard, 1949. — Légère, ba-
dine, parfois triviale exprès, cette comédie traite néanmoins de deux thèmes aussi graves qu'obsédants : le
mort vivant, l'amour qui vainc le temps. Robinson
est le cadet d'un riche négociant qui recueille Fanny
et Maggy, deux nièces dont le père a disparu en mer.
La cargaison s'étant retrouvée, et Fanny du coup enrichie, le père avaricieux veut donner la précieuse à
son fils aîné, John. Ignorant qu'il en est aimé, Robinson s'embarque, fait naufrage, et retrouve dans une
île le père de sa Fanny, qui lui promet la main de
sa fille. Les années passent. Nous voici de nouveau
en Angleterre, devant le mémorial qu'on inaugure
en l'honneur des disparus. Arrivent alors le père de
Fanny et Robinson, qui voit une Fanny telle qu'au
premier acte. C'est la fille de Fanny, fiancée au maire
du pays. Tout semble une fois de plus gâché, mais
Vendredi survient à point, chargé de l'or que les deux
étourneaux avaient oublié dans l'île. Robinson épou-
sera sa promise.

Shéhérazade, Paris, Gallimard, 1949. — Supervielle renchérit sur les merveilles des *Mille et Une
Nuits*, et accommode à sa guise les caractères de la
légende. Shariar, le sultan tout-puissant, tout beau,
tout cruel, aime Shéhérazade, la toute pure; tout
laid, tout gauche, toujours défaitiste, il y a aussi Sha-
zénian, frère du sultan, et Dinarzade, modeste « tapis »
aux pieds de Shariar et de Shéhérazade. Une drogue
déjà de vérité révèle à Shariar que le pauvre Shazé-
nian désire la Shéhérazade. Les deux coupables auront
la main tranchée. Passe de magie : un cheval volant
sauve les infortunés. Déguisements, métamorphoses
permettront à Shariar détrompé de vivre paisible-
ment, secrètement, son amour pour Shéhérazade.

Le même irrésistible merveilleux qui ravit le spec-
tateur de *La Belle au Bois* le transporte ici, sans qu'il
proteste, dans un palais volant.

On a parfois comparé à *La Flûte enchantée* le théâtre
de Supervielle. Pourquoi non ?

Le Voleur d'enfants, Paris, Gallimard, 1949. —
Voici comment Supervielle s'explique sur la naissance de cette pièce : « La poésie m'aura servi de
passerelle entre mon roman *Le Voleur d'enfants* et la
pièce qui porte le même titre [...] il m'a fallu sacrifier
en partie l'atmosphère de mon roman. Il s'y trouve
de nombreux passages volontairement estompés qui
ne pouvaient pas être portés à la scène où tout doit
avoir des arêtes précises, un volume bien apparent,
une voix nettement perceptible. » L'auteur sacrifie à
l'unité de lieu la richesse de l'action romanesque. Tout
se passe donc à Paris, caractères et situations ayant
évolué selon les lois d'un genre neuf. Le colonel Bigua
se délivre de sa passion pour Marcelle en la transférant
sur l'enfant que celle-ci va mettre au monde. Comme
dans *Robinson* et dans *Shéhérazade*, Supervielle chante
sur tous les tons : le sublime et le farcesque, le délicat et
le réaliste, le fond restant d'humour triste.

Les B. B. V., Paris, Les Éditions de Minuit, 1949.
— *Les B. B. V.*, *De cuerpo presente*, *Une Enfant*, *La
Vache* et *Les Géants*. *La Vache* reprend un thème de
Débarcadères; *Une Enfant* ressemble singulièrement à
quelque poème en prose; quant aux *B. B. V.*, aux
« bombes de bonne volonté », c'est une histoire de
Noël, charmante et naïve à souhait : celle d'un inventeur qui, à coups de bombes silencieuses, reconstruit
dans la nuit sainte tout ce qu'ont ravagé les bombes
de mauvaise volonté, celles qui tombaient du ciel
durant la guerre : « Et cela sembla si naturel aux victimes de la guerre, de retrouver leur maison, que c'est à
peine si elles manifestèrent leur joie. » *Les Géants* content
allégoriquement la révolte contre les dieux: après la
guerre, et quelle guerre!, Supervielle éprouve assurément quelque joie à ramener ses Géants « à la raison »,
à terminer son recueil sur une « puissante escorte de
sagesse et de modération », celle de Minerve.

Premiers Pas de l'Univers, Paris, Gallimard, 1951.
— Onze des contes ici rassemblés sous deux rubriques

(Contes mythologiques et *Autres Contes)* avaient paru à Mexico, durant la guerre, aux Éditions Quetzal, sous le titre *Le Petit Bois et autres contes : Le Petit Bois, Premiers Pas de l'Univers, Le Minotaure, L'Enlèvement d'Europe, La Fausse Amazone, Castor et Pollux, Cerbère, Le Héron garde-bœuf, La Géante, Un Puissant de ce monde, Tobie père et fils. Les Géants* avaient paru en 1949 dans les *B. B. V.* Supervielle y ajoute *Orphée, Io, Le Modèle des époux, Vulcain, Nymphes, La Création des animaux, Le Bûcheron du roi, La Veuve aux trois moutons, Vacances.*

Comme dans les *B. B. V.*, et sans doute pour les mêmes raisons, l'acceptation de la vie normale dénoue souvent les situations insolites. « Vite, vite, une femme qui s'enrhume »; ou encore « Regarde-la donc s'avancer par la route comme une simple mortelle ». C'est le dernier mot des *Premiers Pas de l'Univers* et le dernier mot de la sagesse. Bouffonnerie, sarcasme, quelques bouffées de cruauté ou de gauloiserie se mêlent ici à la poésie, ainsi que dans le théâtre publié en 1949.

Naissances, Paris, Gallimard, 1951. — *Le Galop souterrain* (1938) publié dans le livre de Christian Sénéchal est ici pour la première fois recueilli en volume. A quelques exceptions près (poèmes de 1934), il s'agit de textes récents qui redisent les thèmes favoris. Revoici Guanamiru, les arbres qui naissent pour nous aider à vivre et à mourir. Comme dans les derniers recueils, le vers libéré l'emporte sur le vers libre. L'homme qui, dans *1939-1945*, s'était malaisément mais décisivement réconcilié avec la mort, c'est-à-dire avec la vie, confirme sa guérison.

En songeant à un art poétique propose une poétique de la maturité : un classicisme neuf, car « l'art poétique est pour chaque poète l'éloge plus ou moins indiscret de la poésie où il excelle ».

Le Jeune Homme du dimanche et des autres jours. Paris, Gallimard, 1955. — Supervielle qualifie de roman — est-ce pour sa longueur ? — ce qu'aussi bien l'on dirait un conte fantastique en trois épisodes : *Le Jeune Homme du dimanche*, qui parut à part, dès 1952, forme la première partie. Le poète-juriste Apestègue aime d'amour Obligacion, mariée à Firmin, et sœur d'une Dolorès fort adonnée aux sciences occultes. A la suite d'un lapsus sur *pizar* et *pisser*, Apestègue perd la tête, et même sa nature d'homme, pour devenir mouche d'abord, puis chat de gouttière. Firmin meurt, mais Apestègue n'ose pas prétendre officiellement à la chère Obligacion. Sur un quai de gare, il comprend toutefois qu'il émigre « dans le corps même d'Obligacion et jusque dans son regard »; bref, qu'il est enfermé « dans un vivant, un souriant tombeau ». Plus tardive, la seconde partie : ... *et des autres jours*. Nouvelles métamorphoses qui conduisent Apestègue dans le corps d'un nain, d'où le chasse une balle de revolver, après quoi l'âme en peine retrouve son corps à l'Hôtel du Parc. « Je revoyais quelquefois Obligacion. Et dire qu'elle n'avait rien su, qu'elle ne saurait jamais rien de toutes les mésaventures que m'avaient values mon amour pour elle. » Une seconde suite, *Dernières Métamorphoses*, contredit la seconde partie : « Je réintègre alors pour toujours ma peau personnelle. » Le nain à demi fou et aveuglé par le coup de revolver marie Obligacion et Apestègue, puis recouvre la vue, s'installe avec les époux, tombe malade, fait venir un prêtre, qu'il scandalise : « J'aurais à confesser une tuberculose et une grosse hernie. » Il meurt. Apestègue se rend à Marseille, y couche avec une poétesse auprès de qui enfin il affirme sa « cohérence » et son « identité » avant de revenir, pour la quitter, dans la chambre du nain, qu'il avait adoptée.

L'Escalier, Paris, Gallimard, 1956. — Une vingtaine de poèmes inédits, et plusieurs recueils antérieurs (*Poèmes de l'humour triste*, *Débarcadères*, *A la nuit*) composent ce volume à l'occasion duquel Supervielle obtint le prix Etna-Taormina, le 31 décembre 1956, cependant que, paradoxalement, *J'ai lu* écrivait à la même occasion : « Ils sont rares encore, ceux qui savent qu'il [Supervielle] doit être mis au tout premier rang de la littérature française actuelle » (novembre-décembre 1956). Philippe Jaccottet apprécie fort bien la perfection des derniers vers : « Évitant tous les vocables rares, riches ou éclatants, mais fuyant aussi, d'une même crainte, avec la même mesure, le mot sottement réaliste, il obtient un chant chuchoté mais sans petitesse, léger sans frivolité, inimitable, inoubliable. » (*Gazette de Lausanne*, 30 mars 1957.)

Le Corps tragique, Paris, Gallimard, 1959. — Poèmes en partie inédits et qui confirment les tendances maîtresses de la thématique : *Le Corps tragique*, au titre significatif; *A la fenêtre du monde*, où l'on retrouve le poète engagé dans son combat pour la liberté *(A nos amis Hongrois); Légendaires*, dédiés à Patrice de La Tour du Pin, où l'on retrouve le goût des métamorphoses et de la fable du monde; deux *Poèmes de circonstance* pour célébrer Claudel et Saint-John Perse; *Les Poissons rouges, Le Mirliton magique, divertissement pour Laurence*, petite-fille du poète. Supervielle y joint quelques traductions de Garcia Lorca et de Jorge Guillén, ainsi que quelques proses poétiques, dont la *Dernière Métamorphose*, très belle, celle qui fait de lui un rhinocéros manqué.

Les Suites d'une course, suivi de *L'Étoile de Séville*, Paris, Gallimard, 1959. — Voici reparaître en volume la comédie en vers tirée par Supervielle d'un des contes figurant au recueil *L'Enfant de la haute mer*, et publiée en 1956 à Montevideo (*Entregas de la Licorne*, nº 7). « C'est une farce, écrit Supervielle, une sorte d'image d'Épinal ou plutôt d'alleluia. » Adaptée de Lope de Vega, l'autre pièce pourrait aussi bien figurer sous la rubrique des traductions faites par Supervielle. Traduction toutefois très libre d'une histoire d'amour et de mort.

Pages

Les Pages ci-dessous ont été réparties de façon à compléter en les illustrant, les chapitres de la troisième section : l'Œuvre. On trouvera donc successivement : la poétique, les contes, le théâtre, les romans, le récit autobiographique, les poèmes enfin. Dans chacun des genres dont je cite plusieurs textes, il va de soi que les Pages sont classées selon l'ordre chronologique des volumes d'où je les extrais.

E.

LA POÉSIE VIENT CHEZ MOI...

La poésie vient chez moi d'un rêve toujours latent. Ce rêve j'aime à le diriger, sauf les jours d'inspiration où j'ai l'impression qu'il se dirige tout seul.

Je n'aime pas le rêve qui s'en va à la dérive (j'allais dire à la dérêve). Je cherche à en faire un rêve consistant, une sorte de figure de proue qui après avoir traversé les espaces et le temps intérieurs affronte les espaces et le temps du dehors — et pour lui le dehors c'est la page blanche.

Rêver, c'est oublier la matérialité de son corps, confondre en quelque sorte le monde extérieur et l'intérieur. L'omniprésence du poète cosmique n'a peut-être pas d'autre origine. Je rêve toujours un peu ce que je vois, même au moment précis et au fur et à mesure que je le vois, et ce que j'éprouvais dans *Boire à la Source* est toujours vrai : quand je vais dans la campagne le paysage me devient presque tout de suite intérieur par je ne sais quel glissement du dehors vers le dedans, j'avance comme dans mon propre monde mental.

On s'est parfois étonné de mon émerveillement devant le monde, il me vient autant de la perma-

9

nence du rêve que de ma mauvaise mémoire. Tous deux me font aller de surprise en surprise et me forcent encore à m'étonner de tout. « Tiens, il y a des arbres, il y a la mer. Il y a des femmes. Il en est même de fort belles... »

Mais si je rêve je n'en suis pas moins attiré en poésie par une grande précision, par une sorte d'exactitude hallucinée. N'est-ce pas justement ainsi que se manifeste le rêve du dormeur ? Il est parfaitement défini même dans ses ambiguïtés. C'est au réveil que les contours s'effacent et que le rêve devient flou, inconsistant.

Si je me suis révélé assez tard, c'est que longtemps j'ai éludé mon moi profond. Je n'osais pas l'affronter directement et ce furent les *Poèmes de l'humour triste*. Il me fallut avoir les nerfs assez solides pour faire face aux vertiges, aux traquenards du cosmos intérieur dont j'ai toujours le sentiment très vif et comme cénesthésique.

J'ai été long à venir à la poésie moderne, à être attiré par Rimbaud et Apollinaire. Je ne parvenais pas à franchir les murs de flamme et de fumée qui séparent ces poètes des classiques, des romantiques. Et s'il m'est permis de faire un aveu, lequel n'est peut-être qu'un souhait, j'ai tenté par la suite d'être un de ceux qui dissipèrent cette fumée en tâchant de ne pas éteindre la flamme, un conciliateur, un réconciliateur des poésies ancienne et moderne.

Alors que la poésie s'était bien déshumanisée, je me suis proposé, dans la continuité et la lumière chères aux classiques, de faire sentir les tourments, les espoirs et les angoisses d'un poète et d'un homme d'aujourd'hui. Je songe à certaine préface, à peu près inconnue, de Valéry à un jeune poète : « Ne soyez pas mécontent de vos vers, disait le poète de *Charmes* à André Caselli. Je leur ai trouvé d'exquises qualités dont l'une est essentielle pour mon goût, je veux parler d'une sincérité dans l'accent qui est pour le poète l'analogue de la justesse de voix chez les chanteurs. Gardez ce ton *réel*. Ne vous étonnez pas que ce soit moi qui le remarque dans vos poèmes et qui le loue. Mais voici l'immense difficulté. Elle est de combiner ce son juste de l'âme avec l'artifice de l'art. Il faut énormément d'art pour être véritablement soi-même et simple. Mais l'art tout seul ne saurait suffire. »

Ce ton réel, cette sincérité dans l'accent, cette simplicité, j'ai toujours tâché pour mon compte de les retenir : elles étaient en moi suffisamment submergées dans le rêve pour ne pas nuire à la poésie. On a fait de notre temps une telle consommation de folie en vers et en prose que cette folie n'a plus pour moi de vertu apéritive et je trouve bien plus de piment et même de moutarde dans une certaine sagesse gouvernant cette folie et lui donnant l'apparence de la raison que dans le délire livré à lui-même.

Il y a certes une part de délire dans toute création poétique mais ce délire doit être décanté, séparé des résidus inopérants ou nuisibles, avec toutes les précautions que comporte cette opération délicate. Pour moi ce n'est qu'à force de simplicité et de transparence que je parviens à aborder mes secrets essentiels et à décanter ma poésie profonde. Tendre à ce que le surnaturel devienne naturel et coule de source (ou en ait l'air). Faire en sorte que l'ineffable nous devienne familier tout en gardant ses racines fabuleuses.

Le poète dispose de deux pédales, la claire lui permet d'aller jusqu'à la transparence, l'obscure va jusqu'à l'opacité. Je crois n'avoir que rarement appuyé sur la pédale obscure. Si je voile c'est naturellement et ce n'est là, je le voudrais, que le voile de la poésie. Le poète opère souvent à chaud dans les ténèbres mais l'opération à froid a aussi ses avantages. Elle nous permet des audaces plus grandes parce que plus lucides. Nous savons que nous n'aurons pas à en rougir un jour comme d'une ivresse passagère et de certains emportements que nous ne comprenons plus. J'ai d'autant plus besoin de cette lucidité que je suis naturellement obscur. Il n'est pas de poésie pour moi sans une certaine confusion au départ. Je tâche d'y mettre des lumières sans faire perdre sa vitalité à l'inconscient.

Je n'aime l'étrange que s'il est acclimaté, amené à la température humaine. Je m'essaie à faire une ligne droite avec une ou plusieurs lignes brisées. Certains poètes sont souvent victimes de leurs transes. Ils se laissent aller au seul plaisir de se délivrer et ne s'inquiètent nullement de la beauté du poème. Ou pour me servir d'une autre image ils remplissent leur verre à ras bord et oublient de vous servir, vous, lecteur.

Je n'ai guère connu la peur de la banalité qui hante la plupart des écrivains mais bien plutôt celle de l'incompréhension et de la singularité. N'écrivant pas pour des spécialistes du mystère j'ai toujours souffert quand une personne sensible ne comprenait pas un de mes poèmes.

L'image est la lanterne magique qui éclaire les poètes dans l'obscurité. Elle est aussi la surface éclairée lorsqu'il s'approche de ce centre mystérieux où bat le cœur même de la poésie. Mais il n'y a pas que les images. Il y a les passages des unes aux autres qui doivent être aussi de la poésie. Quant à l'explication, on a dit qu'elle était antipoétique et c'est vrai s'il s'agit d'une explication telle que l'entendent les logiciens. Mais il en est de submergées dans le rêve qui peuvent se manifester sans sortir du domaine de la poésie.

Ainsi le poète peut aspirer à la cohérence, à la plausibilité de tout le poème dont la surface sera limpide alors que le mystère se réfugiera dans les profondeurs. Je compte sur mon poème pour ordonner et faire chanter juste les images. Comme il baigne chez moi dans le rêve intérieur je ne crains pas de lui faire prendre parfois la forme d'un récit. La logique du conteur surveille la rêverie divagante du poète. La cohésion de tout le poème loin d'en détruire la magie en consolide les assises. Et quand je dis que le conteur surveille en moi le poète je ne perds pas de vue, bien sûr, les différences entre les genres littéraires. Le conte va directement d'un point à un autre alors que le poème, tel que je le conçois généralement, avance en cercles concentriques.

Je suis d'une famille de petits horlogers qui ont travaillé, leur vie durant, la loupe vissée à l'œil. Les moindres petits ressorts doivent être à leur place si l'on veut que tout le poème se mette en mouvement sous nos yeux.

Je n'attends pas l'inspiration pour écrire et je fais à sa rencontre plus de la moitié du chemin. Le poète ne peut compter sur les moments très rares où il écrit comme sous une dictée. Et il me semble qu'il doit imiter en cela l'homme de science lequel n'attend pas d'être inspiré pour se mettre au travail. La science est en cela une excellente école de modestie à moins que ce ne soit du contraire puisqu'elle fait confiance à la valeur constante de l'homme et non pas seulement à quelques moments privilégiés. Que de fois nous pensons n'avoir rien à dire alors qu'un poème attend en nous derrière un mince rideau de brume et il suffit de faire taire le bruit des contingences pour que ce poème se dévoile à nous.

(NAISSANCES, suivi de EN SONGEANT A UN ART
POÉTIQUE, Paris, Gallimard, 1951.)

L'ENFANT DE LA HAUTE MER

Comment s'était formée cette rue flottante? Quels marins, avec l'aide de quels architectes, l'avaient construite dans le haut Atlantique à la surface de la mer, au-dessus d'un gouffre de six mille mètres? Cette longue rue aux maisons de briques rouges si décolorées qu'elles prenaient une teinte gris-de-France, ces toits d'ardoise, de tuile, ces humbles boutiques immuables? Et ce clocher très ajouré? Et ceci qui ne contenait que de l'eau marine et voulait sans doute être un jardin clos de murs garnis de tessons de bouteilles, par-dessus lesquels sautait parfois un poisson?

Comment cela tenait-il debout sans même être ballotté par les vagues?

Et cette enfant de douze ans si seule qui passait en sabots d'un pas sûr dans la rue liquide, comme si elle marchait sur la terre ferme? Comment se faisait-il?...

Nous dirons les choses au fur et à mesure que nous les verrons et que nous saurons. Et ce qui doit rester obscur le sera malgré nous.

A l'approche d'un navire, avant même qu'il fût perceptible à l'horizon, l'enfant était prise d'un grand sommeil, et le village disparaissait complètement sous les flots. Et c'est ainsi que nul marin, même au bout d'une longue-vue, n'avait jamais aperçu le village ni même soupçonné son existence.

L'enfant se croyait la seule petite fille au monde. Savait-elle seulement qu'elle était une petite fille?

Elle n'était pas très jolie à cause de ses dents un peu écartées, de son nez un peu trop retroussé, mais elle avait la peau très blanche avec quelques taches de douceur, je veux dire de rousseur. Et sa petite personne commandée par des yeux gris, modestes mais très lumineux, vous faisait passer dans le corps, jusqu'à l'âme, une grande surprise qui arrivait du fond des temps.

Dans la rue, la seule de cette petite ville, l'enfant regardait parfois à droite et à gauche comme si elle eût attendu de quelqu'un un léger salut de la main ou de la tête, un signe amical. Simple impression qu'elle donnait, sans le savoir, puisque rien ne pouvait venir, ni personne, dans ce village perdu et toujours prêt à s'évanouir.

De quoi vivait-elle? De la pêche? Nous ne le pensons pas. Elle trouvait des aliments dans l'armoire et le garde-manger de la cuisine, et même de la viande tous les deux ou trois jours. Il y avait aussi pour elle des pommes de terre, quelques autres légumes, des œufs de temps en temps.

Les provisions naissaient spontanément dans les armoires. Et quand l'enfant prenait de la confiture dans un pot, il n'en demeurait pas moins inentamé, comme si les choses avaient été ainsi un jour et qu'elles dussent en rester là éternellement.

Le matin, une demi-livre de pain frais, enveloppé dans du papier, attendait l'enfant sur le comptoir de marbre de la boulangerie, derrière lequel elle n'avait jamais vu personne, même pas une main, ni un doigt, poussant le pain vers elle.

Elle était debout de bonne heure, levait le rideau de métal des boutiques (ici on lisait : Estaminet et là : Forgeron ou Boulangerie Moderne, Mercerie), ouvrait les volets de toutes les maisons, les accrochait avec soin à cause du vent marin et, suivant le temps, laissait ou non les fenêtres fermées. Dans quelques cuisines elle allumait du feu afin que de la fumée s'élevât de trois ou quatre toits.

Une heure avant le coucher du soleil elle commençait à fermer les volets avec simplicité. Et elle abaissait les rideaux de tôle ondulée.

L'enfant s'acquittait de ces tâches, mue par quelque instinct, par une inspiration quotidienne qui la forçait à veiller à tout. Dans la belle saison, elle laissait un tapis à une fenêtre ou du linge à sécher, comme s'il fallait à tout prix que le village eût l'air habité, et le plus ressemblant possible.

. . . .

Tous les matins elle allait à l'école communale avec un grand cartable enfermant des cahiers, une grammaire, une arithmétique, une histoire de France, une géographie.

Elle avait aussi de Gaston Bonnier, membre de l'Institut, professeur à la Sorbonne, et Georges de Layens, lauréat de l'Académie des Sciences, une petite flore contenant les plantes les plus communes, ainsi que les plantes utiles et nuisibles avec huit cent quatrevingt-dix-huit figures.

Elle lisait dans la préface :

« Pendant toute la belle saison, rien n'est plus aisé que de se procurer, en grande quantité, les plantes des champs et des bois. »

Et l'histoire, la géographie, les pays, les grands hommes, les montagnes, les fleuves et les frontières, comment s'expliquer tout cela pour qui n'a que la rue vide d'une petite ville, au plus solitaire de l'Océan ? Mais l'Océan même, celui qu'elle voyait sur les cartes, elle ne savait pas se trouver dessus, bien qu'elle l'eût pensé un jour, une seconde. Mais elle avait chassé l'idée comme folle et dangereuse.

Par moments, elle écoutait avec une soumission

absolue, écrivait quelques mots, écoutait encore, se
remettait à écrire, comme sous la dictée d'une invisible maîtresse. Puis l'enfant ouvrait une grammaire
et restait longuement penchée, retenant son souffle,
sur la page 60 et l'exercice CLXVIII, qu'elle affec-
tionnait. La grammaire semblait y prendre la parole
pour s'adresser directement à la fillette de la haute
mer :

« Êtes-vous ? — pensez-vous ? — parlez-vous ? —
voulez-vous ? —faut-il s'adresser ? — se passe-t-il ? —
accuse-t-on ? — êtes-vous capable ? — êtes-vous cou-
pable ? — est-il question ? — tenez-vous ce cadeau ?
eh ! — vous plaignez-vous ? »

(Remplacez les tirets par le pronom interrogatif
convenable, avec ou sans préposition.)

Parfois l'enfant éprouvait un désir très insistant
d'écrire certaines phrases. Et elle le faisait avec une
grande application.

En voici quelques-unes, entre beaucoup d'autres :

— Partageons ceci, voulez-vous ?

— Écoutez-moi bien. Asseyez-vous, ne bougez pas,
je vous en supplie !

— Si j'avais seulement un peu de neige des hautes
montagnes la journée passerait plus vite.

— Écume, écume autour de moi, ne finiras-tu pas
par devenir quelque chose de dur ?

— Pour faire une ronde il faut au moins être trois.

— C'étaient deux ombres sans tête qui s'en allaient
sur la route poussiéreuse.

— La nuit, le jour, le jour, la nuit, les nuages et
les poissons volants.

— J'ai cru entendre un bruit, mais c'était le bruit
de la mer.

Ou bien elle écrivait une lettre où elle donnait des
nouvelles de sa petite ville et d'elle-même. Cela ne
s'adressait à personne et elle n'embrassait personne en
la terminant et sur l'enveloppe il n'y avait pas de nom.

Et la lettre finie, elle la jetait à la mer — non pour
s'en débarrasser, mais parce que cela devait être ainsi
— et peut-être à la façon des navigateurs en perdition

qui livrent aux flots leur dernier message dans une
bouteille désespérée.

Le temps ne passait pas sur la ville flottante : l'enfant
avait toujours douze ans. Et c'est en vain qu'elle bom-
bait son petit torse devant l'armoire à glace de sa
chambre. Un jour, lasse de ressembler, avec ses nattes
et son front très dégagé, à la photographie qu'elle
gardait dans son album, elle s'irrita contre elle-même
et son portrait, et répandit violemment ses cheveux
sur ses épaules espérant que son âge en serait boule-
versé. Peut-être même la mer, tout autour, en subirait-
elle quelque changement et verrait-elle en sortir de
grandes chèvres à la barbe écumante qui s'approche-
raient pour voir.

Mais l'Océan demeurait vide et elle ne recevait
d'autres visites que celles des étoiles filantes.

. . . .

Marins qui rêvez en haute mer, les coudes appuyés
sur la lisse, craignez de penser longtemps dans le noir
de la nuit à un visage aimé. Vous risqueriez de donner
naissance, dans des lieux essentiellement désertiques,
à un être doué de toute la sensibilité humaine et qui
ne peut pas vivre ni mourir, ni aimer, et souffre pourtant comme s'il vivait, aimait et se trouvait toujours
sur le point de mourir, un être infiniment déshérité
dans les solitudes aquatiques, comme cette enfant de
l'Océan, née un jour du cerveau de Charles Liévens,
de Steenvoorde, matelot de pont du quatre-mâts *Le
Hardi*, qui avait perdu sa fille âgée de douze ans,
pendant un de ses voyages, et, une nuit, par 55 degrés
de latitude Nord et 35 de longitude Ouest, pensa
longuement à elle, avec une force terrible, pour le
grand malheur de cette enfant.

(L'ENFANT DE LA HAUTE MER, Paris, N.R.F., 1931.)

LE BŒUF ET L'ANE DE LA CRÈCHE

Sur la route de Bethléem, l'âne conduit par Joseph portait la Vierge : elle pesait peu, n'étant occupée que de l'avenir en elle.

Le bœuf suivait, tout seul.

Arrivés en ville, les voyageurs pénétrèrent dans une étable abandonnée et Joseph se mit aussitôt au travail.

« Ces hommes, songeait le bœuf, sont tout de même étonnants. Voyez ce qu'ils parviennent à faire de leurs mains et de leurs bras. Cela vaut certes mieux que nos sabots et nos paturons. Et notre maître n'a pas son pareil pour bricoler et arranger les choses, redresser le tordu et tordre le droit, faire ce qu'il faut sans regret ni mélancolie. »

Joseph sort et ne tarde pas à revenir, portant sur le dos de la paille, mais quelle paille, si vivace et ensoleillée qu'elle est un commencement de miracle.

« Que prépare-t-on là, se dit l'âne, on dirait qu'ils font un petit lit d'enfant. »

— On aura peut-être besoin de vous cette nuit, dit la Vierge au bœuf et à l'âne.

Les bêtes se regardent longuement pour tâcher de comprendre, puis se couchent.

Une voix légère mais qui vient de traverser tout le ciel les réveille bientôt.

Le bœuf se lève, constate qu'il y a dans la crèche un enfant nu qui dort et, de son souffle, le réchauffe avec méthode, sans rien oublier.

D'un souriant regard, la Vierge le remercie.

Des êtres ailés entrent et sortent feignant de ne pas voir les murs qu'ils traversent avec tant d'aisance.

Joseph revient avec des langes prêtés par une voisine.

— C'est merveilleux, dit-il, de sa voix de charpentier, un peu forte en la circonstance. Il est minuit, et c'est le jour. Et il y a trois soleils au lieu d'un, Mais ils cherchent à se joindre.

A l'aube, le bœuf se lève, pose ses sabots avec précaution, craignant de réveiller l'enfant, d'écraser une fleur céleste, ou de faire du mal à un ange. Comme tout est devenu merveilleusement difficile!

Des voisins viennent voir Jésus et la Vierge. Ce sont de pauvres gens qui n'ont à offrir que leur visage radieux. Puis il en vient d'autres qui apportent des noix, un flageolet.

Le bœuf et l'âne s'écartent un peu pour leur livrer passage et se demandent quelle impression ils vont faire eux-mêmes à l'enfant qui ne les a pas encore vus. Il vient de se réveiller.

— Nous ne sommes pas des monstres, dit l'âne.

— Mais, tu comprends, avec notre figure qui n'est pas du tout comme la sienne, ni comme celle de ses parents, nous pourrions l'épouvanter.

— La crèche, l'étable, et son toit avec les poutres, n'ont pas non plus sa figure et pourtant il ne s'en est pas effrayé.

Mais le bœuf n'était pas convaincu. Il pensait à ses cornes et ruminait :

« C'est vraiment très pénible de ne pouvoir s'approcher de ceux qu'on aime le mieux sans avoir l'air menaçant. Il faut toujours que je fasse attention pour ne pas blesser quelqu'un; et pourtant ce n'est pas dans ma nature de m'en prendre, sans raison grave, aux personnes ni aux choses. Je ne suis pas un malfaisant ni un venimeux. Mais partout où je vais me voilà tout de suite avec mes cornes et je me réveille avec elles, et même quand je suis accablé de sommeil et que je m'en vais en brouillard, les deux pointues, les deux dures sont là qui ne m'oublient pas. Et je les sens au bout de mes rêves au milieu de la nuit. »

Une grande peur saisissait le bœuf à la pensée qu'il s'était tant approché de l'enfant pour le réchauffer. Et s'il lui avait donné par mégarde un coup de corne!

— Tu ne dois pas trop t'approcher du petit, dit l'âne, qui avait deviné la pensée de son compagnon. Il ne faut même pas y songer, tu le blesserais. Et puis tu pourrais laisser tomber sur lui un peu de ta bave que tu retiens mal et ce ne serait pas propre. Au reste, pourquoi baves-tu ainsi lorsque tu es heureux? Garde ça pour toi. Tu n'as pas besoin de le montrer à tout le monde.

— (Silence du bœuf.)

— Mais moi je vais lui offrir mes deux oreilles. Tu comprends, ça remue, ça va dans tous les sens, ça n'a pas d'os, c'est doux au toucher. Ça fait peur et ça rassure tout à la fois. C'est juste ce qu'il faut pour amuser un enfant, et c'est instructif à son âge.

— Oui, je comprends, je n'ai jamais dit le contraire. Je ne suis pas stupide.

Mais comme l'âne avait l'air vraiment trop content, le bœuf ajouta :

— Mais ne va pas te mettre à lui braire dans la figure. Tu le tuerais.

— Paysan! dit l'âne.

L'âne se tient à gauche de la crèche, le bœuf à droite, places qu'ils occupaient au moment de la Nativité et que le bœuf, ami d'un certain protocole, affectionne particulièrement. Immobiles et déférents ils restent là durant des heures, comme s'ils posaient pour quelque peintre invisible.

L'enfant baisse les paupières. Il a hâte de se rendormir. Un ange lumineux l'attend, à quelques pas derrière le sommeil, pour lui apprendre ou peut-être pour lui demander quelque chose.

L'ange sort tout vif du rêve de Jésus et apparaît dans l'étable. Après s'être incliné devant celui qui vient de naître, il peint un nimbe très pur autour de sa tête. Et un autre pour la Vierge, et un troisième pour Joseph. Puis il s'éloigne dans un éblouissement d'ailes et de plumes, dont la blancheur toujours renouvelée et bruissante ressemble à celle des marées.

— Il n'y a pas eu de nimbe pour nous, constate le bœuf. L'ange a sûrement ses raisons pour. Nous sommes trop peu de chose, l'âne et moi. Et puis qu'avons-nous fait pour mériter cette auréole.

— Toi tu n'as certainement rien fait, mais tu oublies que moi j'ai porté la Vierge.

Le bœuf pense par devers lui :

« Comment se fait-il que la Vierge si belle et si légère cachait ce bel enfançon ? »

Mais peut-être a-t-il songé tout haut. Et l'âne de répondre :

— Il est des choses que tu ne peux pas comprendre.

— Pourquoi dis-tu toujours que je ne comprends pas ? J'ai vécu plus que toi. J'ai travaillé dans la montagne, en plaine, et près de la mer.

— Ce n'est pas la question, dit l'âne.

Puis :

— Il n'y a pas que le nimbe. Je suis sûr, bœuf, que tu n'as pas remarqué que l'enfant baigne dans une sorte de poussière merveilleuse ou plutôt, c'est mieux que de la poussière.

— C'est beaucoup plus délicat, dit le bœuf. C'est comme une lumière, une vapeur dorée qui se dégage du petit corps.

— Oui, mais tu dis ça pour faire croire que tu l'avais vue.

— Je ne l'avais pas vue ?

Le bœuf entraîne l'âne dans un coin de l'étable où le ruminant a disposé, en signe d'adoration, une branchette délicatement entourée de brins de paille qui figurent fort bien les irradiations de la chair divine. C'est la première chapelle. Cette paille, le bœuf l'avait apportée du dehors. Il n'osait toucher à celle de la crèche : comme elle était bonne à manger il en avait une crainte superstitieuse.

. . . .

Le bœuf et l'âne se disposaient à rentrer dans l'étable. Après avoir bien regardé, crainte de se tromper :

— Regarde donc cette étoile qui avance dans le ciel, dit le bœuf, elle est bien belle et me réchauffe le cœur.

— Laisse donc ton cœur tranquille, il n'a rien à voir avec les grands événements auxquels nous assistons depuis quelque temps.

— Tu diras ce que tu voudras, moi j'estime que cette étoile avance de notre côté. Regarde comme elle est basse dans le ciel. On dirait qu'elle se dirige vers notre étable. Et, dessous, il y a trois personnages couverts de pierres précieuses.

Les bêtes arrivaient devant le seuil de l'étable :

— D'après toi, bœuf, qu'est-ce qui va arriver ?

— Tu m'en demandes trop, âne. Je me contente de voir ce qui est. C'est déjà beaucoup.

— Moi, j'ai mon idée.

— Allez, allez, leur dit Joseph, ouvrant la porte. Vous ne voyez donc pas que vous obstruez l'entrée et empêchez ces personnes d'avancer.

Les bêtes s'écartèrent pour laisser passer les rois mages. Ils étaient au nombre de trois et l'un d'eux, complètement noir, représentait l'Afrique. Tout d'abord, le bœuf exerça sur lui une surveillance discrète. Il voulait voir si vraiment le nègre n'éprouvait que de bonnes intentions à l'égard du nouveau-né.

Quand le visage du noir qui devait être un peu myope se fut penché pour voir Jésus de tout près, il refléta, poli et lustré comme un miroir, l'image de l'Enfant, et avec tant de déférence, un si grand oubli de soi, que le cœur du bœuf en fut traversé de douceur.

« C'est quelqu'un de très bien, pensa-t-il. Jamais les deux autres n'auraient pu faire ça. »

Il ajouta au bout de quelques instants :

— Et c'est même le meilleur des trois.

Le bœuf venait de surprendre les rois blancs au moment où ils serraient précieusement dans leurs bagages un brin de paille qu'ils venaient de dérober à la crèche. Le mage noir n'avait rien voulu prendre.

Côte à côte sur une couche improvisée, prêtée par des voisins, les rois s'endormirent.

« C'est étrange, pensait le bœuf, de garder sa couronne pour dormir. Cette chose dure doit gêner beaucoup plus que des cornes. Et avec toutes ces brillantes pierreries sur la tête, on doit avoir du mal à trouver le sommeil. »

Ils dormaient sagement, comme des statues allongées sur des tombeaux. Et leur étoile brillait au-dessus de la crèche.

Juste avant le petit jour tous les trois se levèrent en même temps, avec des mouvements identiques. Ils venaient de voir en songe le même ange qui leur avait recommandé de partir tout de suite et de ne pas retourner auprès d'Hérode, jaloux, pour lui dire qu'ils avaient vu l'Enfant Jésus.

Ils sortirent laissant luire l'étoile au-dessus de la crèche afin que chacun sût bien que c'était là.

. . . .

(L'Enfant de la haute mer, Paris, N.R.F., 1931.)

NYMPHES

Les nymphes se sont échappées du ciel sous forme d'eau de pluie. Toujours courantes et mouillées elles mêlent leurs jours à ceux des fleuves et des rivières à moins qu'elles ne se fixent dans les bois où ces divinités des eaux répandent leur exquise humidité. Autour d'elles verdoie le gazon et les vieillards s'approchent, dans la certitude de rajeunir.

Filles des nuées elles ne cessent de se jeter à l'eau, de s'amouracher d'un nuage, si fugace soit-il. Elles ne dansent et ne vibrent que sous la pluie. Des gouttes d'eau tombent-elles du ciel que c'est aussitôt pour les nymphes la saison des amours. Le soleil leur sécherait le cœur si elles ne le fuyaient de toute leur blancheur éperdue. Leurs yeux sont bleus, seule concession qu'elles fassent au beau temps. Mais leurs larmes, ignorantes du sel, sont douces comme l'eau de pluie.

Toutes les nymphes ne descendent pas du ciel. A certains endroits généralement aux pieds des arbres, il arrive que l'herbe pousse plus fine et plus drue, l'eau reflète l'azur avec plus d'éclat, de tendresse et l'air même ne se pose qu'avec précaution. De loin satyres et ægipans, véritables sourciers pour divinités forestières viennent flairer la place : une nymphe s'y prépare. Et le fait est que si l'on regarde avec attention, l'on voit, sous quelque flaque, mêlés à la terre sans jamais s'y salir, un bras, une épaule adorables. La tête n'apparaît que plus tard quand le corps tout entier est prêt à la recevoir. Et à peine achevée, la

nymphe de se dresser et de regarder alentour comme
si elle cherchait une compagne. Celle-ci se présente
aussitôt et s'en vient chuchoter paroles et sourires de
bienvenue à l'oreille de sa nouvelle amie.

Les nymphes naissent déjà grandelettes et sensibles
à l'amour. Tant de beauté et de grâce n'ont pas
connu l'enfance mais en gardent le reflet et l'éblouis-
sante fraîcheur.

Les arbres sont-ils pour quelque chose dans la venue
au monde des nymphes qui naissent à leurs pieds ?
Ils aiment à le croire et il nous est pénible de les
détromper. Mais, il faut bien le reconnaître, ces divinités naissent de père inconnu ou peut-être multiple
puisqu'elles sont issues à la fois de l'eau, du sol et du
ciel. Ce qui leur permet de vivre à l'abri de tout souci
de famille. Un père, s'il est fleuve, nuage ou arbre,
n'est pas fort gênant. Ses remontrances restent obscures
et il est facile d'y échapper en cherchant d'autres
eaux, d'autres ombrages, d'autres ciels.

Les nymphes n'ont pour amoureux que des satyres,
des ægipans, des faunes, tous très violents, très pres-
sés et, après les ébats de la volupté, aussi oublieux
que des coqs pour des poules.

Mais il est une nymphe secrète entre toutes, l'hamadryade. Elle ne quitte pas l'arbre qui lui a donné
naissance. C'est le fruit caché de sa fibre. Dans la
fraîcheur de la sève, elle trouve ce que les hommes
appellent un foyer. L'arbre répond à la tendresse de
la nymphe par un mutisme plein d'égards. Mais
peut-on se fier entièrement au silence d'un arbre ?
Quand on s'y attend le moins, un peu de brise, le
moindre vent et voilà l'arbre qui prend confusément
parole. Des tourbillons de mots s'échappent de lui
sans parvenir toutefois à former une phrase.

— Qu'est-ce que tu dis, demande l'hamadryade
avec une parfaite courtoisie.

Et l'arbre d'émettre à nouveau des sons, tout aussi
opaques. La nymphe se garde d'insister.

L'arbre et son hamadryade étant de proportions et
de consistance fort différentes ne peuvent s'aimer que
dans la chasteté. Ils n'en restent pas moins faits l'un

pour l'autre, en cela que l'un enferme l'autre, en épouse la forme. Mais là s'arrêtent leurs rapports. C'est un amour presque aussi pur que celui du poète pour les étoiles ou de l'enfant pour son cerf-volant au moment où il monte le plus haut. Bien plus que son amoureux, l'arbre est le vêtement même et la parure de l'hamadryade. Celle-ci, où qu'elle aille dans le tronc et les branches, trouve toujours moyen de s'y faire une place : oui, élastique comme une divinité...

Certaines hamadryades n'ont pas le courage de mourir en même temps que leur arbre abattu. Elles se réfugient sur quelque tronc voisin frappé par la foudre et déserté de sa compagne. Là, elles forment un groupe de veuves souffreteuses qui regardent de tous côtés comme si elles attendaient la venue et la pitié d'un peintre peu probable, pour illustrer leur angoisse.

Les hamadryades usent de tous les moyens pour empêcher le bûcheron d'abattre leur arbre. Dès qu'il paraît, elles sont toutes à l'invectiver : « Qu'est-ce que tu vas faire de mon arbre ? C'est à peine du bois, de la filasse plutôt. Mais regarde donc autour de toi. Tu verras des troncs autrement solides. Tu pourras en faire du feu, des meubles, du bonheur sous toutes les formes ! »

L'éloquence de certaines hamadryades est telle qu'elle permet à quelques arbres de devenir centenaires ou même d'atteindre mille ans. Mais quel que soit cet âge, leurs belles gardiennes n'en restent pas moins très jeunes, elles ont toujours de treize à dix-huit ans, jamais plus, jamais moins.

(PREMIERS PAS DE L'UNIVERS, Paris,
Gallimard, 1950.)

LE BOL DE LAIT

Un jeune homme hâve mais tenace portait à travers Paris un grand bol de lait, le plus plein possible, pour sa mère qui habitait un quartier éloigné et ne se nourrissait que de ce lait. Chaque matin, elle guettait à sa fenêtre l'arrivée du bol.

Le jeune homme se hâtait parce que sa mère avait faim, il le savait, mais ne se dépêchait pas trop, par crainte de renverser du liquide. Il lui arrivait de souffler dessus pour rapprocher du bord et enlever délicatement un peu de suie ou quelque poussière.

Et parfois l'épicier qui fait le coin de la rue de Berri et de la rue de Penthièvre pensait : « Il est tard, le bol de lait est passé depuis longtemps et je n'ai pas fini mon étalage. »

— Je ne voudrais pas te faire de peine, mon ami, disait la mère au jeune homme en voyant ce qui restait au fond du bol, mais aujourd'hui il y en a moins qu'hier. Pauvre petit, ce que tu as dû te faire bousculer !

— Je vais aller en chercher d'autre.

— Mais tu sais bien que c'est impossible.

— C'est vrai, disait le garçon, baissant la tête.

Il lui était aussi totalement défendu de mettre le lait dans une bouteille, pour le transport. Défendu, par qui ?

Quand le jeune homme entrait dans la chambre, il commençait toujours par dire : « Bois, maman. » C'était sa façon de lui dire bonjour. Il ajoutait : « Dépêche-toi de boire. Il s'en évapore toujours un peu. » Et, pour s'assurer que pas une goutte ne se perdait, il regardait la pomme d'Adam maternelle aller et venir pendant qu'elle avalait.

« Elle ne pourra pas tenir longtemps », pensait avec tristesse le garçon qui évaluait chaque jour les forces de la faiblissante buveuse de lait.

— Mais ce grand bol, c'est tout de même pas mal et peut-être plus qu'il n'en faut à mon âge. D'ailleurs, je me sens très vaillante et si ça ne va pas, je me coucherai.

Et elle était morte depuis longtemps que son fils continuait d'apporter le lait chaque matin, d'en retirer la suie ou la poussière, mais gardant pour lui son : « Bois, maman », il se rendait à la cuisine pour y vider son bol, avec de filiales précautions, jusqu'à la dernière goutte, dans l'évier.

Les hommes que vous croisez dans la rue, êtes-vous sûrs qu'ils aient toujours une raison compréhensible d'aller d'un point de la ville à un autre? Certes, vous pourriez en interroger quelques-uns. Ils diraient : « Je vais à mon travail » ou « chez le pharmacien » ou ailleurs. Mais n'en est-il pas qui seraient aussi embarrassés pour vous répondre, si vous preniez la peine de les interroger, que ce malheureux garçon condamné à accomplir ces mêmes gestes, chaque jour, à la même heure, par tous les temps?

(L'Arche de Noé, Paris, N. R. F., 1938.)

LE JEUNE HOMME DU DIMANCHE...

Sur le quai de la gare, nous nous donnâmes, pour la première fois, plusieurs accolades et de chastes baisers sur les joues. Je pensai alors, pour mon malheur : « Je ne la quitte pas, je pars avec elle. » Et au moment où le chef de gare faisait retentir son sifflet, je sentis que mon corps restait sur le quai où il continuait à faire signe de la main à la voyageuse et à sa sœur, alors que mon âme véritable et profonde venait d'émigrer dans le corps même d'Obligacion et jusque dans son regard. La première impression fut exquise. J'entrais par tous les pores dans ma bien-aimée, je me fondais en elle, sous ses vêtements, quel délice! Mais dès que le train eut pris quelque vitesse l'horreur de mon état m'apparut. J'étais devenu ce beau visage, ces bras fermes et ronds, cette gorge dont j'avais si souvent essayé de deviner les formes, ce ventre, ces cuisses admirables qui perdaient brutalement tout mystère pour moi. Mon aimée s'était changée pour moi en du déjà vu, du déjà connu, et depuis très longtemps. J'étais arrivé à la satiété de cette chair sans en avoir connu les voluptueux prémices. Ce qui me restait de l'homme était submergé en elle et ne gardait quelque force de présence que pour me faire souffrir. Il y avait là un châtiment monstrueux pour une faute

que nul n'avait commise. Et lorsque, suivie de sa
sœur, elle monta sur la passerelle, j'étais enfermé dans
un vivant, un souriant tombeau, sous les regards des
hommes qui contemplaient la belle voyageuse, toute
de noir vêtue.

. . . .

(LE JEUNE HOMME DU DIMANCHE ET DES AUTRES JOURS,
Paris, Gallimard, 1955.)

...ET DES AUTRES JOURS

Tant pis si, livré à mes propres forces, je n'avais
tout au plus que quelques jours à vivre. Avant de
disparaître, je tenais à promener ma solitude au bord
de la mer, grande laveuse de cauchemars. Après tout,
j'avais vu du pays et je n'étais pas trop mécontent
de mon séjour sur la terre des hommes, des femmes,
des faux enfants et des vrais.

Je croyais me promener à ma guise et pourtant je
me sentais irrésistiblement poussé vers l'hôtel du Pacifique où je ne connaissais personne. Pourquoi mon-
tai-je sans hésiter au troisième étage pour m'arrêter
devant la chambre 332 ? J'eus la certitude *que c'était
là* et qu'il me fallait entrer dans cette pièce. Je pro-
fitai d'un moment où le valet de chambre venait chercher le plateau du petit déjeuner pour pénétrer dans
la chambre toute noire. Le domestique alluma ; quelqu'un grogna sous les draps et demanda d'éteindre.
Le valet sortit, précipitamment, manquant de tomber
avec le plateau. Au bruit qu'il fit, le voyageur alluma
et je vis à contre-jour un visage fort maigre et incertain
mais porteur d'une vraie barbe de malade. Je com-
mençais à croire que je n'avais rien à faire dans cette
pièce quand j'aperçus une malle de cabine portant
l'étiquette « Chaco » des Chargeurs. Je me souvins
alors qu'on faisait grand mystère à San Pedro, depuis
quelques jours, de l'arrivée de certaine personne en
fort mauvaise santé, qui semblait n'avoir regagné sa

patrie que pour y mourir. Il fallut aller le chercher à bord, dans une ambulance automobile. On ne savait trop de quoi souffrait cet apprenti-cadavre. Mais on s'accordait à constater qu'il disparaissait à vue d'œil sous l'insistant regard des médecins.

Comme je m'approchais de lui pour tenter de le voir, je crus reconnaître mon corps à bout de souffle que j'avais laissé vidé du meilleur de son contenu sur le quai de la gare d'Orsay. Et je découvris sur la table de chevet une enveloppe à mon nom : Philippe-Charles Apestègue.

Désincarné, je n'en finissais pas de considérer avec envie mon propre corps et pourtant j'étais loin d'être beau. On eût dit qu'une fatigue vieille de plusieurs millénaires avait creusé ces pommettes et ce front de rides profondes, quoique récentes. Fatigue des sphinx dans le désert, des dieux frustrés de la foi qu'on leur portait, fatigue de l'homme privé de son âme immémoriale. Je m'approchai davantage.

Voilà donc l'orphelin de moi-même que j'avais laissé à l'abandon. Je reconnus des vêtements usés, vieillis. J'aurais vraiment pu aller chez le tailleur avant de m'embarquer, mais les forces m'avaient sans doute manqué. A la vue de toutes les drogues qui s'amoncelaient sur la table de nuit, je pensai que j'étais le seul tonique capable de remettre ce corps sur pied, ce corps sans âme qui avait tout juste assez de forces pour ne pas mourir.

Un valet de chambre annonça :

— C'est la demoiselle pour la piqûre.

— Bonjour, Apestègue.

C'était Dolorès qui venait avec sa seringue à injections.

Décidément, j'avais été le dernier à connaître *mon* arrivée à San Pedro et cela me parut très humiliant. Tout de même, quelle force d'expansion dans le sourire imperceptible et ambigu de cette défroque où il y avait à la fois tant de confiance et de déceptions.

Dolorès se retira tout de suite après avoir fait sa piqûre et je pensai qu'il me fallait me révéler sans plus tarder à mon personnage en chair et en os. Je lui dis de ma voix la plus douce :

— C'est moi.

Mais c'était beaucoup trop pour un organisme aussi faible. Il se cacha la tête sous les draps comme pour couper court à un cauchemar. Puis il aventura un œil anxieux. Il haletait. Je me fis encore plus suave :

— Quand je dis que c'est moi, je veux dire que c'est toi, puisque nous deux ne faisons qu'un et que nous nous retrouvons après une bien involontaire séparation.

Il gardait son quant-à-soi et restait dans la plus grande méfiance. Décidément les autres corps que j'avais hantés de ma présence ne faisaient pas tant d'histoires avant de me recevoir.

— Quel est votre mot de passe ? dit-il avec le ton de froideur qui accueille le premier venu.

— Disons : continuité, si tu veux, bien que ce ne soit pas très clair, mais tu comprendras peu à peu. Et nous avons d'autres mots de passe : Paris, San Pedro, Deux Continents, Patience et bien sûr Poésie.

— Y en a-t-il d'autres ?

— Défaut de la cuirasse.

— Qu'entendez-vous par là ? dit-il, repris d'inquiétude.

— Je veux dire que l'un sans l'autre nous sommes infiniment vulnérables. Et il y aurait encore beaucoup d'autres vocables qui pourraient nous servir de mots de passe, à dire vrai, presque tous ceux du dictionnaire.

— Pourquoi pas tous ?

— Je n'y vois pas d'inconvénient.

Et nous nous surprîmes à dire tous deux, en duo :

— Roule ta bosse, vieille planète, tu n'as pas fini d'en voir ni d'en faire voir.

— Sais-tu que ça aurait pu être dramatique ? Tu m'avais arraché le souffle et laissé avec un petit bout d'âme de rien du tout, sur le quai de cette gare, dont j'eus tant de peine à monter l'escalier. Je restai plusieurs mois alité et l'on ne comprenait rien à ce qui m'arrivait. Ce n'est qu'à force de piqûres, d'infirmières, de médecins et de masseurs et cela de tout modèle et fort coûteux, à force de champagne et de barbituriques, à force de montagne et de campagne, d'océan et de lacs, de repos absolu et de distractions massives, qu'on parvint enfin à redonner à ce qui restait de moi juste assez de forces pour prendre le bateau. On pensait que l'air natal, la proximité des Andes, la bonne viande des estancias, l'inépuisable bonne volonté des bœufs et des vaches de boucherie me permettraient enfin de retrouver mon équilibre et une partie de mon poids, moi qui ne pesais plus que quarante-huit kilos à peine.

— Je crois avoir quelque peu appris, depuis que je t'ai quitté. Et je te ferai profiter de ce que nous appellerons, si tu veux bien, mon expérience.

— Tu es fort aimable. Mais je voudrais te dire quelque chose. N'y vois pas un reproche. Est-ce que tu n'aurais pas pu me donner signe de vie, m'envoyer de tes nouvelles?

— Je n'avais plus de mains. C'est toi qui les avais gardées toutes les deux.

— Tu n'aurais tout de même pas voulu que je te donne mes mains à emporter. Et tu veux me revenir alors que je me suis déshabitué de toi? Es-tu sûr que tu ne vas pas me faire de mal? Ma faiblesse m'a rendu timoré.

— Je n'ai jamais fait de mal à personne et je ne te veux que du bien. Sans moi, tu ne ferais que vivoter. Je serai pour toi le tonique le plus insinuant, le reconstituant le plus naturel.

— C'est que je me sens si faible! Est-ce que je supporterai le choc?

— Il n'y aura pas de choc, fie-toi à moi.

— Mais enfin, pourquoi m'as-tu quitté si brutalement?

— Est-ce que je sais? En tout cas, maintenant, je suis bien sûr d'avoir jeté ma gourme. A vingt-trois ans, je viens d'atteindre l'âge de raison. Je réintègre pour toujours ma peau personnelle et reconquiers ma solitude.

— La tienne? dit-il, vexé.

— La tienne et la mienne, ça ne fait qu'un.

Et je l'entendis, de l'intérieur, me dire d'une voix anxieuse :

— Est-ce que nous l'aimons toujours autant?

— Qui ça? Oh! pardon. Bien sûr que nous l'aimons toujours autant, la chère Obligacion, mais nous y pensons un peu moins. L'amour d'un poète a des racines innombrables mais fragiles. Je te raconterai cela un jour.

— Mais tu n'as pas besoin de me le raconter. Tes secrets sont les miens maintenant. Je sens vraiment que tu m'as réintégré. Même si nous gardons le silence il ne peut y avoir entre nous qu'un mutisme ensorcelé, d'où s'échappent tous nos aveux qui, pour être sans paroles, n'en sont pas moins pleins de précisions.

Je revoyais quelquefois Obligacion. Et dire qu'elle n'avait rien su, qu'elle ne saurait jamais rien de toutes les mésaventures que m'avait values mon amour pour elle.

Je remarquai, lors d'une de mes visites, qu'elle tenait à la main le livre de Dolorès sur la métempsycose (tout en berçant de l'autre main son enfant, dans son moïse).

— Oui, je lis ça, moi qui me moquais de ma sœur. Oh! je ne suis nullement convaincue. Savez-vous ce que je cherchais dans ce livre? Si on y trouvait quelque chose de ce qui rapproche un fils de son père, de sa mère, *la ressemblance*, qui est sur le chemin de la métempsycose mais a su s'arrêter à temps.

(Le Jeune Homme du dimanche et des autres jours, Paris, Gallimard, 1955.)

LE VOLEUR D'ENFANTS
(Acte III, scène xi)

Bigua, Desposoria.

> *Entre Bigua, tragique et grotesque, enveloppé d'une couverture, les jambes nues. Il est soutenu par*

*son Sauveteur qui ne le lâchera pas
dans toutes ses allées et venues
durant la scène. Sur une commode,
devant la statue de la Vierge, il
voit les quatre bougies allumées.*

BIGUA, *tragique.* — Qui est mort ici pour qu'on allume des cierges ?

DESPOSORIA. — Personne n'est mort, Philémon. Tu le sais bien. Nul n'est malade, grâce à Dieu.

BIGUA. — Alors il faut éteindre immédiatement tout cela. *(Il souffle très fort et éteint une à une les quatre bougies. Desposoria veut lui prendre un pantalon tout mouillé et chiffonné qu'il tient réduit en boule, à la main.)* Non, laisse-moi, cela m'appartient en propre. C'est un souvenir de l'autre monde dont on m'a arraché de force. Tu veux savoir ce qui est arrivé ? Tu veux le savoir ?

DESPOSORIA. — Mais, mon chéri, calme-toi, couche-toi, je ne te demande rien.

BIGUA. — Si, si, tu brûles toute de curiosité aussi vrai que je suis moi-même l'infiniment mouillé d'eau de Seine.

DESPOSORIA. — Tu es là, cela me suffit.

BIGUA. — Et si je veux te le dire, moi, ce qui est arrivé !

DESPOSORIA. — Je ne te demande rien, mon ami.

BIGUA. — Et si je veux te le dire, moi que la mort vient de me tourner dans tous les sens et de me renifler, de me truffer ! Et si je veux t'en parler de cette Marcelle !

DESPOSORIA. — Mais parle, mon ami, parle.

BIGUA. — Et si je ne veux pas t'en parler, moi !

DESPOSORIA. — Fais à ton idée. Mais surtout, repose-toi.

BIGUA, *au Sauveteur qui lui tient le bras.* — Et vous, qui êtes-vous qui me serrez le bras si fort ?

LE SAUVETEUR. — Je suis votre sauveteur.

BIGUA. — Alors, parce que vous m'avez sauvé la vie vous ne me lâcherez plus jamais le bras ? Est-ce que je vous demandais quelque chose, moi ?

Le Sauveteur. — Mais enfin, j'aurais pu attraper du mal à me jeter dans l'eau glacée.

Bigua. — C'est vrai. Et vous avez toute ma gratitude, puisqu'il faut l'appeler ainsi. Desposoria, donne-lui de l'argent pour sa peine. Il m'a tiré d'affaire, comme on dit, c'est mon sauveteur, ne l'oublions pas. Revenez me voir quand vous voudrez. Voilà la clef de la maison.

Le Sauveteur ne la prend pas.

Le Sauveteur. — Oh! Monsieur, je n'en demande pas tant!

Bigua, *embrassant son Sauveteur (il dit ce qui suit au public, par-dessus l'épaule de cet homme).* — Il faut absolument que je vous embrasse pour être en paix avec ma conscience. Oh! ce qu'on peut être mal installé dans la peau humaine. Est-il rien de plus faussement confortable, de plus barbelé à l'intérieur que la peau d'un homme! J'ai essayé de me débarrasser de la mienne. On ne l'a pas voulu, on me l'a séchée, brossée, frottée au gant de crin et généreusement restituée encore plus inconfortable qu'avant. Notre confrère le serpent est plus heureux : quand il se débarrasse de sa peau, personne n'essaie de la lui refiler.

Desposoria revient avec de l'argent qu'elle remet au Sauveteur. Bigua le tient toujours embrassé et le Sauveteur prend l'argent par-dessus l'épaule du colonel.

Le Sauveteur, *bas à Desposoria.* — Le médecin a dit qu'il aurait encore un peu de délire, mais que ça ne tirait pas à conséquence. Vous comprenez, comme il ne voulait pas sortir de l'eau, il a fallu lui donner un coup de rame sur la tête. Alors, dame! Mais demain il sera rétabli et pourra reprendre ses occupations. Au revoir, Madame, avec tous mes remerciements. Au revoir, Monsieur.

Il se sépare de Bigua.

Bigua. — Au revoir, mon bienfaiteur.

Le Sauveteur, *tâte l'argent dans sa poche avec discrétion.* — Mais c'est à vous qu'il faut dire ça!

> *Il sort au moment où entre Misia Cayetana.*

Bigua, *à sa mère.* — Alors, tu viens aux nouvelles, toi aussi? *(Misia Cayetana se jette dans les bras de Bigua. Celui-ci la repousse.)* Ce n'est pas encore le temps des embrassades et des accolades ni des petites tapes dans les dos retrouvés. J'ai quelque chose à te montrer. *(Il déplie son pantalon et le tient par en haut.)* Connais-tu ce pantalon qui est mal sorti de sa torpeur?

Misia Cayetana. — Mon fils, mon pauvre fils!

Bigua. — Le trouves-tu assez chuchotant, assez parlant, assez gênant, assez répugnant? Le trouves-tu assez chiffonné? Que dis-tu de son argumentation? Que dis-tu de cette humidité? Ne vient-elle pas de l'autre monde? Mère, que dis-tu de cette pièce de drap, pardon, de cette pièce à conviction, de ce pantalon de suicidé? Ne serait-ce pas à ton bienheureux fils Philémon qu'il appartient en propre? Mais peut-être le préfères-tu ainsi quand je le tiens par le bas? A-t-il l'air assez ahuri de se trouver sur cette vieille surface de la terre où tout est si bien organisé pour le sauvetage et les joies de la famille?

Misia Cayetana. — Mon fils, de grâce, un peu de pitié! Que t'ai-je donc fait?

Bigua. — Mère, n'as-tu pas à rougir d'avoir mis au monde un noyé? *(A Desposoria.)* Et toi, d'être la femme d'un fantôme?

Desposoria. — Mon ami, mon ami!

Bigua. — Eh bien, sachez toutes les deux que je ne lâcherai ce pantalon que lorsque vous m'aurez donné Marcelle. Arrangez-vous comme vous voudrez, mais il me la faut en justes noces.

Desposoria. — Calme-toi, mon chéri, calme-toi.

Bigua. — Mais je suis un monument de calme et je vous répète que je ne lâcherai ce pantalon... *(A sa mère.)* Tu voudrais le brosser, petite mère, et peut-être même le repasser, il te fait envie, hein? Mais je ne le lâcherai pas.

Misia Cayetana. — Mais garde-le, ne t'en prive pas, mon petit, nous ne voulons en rien te contrarier.

Bigua, *lâchant tout d'un coup son pantalon et se couchant sur son divan :*

> Il désirait se marier
> Au fond du lit de la rivière
> Avec l'image d'une fille
> Qui lui tenait lieu de lumière.
> Cinq sauveteurs, peut-être six,
> Se précipitèrent sur lui
> Se disputant son triste corps
> Comme des carpes un croûton
> Pour lui prouver à qui mieux mieux
> Qu'ici-bas ne meurt pas qui veut.

> *Bigua semble sommeiller entre
> le rêve et la réalité.*

Misia Cayetana, *bas.* — Allez vous reposer, Desposoria, vous en avez besoin. C'est moi qui vais rester auprès de lui.

Desposoria, *bas.* — Mais non, je ne suis pas fatiguée.

Misia Cayetana, *même jeu jusqu'à la fin de la scène.* — Allez.

Desposoria. — Pardonnez-moi, mais je crains que votre présence ne le trouble en ce moment.

Misia Cayetana. — Si vous croyez que vous ne l'irritez pas aussi, quelquefois.

Desposoria. — Oh! señora, avec moi, il sait bien que cela ne tire pas à conséquence. Vous, il vous redoute.

Misia Cayetana. — Bon, bon, je m'en irai.

(Le Voleur d'enfants, Paris, Gallimard, 1949.)

ROBINSON
(Acte III, scène v)

LE MAIRE GRANDS-PIEDS, LE PÈRE, LA MÈRE,
JOHN, ET DEUX OU TROIS PÊCHEURS.

*Apparaît Fanny dans le fond de la scène, elle se croit
seule. Elle est coiffée et habillée comme sa mère à la fin du
premier acte, et chacun a l'impression que c'est la mère qui
vient d'entrer. La stèle est éclairée, le reste dans la pénombre.*

FANNY *s'adresse solennellement à la stèle et reste de profil
par rapport aux autres personnages.* — Je disais un jour :
« Robinson, revenez! Robinson, revenez! » Et Robinson est revenu! Et je l'efface aujourd'hui de la liste
des morts.

> *Elle efface le nom de Robinson.
> Tous restent stupéfaits et le dia-
> logue s'engage entre Fanny et Ro-
> binson comme si les autres per-
> sonnages n'existaient pas.*

ROBINSON. — O Fanny d'avant mon départ!

FANNY, *même jeu.* — Robinson, je vous attendais
depuis toujours. J'étais innocente. Je n'ai jamais aimé
John qu'on m'a forcée à épouser. Comment le seul
lumignon de votre cœur ne vous a-t-il pas éclairé?

ROBINSON. — A peine étais-je en mer, Fanny, que
je compris mon erreur. Et me voici maintenant de
nouveau près de vous!

FANNY, *même jeu.* — J'ai attendu dans les champs du
désespoir le jour de votre retour lumineux! Robinson, soyez le bienvenu parmi nous!

> *Elle envoie un baiser à la stèle.*

ROBINSON. — Fanny, je n'ai jamais cessé de penser
à vous, je vous demande pardon d'être parti sans vous
entendre.

> *Il s'agenouille devant elle.*

FANNY. — Qu'est-ce qu'il y a? Qu'est-ce que j'ai fait? Que m'est-il arrivé? Il me semble, Robinson, que c'est moi qui reviens de très loin!

ROBINSON, *la rassurant*. — Vous avez effacé mon nom de la stèle, Fanny. Quoi de plus naturel?

FANNY. — Ma mère me poussait merveilleusement.

JOHN, *très irrité*. — Fanny, il ne faut pas mettre le costume de ta mère. C'est ça qui te donne des idées plus que bizarres.

GRANDS-PIEDS, *qui a eu très peur*. — Allons, Fanny, revenez à vous, revenez à moi. Il faut réagir. Que diable! vous n'êtes pas un feu follet.

> Vous avez besoin de santé.
> En moi, vous trouverez, ravie,
> L'époux de la réalité
> Et non un rêve dévasté.

FANNY, *dure*. — Je ne comprends pas vos paroles, Monsieur. Vous êtes affreux à voir et même à ne pas voir!

GRANDS-PIEDS, *protestant, content de lui* :

> Hé, je ne suis pas laid,
> Mais bien de ma personne,
> Avec moi l'on se plaît,
> Car la promesse est bonne.

(Prenant Fanny par la taille.) Regardez donc ce délice! *(Fanny le repousse.)* Ma fiancée, ma chère fiancée!

> *Il veut la prendre par le bras.*

FANNY. — Laissez-moi donc!

GRANDS-PIEDS. — Votre pudeur vous honore et votre honneur est le mien.

> *Il veut encore la prendre par le bras.*

FANNY, *brusquement*. — Mais, laissez-moi donc!

GRANDS-PIEDS, *rit*. — Je connais votre humeur fantasque. Et c'est cela que j'aime en vous.

FANNY. — Vous vous contentez de peu.

GRANDS-PIEDS. — Venez-vous par ici?

Fanny. — Si vous sortez par là, moi, je sors par ici.

Elle se dirige de l'autre côté.

Grands-Pieds. — Alors, je sors par là.

Fanny. — Alors, je vais par ici.

Grands-Pieds. — Et moi, je ne me décourage pas pour si peu.

Fanny, *hors d'elle*. — Je vous ordonne de me laisser. Ma mère est avec moi. Laissez-moi avec Robinson! Robinson est revenu! Robinson est revenu!

Le Père. — Mais elle est comme possédée, dé, dé!

Perfan. — Laissons-la seule avec Robinson. Venez.

Il entraîne le Père, John et Grands-Pieds.

Fanny, *très nerveuse*. — O Robinson, aidez-moi à voir clair en moi. Quand je dis : « Je pense à vous », est-ce moi ou ma mère qui le dit? Est-ce elle ou moi qui a tant de plaisir à se trouver près de vous?

Robinson :

> De toute sa ressemblance
> Elle nous fait confiance.

Fanny :

> Ah! c'est à croire que l'amour
> Arraché du cœur de ma mère
> Ne pouvait pas rester toujours
> Comme une blessure dans l'air,
> Et dans mon cœur, à pas de loup,
> Il revient se mettre à couvert.
> Ma pauvre mère sous la terre
> Renaît en moi de ses glaçons
> Et sa pauvreté exemplaire.
> Je suis sa bougeante illusion,
> Je ne fais que de petits pas
> En dehors de son caractère,
> Sentant que je respire mal
> Si je m'éloigne de ses terres
> Et je reviens hâtivement
> Vers l'enveloppe de maman.

Que rien à vous ne me dérobe!
Moi, je veux vivre séparée
Et avancer dans mon allée
Sans qu'on me tire par la robe.
Ma pauvre mère, comprends-moi,
Je ne veux pas me perdre en toi.

ROBINSON :

Mais vous êtes en terre ferme,
Petite herbe de la vallée!

FANNY :

Il me semble, ah! il me semble
Mon cœur tremble comme un tremble,
C'est bien la première fois
Que nous sommes tous deux là,
La raison me le répète,
Mais je n'en crois pas ma tête
Et mon cœur en sait bien plus,
Notre amour se continue.

Elle dit comme sa mère au pre-
mier acte :

C'est lui qui mit entre nous
Cette petite lumière,
Mais tout de même si fière
Que le ciel en est jaloux.

ROBINSON :

Lumière, veille sur nous,
Que nos secrets te soient doux,
Toi dont les larmes de cire
Tendrement nous font sourire.

FANNY :

Toi qui éclaires nos lèvres
Sans déranger les ténèbres
Ni ses humains habitants
Parmi l'ombre palpitants.

Le poète des métamorphoses. (Montage des deux moitiés asymétriques du visage de Jules Supervielle, réalisé par Pierre Abraham, in *NRF*, n° 247, 1er avril 1931)

Château fort de l'île de Port-Cros, où Jules Supervielle vécut
en compagnie de ses amis Jean Paulhan, Marcel Arland, etc.

Robinson. — Fanny, tout ce que j'ai aimé, ma vie durant, je vous le donne, toutes les mers que j'ai traversées et même les autres, et toutes les îles où j'ai débarqué et même les autres, je vous les donne. Je vous donne cette vieille terre rajeunie par notre amour.

(Robinson, Paris, Gallimard, 1949.)

AGRANDISSEMENTS
ET NOUVEAUX AGRANDISSEMENTS

Il décida d'acheter un chien qu'il appela Parana. « Du moins chez lui trouverai-je de l'ordre dans les idées. »

C'était un King Charles capable de contenir dans son regard béant la tendresse inemployée du monde. Dans l'œil gauche de la bête Guanamiru mit en dépôt sa mélancolie et dans le droit son goût des aventures. Si bien que le chien en devint aveugle et force fut à l'Américain de le précéder dans le chemin de la vie. C'est lui qui deux fois par jour le menait au square Lamartine où Parana avait son pied de banc et ses petites habitudes.

Il le savonnait lui-même, lavait ses yeux à l'eau boriquée et le brossait à n'en plus finir. Dans son exil, son amour pour le chien lui faisait peu à peu une petite patrie.

L'ombre chaque jour plus sensible de Guanamiru devenait tour à tour la silhouette d'une petite palmeraie ou d'un éléphant jouant avec les volutes de sa trompe, d'une gazelle aux cornes exquises, d'un boa suspendant une moitié de lui-même à une branche de goyavier.

Pour se faire oublier du malheur, il dormait beaucoup, dépensait peu, réduisait même le train de ses idées, évitait d'éternuer avec bruit. Dans la rue, on ne le voyait passer que sur des semelles de caoutchouc et avec du coton dans les oreilles. C'est à peine si on entendait son coup de sonnette. Et déjà il pensait

rentrer à Las Delicias dans une cabine ordinaire, loin
des hautes trompettes de luxe.

Cette vie sans inquiétude lui donna de l'embon-
point; il se promit de ne pas tomber à l'avenir dans
des excès de table.

« Je me contenterai de légumes vert pâle et de bouil-
lons de poules faiblement nourries sous mes yeux. »

Cette résolution prise, l'homme se dirigea vers son
armoire à glace comme il faisait quand il avait une
communication à s'adresser.

Stupéfaction de voir qu'il avait aussi grandi.

— Grandi ?

Mais on ne grandit plus à cinquante ans. C'était
là une fable que son corps se racontait à soi-même ou
un souvenir de la Bible, ou une légende lasse qui
essayait de prendre corps après des siècles d'errance
aérienne. Peut-être suffirait-il de penser à autre chose,
de faire intervenir le photographe pour que cette gro-
tesque croissance disparût d'un seul coup ? Il écouta
d'abord une marche militaire de son pays, dont il
avait à plusieurs reprises éprouvé le pouvoir d'aéra-
tion mentale. Comme il se disposait à l'entendre une
seconde fois, ses mains qui débordaient le disque en
tous sens l'effrayèrent tellement que pour les oublier
il songea à ses pieds. Était-il encore sur ses pieds habi-
tuels ? Il n'aurait su le dire, mais il voyait bien que
les recouvrait une énorme paire de chaussures en tous
points semblable à celle qu'il avait vue un jour à la
devanture d'un bottier de son pays et qui portait cette
mention : « La paire est offerte gratuitement à qui
chaussera cette pointure. »

Où donc allait ainsi Juan Fernandez y Guanamiru ?
Ne voyait-il pas qu'il n'y avait rien de raisonnable à
chercher dans la direction du plafond ? Et quand il
l'aurait atteint, qu'est-ce que cela prouverait ?

« Patience et humilité, se disait le géant malgré lui.
Qui sait si cette croissance subite ne me vient pas de
mon immodestie ? Ne me suis-je pas toujours cru supé-
rieur à tous les autres, plus grand que les autres ? »

Il commençait à éprouver de la gêne entre les quatre
murs de la chambre à coucher peints en camaïeux et

qui, lentement, dans un silence Louis XVI, avaient
pris l'offensive.

« Je me trouverai mieux au grand salon avec les
fenêtres ouvertes. »

Il eut quelque mal à passer dans cette pièce, mais
s'y sentit plus à l'aise, encore qu'il ne pût s'asseoir :
les meubles dans leur étroitesse et leur fragilité sem-
blaient se méfier de lui comme d'un navire où l'on
vient de hisser très haut le drapeau de la fièvre jaune.

Tout d'un coup, l'homme de la prairie, voyant tous
les fauteuils lui tourner simultanément le dos, lâcha
de grands rires noirs dont le retentissement lui fit
d'un coup avaler sa gaîté.

« Ne suis-je pas resté toute la journée sans prendre
l'air ? Pourquoi demeurer là, comme un mort, à compter mes os ? »

Mais chez lui, Guanamiru avait du moins des
miroirs pour surveiller son grossissement; dehors il ne
saurait au juste où il en était.

« Tant pis, ce n'est pas le moment, je pense, de
faire de l'anatomie comparée. »

Pour sortir, il ouvrit les deux battants de la porte
donnant sur l'escalier, dont il descendit les marches
trois à trois, comme en se jouant, si c'était là jouer.
Parana le suivit : de temps à autre, il se frottait au
pantalon de son maître pour s'assurer de son identité
et flairer ses intentions.

L'avenue n'était éclairée que par un soleil d'hiver
évasif qui, derrière sa fourrure d'ouate, évitait de se
mêler des affaires humaines.

La largeur du trottoir rassura Guanamiru : une
belle marge pour l'avenir, et des réserves d'espace qu'il
se promit de ne dépenser qu'avec parcimonie. Sa taille
n'était pas encore, d'ailleurs, celle d'un bec de gaz.

« *Encore! d'ailleurs!* Pourquoi ai-je pensé ces mots-là ?
N'est-ce pas ridicule de spéculer ainsi sur un malheur
dont je serai le premier et le dernier à supporter les
conséquences ? »

Ah! s'il avait pu poignarder l'avenir, voir « ce qu'il
avait dans le ventre ».

« Je me dirige maintenant vers l'Étoile en regardant droit devant moi, à la hauteur d'un entresol. »

Arrivé devant l'Arc de Triomphe, il préféra ne pas s'aventurer dessous. Les Champs-Élysées l'attirèrent. En passant devant une glace, il remarqua qu'on y voyait à peu près un quart de sa personne (peut-être un cinquième), mais ce fragment emplissait si violemment toute la glace que, saisie, elle éclatait en morceaux. Il en était ainsi maintenant, sur son passage, des devantures, vitres des autos et même des verres de montres-bracelets.

Il poursuivit sa promenade.

« Je reconnais qu'il me serait facile, pour faire diversion, de m'emparer de quelques plantes sur ce balcon. Mais j'écarte cette idée comme inutilement délictueuse ; que pourraient pour moi ces faibles végétaux ?

« Comme j'ai bien fait de mettre un pardessus neuf, puisque je dois me donner en spectacle, et de prendre mon chapeau noir, ce qui est plus sérieux. »

A l'angle de la rue de Berri, quand sa tête se fut trouvée à la hauteur d'un cinquième et que déjà il appréhendait de distinguer, sans avoir à se mettre sur la pointe des pieds, ce qui se passait dans les chambres des bonnes, Guanamiru commença de souffrir d'une espèce de célestrophobie aggravée d'un picotement stellaire qui exaspérait son cuir chevelu à travers son chapeau.

Ses pieds se trouvaient maintenant si loin de son chef que les communications cérébrales ne leur parvenaient qu'avec de grands retards et que l'intéressé marchait toujours le front très en avant, fendant les événements quels qu'ils fussent.

« Ce qui pourtant me rassure, c'est que je n'ai mal nulle part, mon appétit est exactement réglé par ma corpulence, et Parana a conservé son ancienne taille. Les différentes parties de mon individu semblent se développer suivant un plan d'ensemble qui ne me paraît pas essentiellement déraisonnable. Je suis très satisfait de mes nouveaux mollets, de mes cuisses présentes. Les échanges se font bien. Je verrais une femme avec plaisir. N'est-ce pas aussi un sujet de contentement que mes vêtements grandissent en même temps

que moi, et s'acclimatent instantanément à mes nouvelles formes ? »

Même son mouchoir de soie avait subi l'accroisse-
ment général; c'était maintenant une très belle pièce
d'étoffe valant plusieurs milliers de francs. Il avait fait
là une très bonne affaire, la meilleure de sa vie. Ses
initiales s'y trouvaient à leur place habituelle, que
voulait-il de plus ?

C'était donc toujours à Juan Fernandez y Guanamiru, fils de Sébastian et de Lucia, qu'il avait affaire.
Il se rappelait son enfance, sa jeunesse, ses amours.

Il eût souhaité communiquer avec la Légation de
son pays pour y demander secours ou conseil. Entre
compatriotes on se comprend mieux. Que douce lui
eût été la voix un peu enrouée du ministre ou même
celle du premier secrétaire, voire du troisième !

Mais il ne fut pas difficile à Guanamiru de reconnaître que tout en possédant la taille et presque le
volume d'un immeuble moderne de cinq étages, il
n'avait pas sur lui le téléphone.

Voulant attirer l'attention d'un médecin de service
quelque part, médecin municipal ou tout au moins
médecin de quartier, il tirait en l'air de temps à autre,
un coup de revolver.

Au surplus il était bien inutile d'appeler au secours.
On le voyait bien assez sur toute la longueur de l'avenue. Jamais souverain n'avait attiré tant de monde
aux balcons, ni dans les arbres, ni aux gouttières, où
des badauds montaient pour mieux suivre l'évolution
guanamirienne.

Au rond-point des Champs-Élysées, il s'aperçut soudain qu'il était à peine plus grand qu'un platane.

Un arbre de la forêt parisienne ayant à peu près
deux étages de hauteur, il avait donc gagné deux étages
et demi, peut-être trois et dans le bon sens.

Heureux, il ne peut s'empêcher de clamer un bulletin de santé d'une voix forte, qu'on entendit dans tout
Paris et dont l'ampleur le tonifia :

« État général excellent, cœur et jambes bons,
pouls inconnu. Je semble me diriger vers mon ancienne
taille. »

Alors qu'il caressait d'un revers de la main la cime d'un marronnier, il redevint comme dans une fluide descente d'ascenseur, le Fernandez y Guanamiru qu'il avait toujours connu jusque-là avec son mètre soixante-seize à la toise.

Dans la foule, qui le cherchait encore à la hauteur d'un second, il s'égara. Parana feignit, par délicatesse, de ne s'être aperçu de rien. Mais il lui était poussé au milieu du front un troisième œil qui lui permettait, sans lever la tête, de voir exactement où en était son maître.

Voilà que Guanamiru ne portait plus maintenant le même chapeau. (Il se rappelait fort bien être sorti avec un sombrero qu'il avait fait brosser devant lui par son valet de chambre.) C'était maintenant un chapeau de paille hors d'usage que l'estanciero avait donné cinq ans auparavant à un vieux gaucho de sa ferme de Curupatita; il le reconnaissait bien aux raies horizontales de son ruban rouge, jaune, rouge, jaune, rouge, jaune, etc., jusqu'à dix et au nom du chapelier de Las Delicias.

« Qu'est devenu mon chapeau mou, dont je ne vois pas la moindre trace ? »

Cette substitution lui parut du plus mauvais augure; elle couvait un avenir d'autant plus déraisonnable qu'on était en plein hiver.

Dans une croissance désordonnée, son corps devenait maintenant la proie d'une véritable panique osseuse et cellulaire, avec brusques pudeurs et démentis, dont ses vêtements suivaient très mal le rythme, et parfois même à contretemps; si bien que certaines parties de son individu, et non des moindres, étaient entièrement nues et d'autres couvertes par une cascade bruissante de vêtements qui traînaient à terre et sur lesquels il ne pouvait s'empêcher de marcher.

A chaque instant empirait son état qu'on était bien forcé de qualifier d'inactuel, puisque, dans le continuel devenir de Guanamiru, son actualité s'était séparée de lui et le suivait à quelques pas, invisible, mais haletante. Son organisme émettait aux jointures une plainte de crécelle et projetait sur les immeubles de l'avenue une ombre au graphique fiévreux dont Guanamiru ne pouvait détacher le regard.

« Que ferait à ma place un Parisien? Ces gens-là ont plus de finesse : nous ne savons pas encore voyager et tout nous déroute dans notre simplicité. Vite, faisons affluer dans mon cœur les réserves de courage éparpillées un peu partout dans cet immense corps. »

Mais un agaçant arrivage de papiers entre sa manchette et sa main droite montra à Guanamiru que ses malheurs n'étaient point finis. Involontaire mais acharné prestidigitateur, il s'était mis à engendrer des millions de prospectus qui tapissèrent toute l'avenue et se jetèrent même dans les rues transversales.

Cela s'intitulait : « Un Monsieur de la Pampa. »

Guanamiru y racontait toute son histoire et demandait aux passants de ne pas lui en vouloir s'il se donnait ainsi en spectacle.

« Je n'ai rien d'un exhibitionniste et ne demande qu'à vivre de mes rentes qui m'arrivent tous les mois d'Amérique, Messieurs les Passants. Il n'a jamais été dans mes intentions de gêner le trafic. Je ne suis pas un aventurier mais un ami de la France, avec tous ses papiers en règle, Cher Monsieur le Préfet de Police. Bien que n'ayant rien à me reprocher, je suis prêt à recueillir dans mes diverses estancias cent petits Français dans le besoin et à en faire des gauchos honorables, Monsieur le Président de la République. Ils ne manqueront de rien chez moi, j'ai du bon lait, et une pharmacie de campagne, Messieurs les Docteurs.

« P.-S. — Ne faites pas attention à ce chapeau de paille. Je n'y suis pour rien. Il m'est imposé par la Fatalité. »

La source des prospectus enfin tarie fut remplacée par une grande affiche comme en promènent les hommes-sandwich, et qui venait de pousser avec son cadre sur le dos de l'étranger. Elle reproduisait intégralement les commentaires des prospectus. Guanamiru la portait dignement, la tête haute, dans une attitude aussi militaire que possible.

Un pinceau lumineux issu de son œil gauche se mit

à projeter sur les nuages la pensée de l'Américain. Il disait :

— Qu'avez-vous tous à me regarder ainsi ? Je n'ai pas toujours été géant.

D'autres réflexions s'imprimèrent successivement dans le ciel :

— Ayez pitié d'un frère latin d'Amérique descendant l'avenue des Champs-Élysées.

— Je n'ai rien à déclarer.

— Qui m'aidera à porter mon bagage de chair humaine ?

— Pourquoi aurais-je peur de la mort ? Il n'y a qu'à se laisser aller, à se laisser aller. Elle se charge de tout.

— Un million de piastres-or à qui me rapatriera.

Et c'était toujours signé : « Juan Fernandez y Guanamiru. »

« Quel besoin de signer ! Pourquoi projeter ainsi en plein ciel un certificat de mon malheur ! Je vais être la risée du monde entier. Ce soir mon indisposition sera connue jusque chez les Guaranis. Du calme ! Je m'en supplie ! »

Et en plein ciel il lut :

« Du calme ! je m'en supplie ! »

Puis : « Heureux ceux qui ont un lit de mort. L'âme aime bien avoir ses aises au moment de s'envoler. Mourir en marchant est très désagréable. On meurt mal et de travers. »

Parfois il pensait être écrasé par le poids de sa tête ou n'en plus garder qu'un souvenir translucide, tel un décapité ambulant échappé à des bourreaux ivres.

On voyait tour à tour découvert, comme sur les planches anatomiques ou des annonces de droguistes, le cerveau, les poumons ou le cœur, l'estomac, le foie ou les reins de Guanamiru. Blanc électrique, dans une splendide unité, son squelette escorté de fumerolles fit une totale apparition ; il s'avançait dans sa noblesse hautaine avec l'assurance de l'Éternité et l'appui de celle-ci.

Sous la marée des chairs enfin revenues, Guanamiru reprit courage et respira fortement, un bien-être sus-

pect s'empara de lui : la terre et les étoiles lui appar-
tenaient, il les dépensait sans compter.

Ses idées se mirent à grandir à proportion de son
cerveau. Ses vertus exagérées devenaient des vices;
ceux-ci poussés à l'extrême dépassaient parfois leurs
frontières pour aller faire des ravages et des enlève-
ments dans le domaine des vertus. Des idées particu-
lières se faisaient générales. Certains concepts qui
dormaient depuis des années sans espoir de réveil,
retrouvaient soudain une vie falote et violente; d'autres
partaient pour des courses rapides et s'arrêtaient
essoufflés, si l'on peut dire, au bout d'un trajet mental
qui, sur le plan d'une piste de course à pied, aurait
à peu près équivalu à un cent dix mètres haies;
il y avait des obstacles.

Le sentiment d'une chasteté fort mal informée maintenant donna à Guanamiru la honte de montrer son
visage nu : il le recouvrit tout à fait avec un pan de
sa chemise rapidement soulevée.

Il ne se rappelait pas seulement son enfance, mais
celle de son père et même de ses arrière-grands-
parents qu'il n'avait jamais connus jusqu'alors. Et il
ressentit les affres d'une mémoire où il s'enlisait indéfiniment sans parvenir à en toucher le fond.

Le secouant de la tête aux pieds, son bon sens lui
arrivait par courtes rafales. Il alternait avec une folie
devenue brusquement plusieurs fois millénaire et qui
se manifestait par toutes les exclamations de la douleur
humaine. Les Pheu! les Opopoi! des Grecs, les Heu!...
des Latins, les ay de mi! les alas! les hélas! les ha! les
ho! les lamentations des Chinois, des Nègres et des
Guaranis affluaient sur ses lèvres ardentes du fond des
âges et des langues humaines.

Il entendit en lui, sauvages, mille et mille cris d'oiseaux; des vols inconnus lui traversaient le corps, il
était comme une volière en feu qui les empêchait de
sortir. Soudain, s'échappa de son gilet un teru-tero
blanc et noir qui sentait le roussi et alla se poser sur
un platane de l'avenue des Champs-Élysées. D'autres
oiseaux brûlants s'élancèrent : condors, faucons, tou-
cans, papegais, ramphocèles. Ils lui jaillissaient des

épaules, des mains, de la tête, de la bouche, des yeux et même de ses chaussures. Puis ce fut le tour d'un troupeau de vaches effarées et de taureaux, bourses ballantes, qui bondissaient du corps de Guanamiru, galopèrent vers la rue Royale. Ses bâtards montés sur des chevaux de la pampa se mêlaient aux gardes municipaux en fureur pour pousser l'exotique bétail du côté de la rue de Rivoli. Des femmes se trouvaient mal au milieu de la chaussée; deux fillettes à plat ventre sur le trottoir vomissaient dans un égout. Impuissant à rétablir l'ordre, un agent de police se suicida d'une balle au cœur.

Sur le point de traverser la place de la Concorde, Guanamiru s'assura qu'aucune auto ne le menaçait, évita soigneusement une voiture à bras traînée par un vieillard, et ne sachant plus comment on s'arrête, lança sur l'obélisque un lasso dont il se vit muni. La pierre d'Égypte se transforma aussitôt en un ombu du mois d'octobre alors qu'il commence à fleurir. Un azur très vif se mêlait aux branches et de grosses racines apparaissaient. Mais à peine eut-il cessé d'avancer, que, gonflé à bloc jusqu'aux nuages, Guanamiru mourut par éclatement, de mégalomanie éruptive, parmi des nuages de cendre, de soufre volcanique et une horrible lave, au moment où, sortant d'une paillote voisine, Innombrable s'en venait sans surprise à sa rencontre, un fin sourire aux lèvres et le maté à la main, fidèle.

(L'Homme de la Pampa, Paris, Gallimard, 1955.)

SAINT-JEAN-PIED-DE-PORT

Nous sommes arrivés, Henri Michaux et moi, chez Marie qui a été quarante ans institutrice à Ispoure. Quelle garde enfantine nous imaginons autour d'elle... des enfants de 1892, de 1902, 1912, 1922. Toutes ces jeunes têtes, les unes à côté des autres, derrière les autres. Comme c'est intimidant! Nous sommes là dans

un petit salon aux photos anciennes, encadrées. Et il
y a aussi des daguerréotypes sur le papier fleuri du
mur, vieux de soixante-dix ans, où l'on distingue
encore bien les roses et même les épines : leur pointe
ne s'est pas trop émoussée et je vous assure qu'elles
piquent un peu le regard qui s'y attarde.

Deux gravures : l'une dit : *Dévouement*, et c'est un
terre-neuve qui sauve un enfant sur le point de se
noyer. L'autre : *Vigilance*, et c'est un autre gros chien
qui empêche un aigle d'emporter un enfant que sa
mère vient de quitter. Sourire de ces choses me serait
odieux : je suis au cœur même de l'amitié. Chaque
chose est ici à sa vraie place, et immobile, depuis très
longtemps, dans la trame du temps affectueux qui
s'écoule.

C'est pour interroger Marie que je suis venu à Saint-
Jean. Mais je n'ose pas encore... Profitons de son
absence pour consulter ce gros album.

Le photographe avait dit au patient : « Mettez la
main sur ce guéridon », et il avait mis la main sur
le guéridon. « Tournez la tête un peu à droite, sans
bouger les yeux », et il n'avait pas bougé les yeux.
Je voudrais qu'on dît : « Obéissant comme chez le
photographe. » Les hommes les plus cruels, les plus
indépendants, les plus étranges, menez-les chez le photographe, et ils obéiront.

Ces portraits, pour la plupart, ne représentent plus
que des morts. Et chacun d'eux est bien obligé de
se contenter maintenant de ce semblant de vie, très
humble et très réduite sur le papier, vie dont on ne
peut contrôler l'existence, et encore! que si on ouvre
le livre à la page de l'intéressé, et cela pour un petit
moment que le mort doit parfois attendre des années,
sans être absolument sûr qu'il arrivera jamais. Et
comme il essaie alors de se faire beau pour qu'on
laisse la page ouverte. Il regarde droit devant lui,
comme si, vraiment, rien ne lui était arrivé depuis
le jour où il se rendait chez le photographe, de son
petit pas de vivant endimanché.

Sur ce visage d'enfant est-ce tristesse ou simplement bouderie à l'objectif? Je ne saurais le dire, notre

expression ne répond pas toujours à ce que nous res-
sentons véritablement et il faudrait parfois gommer
ceci ou cela, corriger le regard. Il m'est arrivé de
paraître glacé, et je n'étais que confus, ou plutôt
obscur, et pour moi-même.

Regard, point lumineux qui nous accompagne notre
vie durant, regard, le siège même de l'âme peut-être,
qui ne doit pas avoir besoin de beaucoup de place.
Dès les premiers mois de l'enfant, il est là pour toute
la vie ce regard qui ne ressemble à aucun autre. Et
l'humanité n'est faite que de ces milliards de petits
points entre les paupières. Crainte d'être en retard,
satisfaction d'être à l'heure, les mille riens qui font la
vie de tous les jours, et aussi angoisse, désir, volupté,
les guerres et l'amour, tout vient sans bruit de cette
vivante et imperceptible pointe du regard humain et
tout y va, même si nous baissons les paupières.

Je demande à Marie de me dire ce qu'elle sait de
ma première venue chez elle à Saint-Jean. Elle le
fait d'une voix vive et naturelle qui se refuse à ajouter la moindre émotion à celle que les faits peuvent
faire naître en moi.

— Tu es arrivé à Saint-Jean, de Montevideo, en
octobre 1884. Tu avais huit mois et habitais derrière
ce mur dans l'autre moitié de ma petite maison, avec
ta grand-mère et son mari (elle l'avait épousé en
secondes noces). Tu avais débarqué à Marseille avec
tes parents, en septembre. Ton oncle Bernard et ta
tante Marie-Anne vous accompagnaient, ils étaient
mariés depuis trois à quatre ans, ton père et ta mère
les avaient attendus un an à Buenos Aires pour pouvoir faire avec eux leur « Tour de France », comme
on dit au Pays Basque. C'étaient deux frères qui
avaient épousé deux sœurs, deux jeunes ménages qui
nous arrivaient joyeusement des Amériques.

« Il y avait eu des fêtes de famille à Oloron, de
grandes promenades en voiture à Saint-Christau et
plus loin, du côté des Pyrénées; puis ta grand-mère
était rentrée à Saint-Jean ayant fait, de Saint-Palais,
le trajet en voiture. La ligne de chemin de fer n'exis-
tait pas encore.

« Le lendemain matin, à huit heures, à la première distribution, elle reçut un télégramme qui disait, je me souviens des termes exacts :

« Marie malade demande sa mère pour la soigner. »

« Ta grand-mère dit : « Il faut que ma fille soit bien malade pour qu'on me rappelle ainsi tout de suite. » On fait venir un landau et elle repart sans tarder. Quand elle arrive le lendemain matin à Oloron, ta mère était morte depuis quelques heures. Elle avait dit : « Je ne me sens pas bien. » Et on dut l'enterrer en pleine nuit. On avait pensé au choléra, on en signalait quelques cas à Marseille où les tiens avaient débarqué. Plus tard seulement, on se souvint que ta mère avait bu, à Saint-Christau, près de l'hôtel du Mogol, à un robinet qu'on n'avait pas ouvert depuis longtemps et qui devait contenir du vert-de-gris. Ton père, le seul avec elle qui eût pris de cette eau, s'était alité au retour du cimetière, et il était mort, empoisonné aussi, le samedi suivant. Ta tante Marie-Anne fut si bouleversée par cette double mort qu'on avait craint aussi pour elle, qui allait répétant : « Ne dites pas que ma sœur est morte. Ce n'est pas vrai... J'ai maintenant trois enfants au lieu de deux. » Et, pour que ta présence ne rappelât pas constamment à ta tante la mort de sa sœur, on t'avait confié à ta grand-mère qui désirait aussi te garder et elle t'avait emmené ici. Tu étais descendu de la voiture en pleurant.

« Ta grand-mère te gâtait beaucoup, et ton oncle, qui avait promis à son frère de t'élever, s'en inquiétait un peu. Quand tu fus âgé de deux ans, il vint te chercher avec sa femme et tu regagnas, avec tes cousins, l'Amérique du Sud. Tu revins chez moi, à l'âge de cinq ans, avec ceux que tu prenais pour ton père et ta mère. Au bout de quelque temps tu te mis à dire : « Moi, je veux rester avec Marie de France. » C'est ainsi que tu m'appelais. Cela ne t'empêcha pas de repartir tout heureux. Et je me souviens que votre train dérailla en Espagne. Vous alliez prendre le bateau à Lisbonne, et vous fûtes tous obligés de descendre dans la nuit et dans la neige. »

Elle se tut un instant, puis parla d'autre chose. Et moi, qui ne savais presque rien de ce qu'elle venait de me dire, je me souvins du jour (je devais avoir neuf ans) où une amie de ma tante, que j'avais toujours prise jusqu'alors pour ma mère, lui dit :

— Dis donc, Marie-Anne, c'est le fils de ta sœur, ce petit ?

Ce ne fut que quelques années plus tard qu'une parente me montra dans un album les portraits de ceux qui m'avaient *donné le jour*. Je ne connais pas d'expression plus belle.

(Boire a la Source, Paris, Gallimard, 1951.)

UNE VISITE

On distingue devant le haut édifice quelque chose d'insolite qui commence aux gants blancs du portier, à ses doigts très écartés. Et il y a, de chaque côté du perron, deux agents de la police uruguayenne, en grande tenue.

Beaucoup de monde dans la salle d'audience de la prison, où nous formons le long banc des odieux, je veux dire des gens du dehors, venus seulement pour voir.

Au-dessus de l'estrade, une grande image de l'Immaculée Conception. Sur le cadre on a fixé, en haut à droite et en bas à gauche, deux touffes de marguerites vivantes. La maison est régie par des sœurs. Une écharpe de gaze bleu-de-la-vierge mêle artistement ses couleurs à celles du drapeau national, et va, de l'une à l'autre touffe de fleurs.

A droite, une porte donne sur un jardin : allons voir, puisque « ces messieurs de la Haute Cour » ne sont pas encore là. Une rose magnifique attire notre attention. Nous nous penchons dessus, elle nous picote le nez et ne sent rien. Elle est en papier sous le ciel bleu, et attachée au rosier par un ruban de soie, en ce jour d'hiver de 1925. C'est là une attention des sœurs pour les autorités qui vont arriver.

Bruit de pas sur le parquet de la salle que nous venons de quitter. La Haute Cour fait son entrée. Barbes en pointe, mentons rasés, une ou deux jaquettes, l'air simple de ces Messieurs. Absence de toges, mais on sent bien que ces costumes civils cachent l'autorité et que, dans ces poches, il y a, prêtes pour la distribution, de la prison et de la liberté.

Pas de police dans la salle. On a voulu donner une impression de bonne éducation, de savoir-vivre, de clémence. Les regards de tous les assistants sont désarmés, sauf ceux des photographes, à gauche de la salle, et terriblement bien placés.

Le silence se fait, et une sœur, d'une voix faible, annonce les entrantes.

Quatre femmes de tailles différentes, dans un sarrau bleu maintenu par une ceinture de cuir. Bien alignées, elles font aux juges une espèce de petite révérence, seule fantaisie qui leur soit ici permise, et une fois l'an seulement. Comme elles y ont pensé durant leurs longues journées! Et un pas en avant quand on les interroge, un petit pas en avant, Mesdames.

Il en est de métisses, cette autre a le type indien, la plupart ont l'air de venir du fond de la campagne. Et pourtant, dans la région des pieds, il semble que l'élégance ait trouvé un refuge. On devine à la forme de ces souliers, à la couleur de ces bas, que toute confiance dans l'avenir n'est pas encore perdue. Je me surprends aussi à regarder les humbles coiffures. Ce petit chignon n'a pas vingt-cinq cheveux. Je m'en veux de penser à ces détails devant ces femmes qui, depuis un an, attendent ce jour où elles pourront enfin librement s'exprimer devant leurs juges.

Elles ne disent rien.

Des avocats intercèdent en leur faveur. Un des juges se trompe et fait la morale à une femme pour un crime que sa voisine de droite a commis. On a du mal à détromper le magistrat, dur d'oreille.

Voici quatre autres détenues qui s'avancent, toujours coude à coude, la tête un peu basse, comme attelées à un invisible joug.

Les juges et les avocats prononcent les mots d'infanticide, jour du crime, maison close, vol domestique, que nous entendons comme dans un brouillard. Des phrases entières nous échappent. Un avocat se lève.

Une sœur parle.

Petite consultation des juges. La peine sera commuée ou non. Les détenues restent impassibles et nous ignorons de notre place, quelles sont les femmes qui vont être libérées, aujourd'hui même, peut-être.

D'autres entrent, toujours par quatre.

On nous fait visiter la salle où les détenues se tiennent pour leurs travaux. Elle est propre, claire bien aérée. Des images pieuses aux murs et, entre elles, tous ces yeux que la prison éteint, mais qui retrouvent leur brillant quand ils nous voient, nous qui allons prendre le tram en sortant, ou marcher sur le trottoir sonore.

Les sœurs, il n'y en a pas six, et qui gardent plus de cinquante femmes. Elles sont aidées dans leur tâche par une *ancienne* qui n'a pas voulu s'en aller, sa peine purgée. Et elle reste, mulâtresse comme avant, dans un sarrau semblable à celui des prisonnières (l'administration n'en fournit pas d'autres).

Une sœur nous dit : « Je vous assure qu'au réfectoire, quand elles tiennent toutes leur couteau à la main, nous nous souvenons parfois que nous n'avons aucun moyen de défense. »

Il ne se passe jamais rien. Un jour, deux agents amenaient une femme qui ne voulait pas avancer. Une sœur attendait devant la porte de la prison et dit : « Entrez, mignonne » à celle qui avait jeté dans la fosse d'aisance l'enfant qu'elle venait d'étrangler. Et la femme entra doucement dans la grande maison immobile, plus immobile que les autres maisons.

(BOIRE A LA SOURCE,
Paris, Gallimard, 1951.)

Premier état d'un poème : *Descente de la nuit.*

1 - Buste de Jules Supervielle par Fenosa (1949).

2 - Médaille Supervielle, frappée à la Monnaie de Paris (195:
Au revers :

Je lui donne une branche, elle en fait un oiseau
Et si c'est un oiseau, elle en fait une abeille

RETOUR A L'ESTANCIA

Je fais corps avec la pampa qui ne connaît pas la
mythologie,
avec le désert orgueilleux d'être le désert depuis les
temps les plus abstraits,
il ignore les Dieux de l'Olympe qui rythment encore
le vieux monde.
Je m'enfonce dans la plaine qui n'a pas d'histoire et
tend de tous côtés sa peau dure de vache qui a
toujours couché dehors
et n'a pour toute végétation que quelques talas, ceibos,
pitas,
qui ne connaissent le grec ni le latin,
mais savent résister au vent affamé du pôle,
de toute leur ruse barbare
en lui opposant la croupe concentrée de leur branchage
grouillant d'épines et leurs feuilles en coup de hache.
Je me mêle à une terre qui ne rend de comptes à
personne et se défend de ressembler à ces paysages
manufacturés d'Europe, saignés par les souvenirs,
à cette nature exténuée et poussive qui n'a plus que
des quintes de lumière,
et, repentante, efface, l'hiver, ce qu'elle fit pendant l'été.
J'avance sous un soleil qui ne craint pas les intem-
péries,
et se sert sans lésiner de ses pots de couleur locale
toute fraîche
pour des ciels de plein vent qui vont d'une fusée jusqu'au zénith,
et il saisit dans ses rayons, comme au lasso, un gaucho
monté, tout vif.
Les nuages ne sont pas pour lui des prétextes à une
mélancolie distinguée,
mais de rudes amis d'une autre race, ayant d'autres
habitudes, avec lesquels on peut causer,
et les orages courts sont de brusques fêtes communes
où ciel, soleil et nuages

y vont de bon cœur et tirent jouissance de leur propre
  plaisir et de celui des autres,
où la pampa
roule ivre-morte dans la boue polluante où chavirent
  les lointains,
jusqu'à l'heure des hirondelles
et des derniers nuages, le dos rond dans le vent du sud,
quand la terre, sur tout le pourtour de l'horizon bien
    accroché,
sèche ses flaques, son bétail et ses oiseaux
au ciel retentissant des jurons du soleil qui cherche à
  rassembler ses rayons dispersés.

Janvier 1920.

(DÉBARCADÈRES, Paris-Bruxelles, A.-A.-M.
Stols, 1934.)

APPARITION

A Max Jacob.

Où sont-ils les points cardinaux,
Le soleil se levant à l'Est,
Mon sang et son itinéraire
Prémédité dans mes artères ?
Le voilà qui déborde et creuse,
Grossi de neiges et de cris
Il court dans des régions confuses ;
Ma tête qui jusqu'ici
Balançait les pensées comme branches des îles,
Forge des ténèbres crochues.
Ma chaise que happe l'abîme
Est-ce celle du condamné
Qui s'enfonce dans la mort avec toute l'Amérique ?

Qui est là ? Quel est cet homme qui s'assied à notre
  table
Avec cet air de sortir comme un trois-mâts du brouil-
  lard,
Ce front qui balance un feu, ces mains d'écume marine,
Et couverts les vêtements par un morceau de ciel noir ?

A sa parole une étoile accroche sa toile araigneuse,
Quand il respire il déforme et forme une nébuleuse.
Il porte, comme la nuit, des lunettes cerclées d'or
Et des lèvres embrasées où s'alarment des abeilles,
Mais ses yeux, sa voix, son cœur sont d'un enfant à
   l'aurore.
Quel est cet homme dont l'âme fait des signes solen-
   nels ?
Voici Pilar, elle m'apaise, ses yeux déplacent le
   mystère.
Elle a toujours derrière elle comme un souvenir de
   famille
Le soleil de l'Uruguay qui secrètement pour nous
   brille,
Mes enfants et mes amis, leur tendresse est circulaire
Autour de la table ronde, fière comme l'univers ;
Leurs frais sourires s'en vont de bouche en bouche
   fidèles,
Prisonniers les uns des autres, ce sont couleurs d'arc-
   en-ciel.

Et comme dans la peinture de Rousseau le douanier,
Notre tablée monte au ciel voguant dans une nuée.

Nous chuchotons seulement tant on est près des
   étoiles,
Sans cartes ni gouvernail, et le ciel pour bastingage.

Comment vinrent jusqu'ici ces goélands par centaines
Quand déjà nous respirons un angélique oxygène

Nous cueillons et recueillons du céleste romarin,
De la fougère affranchie qui se passe de racines,
Et comme il nous est poussé dans l'air pur des ailes
   longues
Nous mêlons notre plumage à la courbure des mondes.

1923.

(GRAVITATIONS, Paris, N. R. F., 1932.)

UNE ÉTOILE TIRE DE L'ARC

A Pilar.

Toutes les brebis de la lune
Tourbillonnent vers ma prairie
Et tous les poissons de la lune
Plongent loin dans ma rêverie.

Toutes ses barques, ses rameurs
Entourent ma table et ma lampe
Haussant vers moi des fruits qui trempent
Dans le vertige et la douceur.

Jusqu'aux astres indéfinis
Qu'il fait humain, ô destinée!
L'univers même s'établit
Sur des colonnes étonnées.

Oiseau des îles outreciel
Avec tes nuageuses plumes
Qui sais dans ton cœur archipel
Si nous serons et si nous fûmes,

Toi qui mouillas un jour tes pieds
Où le bleu des nuits a sa source,
Et prends le soleil dans ton bec
Quand tu le trouves sur ta course,

La terre lourde se souvient,
Oiseau, d'un monde aérien,

Où la fatigue est si légère
Que l'abeille et le rossignol
Ne se reposent qu'en plein vol
Et sur des fleurs imaginaires.

Une étoile tire de l'arc
Perçant l'infini de ses flèches
Puis soulève son étendard
Qu'une éternelle flamme lèche,

Un chêne croyant à l'été
Quand il n'est que l'âme d'un chêne
Offre son écorce ancienne
Au vent nu de l'éternité.

Ses racines sont apparentes,
Un peu d'humus y tremble encor,
L'ombre d'autrefois se lamente
Et tourne autour de l'arbre mort.

Un char halé par des bœufs noirs
Qui perdit sa route sur terre
La retrouve au tournant de l'air
Où l'aurore croise le soir,

Un nuage, nouveau Brésil
Emprisonnant d'immenses fleuves,
Dans un immuable profil
Laisse rouler sur lui les heures,

Un nuage, un autre nuage,
Composés d'humaines prières
Se répandent en sourds ramages
Sans parvenir à se défaire.

                                                    1923.

            (Gravitations, Paris, N. R. F., 1932.)

                        MONTEVIDEO

    Je naissais, et par la fenêtre
    Passait une fraîche calèche.

    Le cocher réveillait l'aurore
    D'un petit coup de fouet sonore.

    Flottait un archipel nocturne
    Encore sur le jour liquide.

    Les murs s'éveillaient et le sable
    Qui dort écrasé dans les murs.

Un peu de mon âme glissait
Sur un rail bleu, à contre-ciel,

Et un autre peu se mêlant
A un bout de papier volant

Puis, trébuchant sur une pierre,
Gardait sa ferveur prisonnière.

Le matin comptait ses oiseaux
Et jamais il ne se trompait.

Le parfum de l'eucalyptus
Se fiait à l'air étendu.

Dans l'Uruguay sur l'Atlantique
L'air était si liant, facile,
Que les couleurs de l'horizon
S'approchaient pour voir les maisons.

C'était moi qui naissais jusqu'au fond sourd des bois
Où tardent à venir les pousses
Et jusque sous la mer où l'algue se retrousse
Pour faire croire au vent qu'il peut descendre là

La Terre allait, toujours recommençant sa ronde,
Reconnaissant les siens avec son atmosphère,
Et palpant sur la vague ou l'eau douce profonde
La tête des nageurs et les pieds des plongeurs.

(GRAVITATIONS, Paris, N. R. F., 1932.)

MATHÉMATIQUES

A Maria Blanchard.

Quarante enfants dans une salle,
Un tableau noir et son triangle,
Un grand cercle hésitant et sourd
Son centre bat comme un tambour.

Des lettres sans mots ni patrie
Dans une attente endolorie.

Le parapet dur d'un trapèze,
Une voix s'élève et s'apaise
Et le problème furieux
Se tortille et se mord la queue.

La mâchoire d'un angle s'ouvre.
Est-ce une chienne? Est-ce une louve?

Et tous les chiffres de la terre,
Tous ces insectes qui défont
Et qui refont leur fourmilière
Sous les yeux fixes des garçons.

(GRAVITATIONS, Paris, N. R. F., 1932.)

VIVRE

Pour avoir mis le pied
Sur le cœur de la nuit
Je suis un homme pris
Dans les rets étoilés.

J'ignore le repos
Que connaissent les hommes
Et même mon sommeil
Est dévoré de ciel.

Nudité de mes jours,
On t'a crucifiée;
Oiseaux de la forêt
Dans l'air tiède, glacés.

Ah! vous tombez des arbres.

(GRAVITATIONS, Paris, N. R. F., 1932.)

POINTE DE FLAMME

Tout le long de sa vie
Il avait aimé à lire
Avec une bougie
Et souvent il passait
La main dessus la flamme
Pour se persuader
Qu'il vivait,
Qu'il vivait.

Depuis le jour de sa mort
Il tient à côté de lui
Une bougie allumée
Mais garde les mains cachées.

(GRAVITATIONS, Paris, N. R. F., 1932.)

SOUS LE LARGE

Les poissons des profondeurs
Qui n'ont d'yeux ni de paupières
Inventèrent la lumière
Pour les besoins de leur cœur.

Ils en mandent une bulle,
Loin des jours et des années,
Vers la surface où circule
L'océane destinée.

Un navire coule à pic,
Houle dans les cheminées,
Et la coque déchirée
Laisse la chaudière à vif.

Dans le fond d'une cabine
Une lanterne enfumée
Frappe le hublot fermé
Sur les poissons de la nuit.

(GRAVITATIONS, Paris, N. R. F., 1932.)

SAISIR

Saisir, saisir le soir, la pomme et la statue,
Saisir l'ombre et le mur et le bout de la rue.

Saisir le pied, le cou de la femme couchée
Et puis ouvrir les mains. Combien d'oiseaux lâchés

Combien d'oiseaux perdus qui deviennent la rue,
L'ombre, le mur, le soir, la pomme et la statue.

      Mains, vous vous userez
      A ce grave jeu-là.
      Il faudra vous couper
      Un jour, vous couper ras.

**

Ce souvenir que l'on cache dans ses bras, à travers la
    fumée et les cris,
Comme une jeune femme échappée à l'incendie,
Il faudra bien l'étendre dans le lit blanc de la mémoire,
    aux rideaux tirés,
Et le regarder avec attention.
Que personne n'entre dans la chambre!
Il y a là maintenant un grand corps absolument nu
Et une bouche qu'on croyait à jamais muette
Et qui soupire : « Amour », avec les lèvres mêmes de
    la vérité.

**

      Grands yeux dans ce visage,
      Qui vous a placés là?
      De quel vaisseau sans mâts
      Êtes-vous l'équipage?

Depuis quel abordage
Attendez-vous ainsi
Ouverts toute la nuit ?

Feux noirs d'un bastingage
Étonnés mais soumis
A la loi des orages.

Prisonniers des mirages,
Quand sonnera minuit
Baissez un peu les cils
Pour reprendre courage.

***

Vous avanciez vers lui, femme des grandes plaines,
Nœud sombre du désir, distances au soleil.

Et vos lèvres soudain furent prises de givre
Quand son visage lent s'est approché de vous.

(LE FORÇAT INNOCENT, Paris, N. R. F., 1930.)

OLORON-SAINTE-MARIE

A la mémoire de Rainer Maria Rilke.

Comme du temps de mes pères les Pyrénées écoutent
  aux portes
Et je me sens surveillé par leurs rugueuses cohortes.
Le gave coule, paupières basses, ne voulant pas de
  différence
Entre les hommes et les ombres,
Et il passe entre des pierres
Qui ne craignent pas les siècles
Mais s'appuient dessus pour rêver.
C'est la ville de mon père, j'ai affaire un peu partout.
Je rôde dans les rues et monte des étages n'importe
  où,

Ces étages font de moi comme un sentier de mon-
    tagne,
J'entre sans frapper dans des chambres que traverse
    la campagne,
Les miroirs refont les bois, portent secours aux ruis-
    seaux.
Je me découvre dedans pris et repris par leurs eaux.
J'erre sur les toits d'ardoise, je vais en haut de la tour,
Et, pour rassembler les morts qu'une rumeur effa-
    rouche,
Je suis le battant humain,
Que ne révèle aucun bruit,
De la cloche de la nuit,
Dans le ciel pyrénéen.

O morts à la démarche dérobée,
Que nous confondons toujours avec l'immobilité,
Perdus dans votre sourire comme sous la pluie l'épi-
    taphe,
Morts aux postures contraintes et gênés par trop d'es-
    pace,
O vous qui venez rôder autour de nos positions,
C'est nous qui sommes les boiteux tout prêts à tom-
    ber sur le front.

Vous êtes guéris du sang
De ce sang qui nous assoiffe.

Vous êtes guéris de voir
La mer, le ciel et les bois.

Vous en avez fini avec les lèvres, leurs raisons et leurs
    baisers,
Avec nos mains qui nous suivent partout sans nous
    apaiser,
Avec les cheveux qui poussent et les ongles qui se
    cassent,
Et, derrière le front dur, notre esprit qui se déplace.

Mais en nous rien n'est plus vrai
Que ce froid qui vous ressemble,

Nous ne sommes séparés
Que par le frisson d'un tremble.

Ne me tournez pas le dos. Devinez-vous
Un vivant de votre race près de vos anciens genoux?

Amis, ne craignez pas tant
Qu'on vous tire par un pan de votre costume flottant!

N'avez-vous pas un peu envie,
Chers écoliers de la mort, qu'on vous décline la vie?

Nous vous dirons de nouveau
Comment l'ombre et le soleil,
Dans un instant qui sommeille,
Font et défont un bouleau.
Et nous vous reconstruirons
Chaque ville avec les arches respirantes de ses ponts,
La campagne avec le vent,
Et le soleil au milieu de ses frères se levant.

    (Le Forçat innocent, Paris, N. R. F., 1930.)

FEUX DU CIEL

I

A Pierre Guégen.

— La foudre coupa l'homme de son ombre.
Où courez-vous ainsi, chères ombres sans hommes?

Animaux errants, naseaux, encolures,
Est-ce vous ce grand feu dans la brousse qui fume?

Rivages à la ronde, comme vous tressaillez!
Dans les eaux montagneuses qu'allez-vous enfanter?

Poissons qui fuyez sur la mer torride
Qu'avez-vous fait, qu'avez-vous fait du golfe de Flo-
   ride ?

L'air demeure angoissé de mouettes immobiles
Et leur cœur est une île de glace sous les plumes.
Des colons, un à un, avançant à la nage
Sont déposés vivant sur d'horribles rivages.

— Mais qui êtes-vous qui parlez ainsi
Avec cette voix qui n'est pas d'ici ?
Répondrez-vous, ô vide, où tremblait un visage ?

— Voici le jour venu, voici le jour venu,
Où le mont a cédé son altitude aux nues
Et tandis que la mort s'entête
Les vents changent de planète !

II

Une voix tombe d'un nuage
Disant : « J'arrive à l'instant »,
Mais le nuage prend le large.
Nul n'en descend.

Un cargo muet traverse l'espace
Cachant de la nuit dans ses soutes basses.
Dans l'aube il en tombe une poignée noire
Mais il n'est que moi pour l'apercevoir.

De ce bout du monde à l'autre
Vont de hautaines statues
Et de grands galops de marbre
En patrouille dans les rues.

« Où sont vos papiers, passant obscurci,
Le bras en écharpe et le cœur roussi.
Est-il des survivants au monde ?
— Ombre pour ombre, ami, nous sommes compa-
    gnons,
Vous voyez bien que nous portons
La bague opaque des morts. »

(LE FORÇAT INNOCENT, Paris, N. R. F., 1930.)

DANS LA FORÊT SANS HEURES

Dans la forêt sans heures
On abat un grand arbre.
Un vide vertical
Tremble en forme de fût
Près du tronc étendu.

Cherchez, cherchez, oiseaux,
La place de vos nids
Dans ce haut souvenir
Tant qu'il murmure encore.

(LE FORÇAT INNOCENT, Paris, N. R. F., 1930.)

VISAGES DE LA RUE
QUELLE PHRASE INDÉCISE

Visages de la rue, quelle phrase indécise
Écrivez-vous ainsi pour toujours l'effacer
Et faut-il que toujours soit à recommencer
Ce que vous essayez de dire ou de mieux dire ?

(LES AMIS INCONNUS, Paris, N. R. F., 1934.)

IL VOUS NAIT UN POISSON
QUI SE MET A TOURNER

Il vous naît un poisson qui se met à tourner
Tout de suite au plus noir d'une lame profonde,
Il vous naît une étoile au-dessus de la tête,
Elle voudrait chanter mais ne peut faire mieux
Que ses sœurs de la nuit les étoiles muettes.

Il vous naît un oiseau dans la force de l'âge,
En plein vol, et cachant votre histoire en son cœur
Puisqu'il n'a que son cri d'oiseau pour la montrer.
Il vole sur les bois, se choisit une branche
Et s'y pose, on dirait qu'elle est comme les autres

Où courent-ils ainsi ces lièvres, ces belettes,
Il n'est pas de chasseur encor dans la contrée,
Et quelle peur les hante et les fait se hâter,
L'écureuil qui devient feuille et bois dans sa fuite,
La biche et le chevreuil soudain déconcertés?

Il vous naît un ami, et voilà qu'il vous cherche
Il ne connaîtra pas votre nom ni vos yeux
Mais il faudra qu'il soit touché comme les autres
Et loge dans son cœur d'étranges battements
Qui lui viennent de jours qu'il n'aura pas vécus.

Et vous, que faites-vous, ô visage troublé,
Par ces brusques passants, ces bêtes, ces oiseaux,
Vous qui vous demandez, vous, toujours sans nouvelles,
« Si je croise jamais un des amis lointains
Au mal que je lui fis vais-je le reconnaître? »

Pardon pour vous, pardon pour eux, pour le silence
Et les mots inconsidérés,
Pour les phrases venant de lèvres inconnues
Qui vous touchent de loin comme balles perdues,
Et pardon pour les fronts qui semblent oublieux.

>   (Les Amis inconnus, Paris, N. R. F., 1934.)

LES CHEVAUX DU TEMPS

Quand les chevaux du Temps s'arrêtent à ma porte
J'hésite un peu toujours à les regarder boire
Puisque c'est de mon sang qu'ils étanchent leur soif.
Ils tournent vers ma face un œil reconnaissant
Pendant que leurs longs traits m'emplissent de faiblesse

Et me laissent si las, si seul et décevant
Qu'une nuit passagère envahit mes paupières
Et qu'il me faut soudain refaire en moi des forces
Pour qu'un jour où viendrait l'attelage assoiffé
Je puisse encore vivre et les désaltérer.

(LES AMIS INCONNUS, Paris, N. R. F., 1934.)

L'OISEAU

— Oiseau, que cherchez-vous, voletant sur mes livres,
Tout vous est étranger dans mon étroite chambre.

— J'ignore votre chambre et je suis loin de vous,
Je n'ai jamais quitté mes bois, je suis sur l'arbre
Où j'ai caché mon nid, comprenez autrement
Tout ce qui vous arrive, oubliez un oiseau.

— Mais je vois de tout près vos pattes, votre bec.

— Sans doute pouvez-vous rapprocher les distances
Si vos yeux m'ont trouvé ce n'est pas de ma faute.

— Pourtant vous êtes là puisque vous répondez.

— Je réponds à la peur que j'ai toujours de l'homme
Je nourris mes petits, je n'ai d'autre loisir,
Je les garde en secret au plus sombre d'un arbre
Que je croyais touffu comme l'un de vos murs.
Laissez-moi sur ma branche et gardez vos paroles,
Je crains votre pensée comme un coup de fusil.

— Calmez donc votre cœur qui m'entend sous la
plume.

— Mais quelle horreur cachait votre douceur obscure
Ah! vous m'avez tué je tombe de mon arbre.

— J'ai besoin d'être seul, même un regard d'oiseau...

— Mais puisque j'étais loin au fond de mes grands bois !
(LES AMIS INCONNUS, Paris, N. R. F., 1934.)

L'ALLÉE

— Ne touchez pas l'épaule
Du cavalier qui passe,
Il se retournerait
Et ce serait la nuit,
Une nuit sans étoiles,
Sans courbe ni nuages
— Alors que deviendrait
Tout ce qui fait le ciel,
La lune et son passage,
Et le bruit du soleil ?
— Il vous faudrait attendre
Qu'un second cavalier
Aussi puissant que l'autre
Consentît à passer.

(LES AMIS INCONNUS, Paris, N. R. F., 1934.)

FIGURES

Je bats comme des cartes
Malgré moi des visages,
Et, tous, ils me sont chers.
Parfois l'un tombe à terre
Et j'ai beau le chercher
La carte a disparu.
Je n'en sais rien de plus.
C'était un beau visage
Pourtant, que j'aimais bien.
Je bats les autres cartes.

13

L'inquiet de ma chambre,
Je veux dire mon cœur,
Continue à brûler
Mais non pour cette carte,
Qu'une autre a remplacée :
C'est un nouveau visage,
Le jeu reste complet
Mais toujours mutilé.
C'est tout ce que je sais,
Nul n'en sait davantage.

(LES AMIS INCONNUS, Paris, N. R. F., 1934.)

L'APPEL

Les dames en noir prirent leur violon
Afin de jouer, le dos au miroir.

Le vent s'effaçait comme aux meilleurs jours
Pour mieux écouter l'obscure musique.

Mais presque aussitôt pris d'un grand oubli
Le violon se tut dans les bras des femmes

Comme un enfant nu qui s'est endormi
Au milieu des arbres.

Rien ne semblait plus devoir animer
L'immobile archet, le violon de marbre,

Et ce fut alors qu'au fond du sommeil
Quelqu'un me souffla : « Vous seul le pourriez,
Venez tout de suite. »

(LES AMIS INCONNUS, Paris, N. R. F., 1934.)

LE HORS-VENU

Il couchait seul dans de grands lits
De hautes herbes et d'orties,
Son corps nu toujours éclairé
Dans les défilés de la nuit
Par un soleil encor violent
Qui venait d'un siècle passé
Par monts et par vaux de lumière
A travers mille obscurités.
Quand il avançait sur les routes
Il ne se retournait jamais.
C'était l'affaire de son double
Toujours à la bonne distance
Et qui lui servait d'écuyer.
Quelquefois les astres hostiles
Pour s'assurer que c'était eux
Les éprouvaient d'un cent de flèches
Patiemment empoisonnées.
Quand ils passaient, même les arbres
Étaient pris de vivacité,
Les troncs frissonnaient dans la fibre,
Visiblement réfléchissaient,
Et ne parlons pas du feuillage,
Toujours une feuille en tombait
Même au printemps quand elles tiennent
Et sont dures de volonté.
Les insectes se dépêchaient
Dans leur besogne quotidienne,
Tous, la tête dans les épaules,
Comme s'ils se la reprochaient.
La pierre prenait conscience
De ses anciennes libertés;
Lui, savait ce qui se passait
Derrière l'immobilité,
Et devant la fragilité.
Les jeunes filles le craignaient,
Parfois des femmes l'appelaient
Mais il n'en regardait aucune

Dans sa cruelle chasteté.
Les murs excitaient son esprit,
Il s'en éloignait enrichi
Par une gerbe de secrets
Volés au milieu de leur nuit
Et que toujours il recélait
Dans son cœur sûr, son seul bagage
Avec le cœur de l'écuyer.
Ses travaux de terrassement
Dans les carrières de son âme
Le surprenaient-ils harassé
Près de bornes sans inscription
Tirant une langue sanglante
Tel un chien aux poumons crevés.
Qu'il regardait ses longues mains
Comme un miroir de chair et d'os
Et aussitôt il repartait.
Ses enjambées étaient célèbres,
Mais seul il connaissait son nom
Que voici : « Plus grave que l'homme
Et savant comme certains morts
Qui n'ont jamais pu s'endormir. »

(Les Amis inconnus, Paris, N. R. F., 1934.)

LES VEUVES

La triste qui vous tient, la claire qui vous suit,
La tenace aux yeux noirs qui chante pour soi seule
Mais ne sait vous quitter, même pas à demi,
Elles ne sont plus là que par leurs voix de veuves
Comme si vous n'étiez qu'une voix vous aussi.
De leurs jours alarmés, elles viennent à vous
Et leurs sombres élans s'enroulent à votre âme
Mais toujours leur aveu se défait à vos pieds,
Puisqu'il n'est pas de mots pour tant d'ombre et de
                                                    flammes.

(Les Amis inconnus, Paris, N. R. F., 1934.)

LE MONDE EST PLEIN DE VOIX
QUI PERDIRENT VISAGE

Le monde est plein de voix qui perdirent visage
Et tournent nuit et jour pour en demander un.
Je leur dis : « Parlez-moi de façon familière
Car c'est moi le moins sûr de la grande assemblée.
« N'allez pas comparer notre sort et le vôtre »,
Me répond une voix, « je m'appelais un tel,
Je ne sais plus mon nom, je n'ai plus de cervelle
Et ne puis disposer que de celle des autres.
Laissez-moi m'appuyer un peu sur vos pensées.
C'est beaucoup d'approcher une oreille vivante
Pour quelqu'un comme moi qui ne suis presque plus.
Croyez ce que j'en dis, je ne suis plus qu'un mort
Je veux dire quelqu'un qui pèse ses paroles. »

(LES AMIS INCONNUS, Paris, N. R. F., 1934.)

LE SILLAGE

On voyait le sillage et nullement la barque
Parce que le bonheur avait passé par là.

Ils s'étaient regardés dans le fond de leurs yeux
Apercevant enfin la clairière attendue

Où couraient de grands cerfs dans toute leur franchise.
Les chasseurs n'entraient pas dans ce pays sans larmes.

Ce fut le lendemain, après une nuit froide,
Qu'on reconnut en eux des noyés par amour

Mais ce que l'on pouvait prendre pour leur douleur
Nous faisait signe à tous de ne pas croire en elle.

Un peu de leur voilure errait encore en l'air
Toute seule, prenant le vent pour son plaisir,

Loin de la barque et des rames à la dérive.

(LES AMIS INCONNUS, Paris, N. R. F., 1934.)

LE DÉSIR

Quand les yeux du désir, plus sévères qu'un juge, vous
    disent d'approcher,
Que l'âme demeure effrayée
Par le corps aveugle qui la repousse et s'en va tout
    seul
Hors de ses draps comme un frère somnambule,
Quand le sang coule plus sombre de ses secrètes mon-
    tagnes,
Que le corps jusqu'aux cheveux n'est qu'une grande
    main inhumaine
Tâtonnante, même en plein jour...
Mais il est un autre corps,
Voici l'autre somnambule,
Ce sont deux têtes qui bourdonnent maintenant et se
    rapprochent,
Des torses nus sans mémoire cherchent à se comprendre
    dans l'ombre,
Et la muette de soie s'exprime par la plus grande
    douceur
Jusqu'au moment où les êtres
Sont déposés interdits sur des rivages différents.
Alors l'âme se retrouve dans le corps sans savoir com-
    ment
Et ils s'éloignent réconciliés, en se demandant des nou-
    velles.

(LES AMIS INCONNUS, Paris, N. R. F., 1934.)

UN POÈTE

Je ne vais pas toujours seul au fond de moi-même
Et j'entraîne avec moi plus d'un être vivant.
Ceux qui seront entrés dans mes froides cavernes
Sont-ils sûrs d'en sortir même pour un moment ?
J'entasse dans ma nuit, comme un vaisseau qui sombre,
Pêle-mêle, les passagers et les marins,
Et j'éteins la lumière aux yeux, dans les cabines,
Je me fais des amis des grandes profondeurs.

(Les Amis inconnus, Paris, N. R. F., 1934.)

LE NUAGE

Il fut un temps où les ombres
A leur place véritable
N'obscurcissaient pas mes fables.
Mon cœur donnait sa lumière.

Mes yeux comprenaient la chaise de paille,
La table de bois,
Et mes mains ne rêvaient pas
Par la faute des dix doigts.

Écoute-moi, Capitaine de mon enfance,
Faisons comme avant,
Montons à bord de ma première barque
Qui passait la mer quand j'avais dix ans.

Elle ne prend pas l'eau du songe
Et sent sûrement le goudron,
Écoute, ce n'est plus que dans mes souvenirs
Que le bois est encor le bois, et le fer, dur,

Depuis longtemps, Capitaine,
Tout m'est nuage et j'en meurs.

(Les Amis inconnus, Paris, N. R. F., 1934.)

DIEU PARLE A L'HOMME

Quand je dis « mes bras » ne va pas croire
Que ce sont des bras comme les tiens,
Quand je dis « mes yeux » comprends que rien
Ni autour de toi, ni ta mémoire
Ne t'en révèle un seul regard.
Je me sers des mots qui sont à toi.

Si tu ne me saisis pas bien
Restons taciturnes ensemble.
Que mon secret touche le tien,
Que ton silence me ressemble.

***

Moi qui suis l'univers et ne peux en jouir
Puisque tout est en moi dans sa masse importune,
Je te ferai présent des choses une à une
Puisqu'il te suffira de voir pour les cueillir.
Ainsi garderas-tu même ce qui m'échappe,
Ce qui ne m'est plus rien tù pourras le tenir
Et suivre vivement d'un regard qui rattrape
L'hirondelle en son vol ou rentrant à son nid.

***

Je te donne la mort avec une espérance
Ne me demande pas de te la définir,
Je te donne la mort avec la différence
Entre un passé chétif et mieux que l'avenir,
Je te donne la mort pour sa grande clémence
Et tout son contenu qui ne peut pas finir.
Bientôt, petit, bientôt tu seras un mort libre,
Tu te reconnaîtras entier et fibre à fibre
Sans le secours des yeux qui pouvaient bien périr,
Bientôt tu parcourras les plus grandes distances
Dans l'immobilité du corps et le silence,
Laisse-moi faire et je promets de te guérir
De la chair malhabile à porter la souffrance.

(La Fable du monde, Paris, N. R. F., 1938.)

DIEU CRÉE LA FEMME

Pense aux plages, pense à la mer,
Au lisse du ciel, aux nuages,
A tout cela devenant chair
Et dans le meilleur de son âge,
Pense aux tendres bêtes des bois,
Pense à leur peur sur tes épaules,
Aux sources que tu ne peux voir
Et dont le murmure t'isole,
Pense à tes plus profonds soupirs,
Ils deviendront un seul désir,
A ce dont tu chéris l'image,
Tu l'aimeras bien davantage.
Ce qui était beaucoup trop loin
Pour le parfum ou le reproche,
Tu vas voir comme il se rapproche
Se faisant femme jusqu'au lien,
Ce dont rêvaient tes yeux, ta bouche,
Tu vas voir comme tu le touches.
Elle aura des mains comme toi
Et pourtant combien différentes,
Elle aura des yeux comme toi
Et pourtant rien ne leur ressemble.
Elle ne te sera jamais
Complètement familière,
Tu voudras la renouveler
De mille confuses manières.
Voilà, tu peux te retourner
C'est la femme que je te donne
Mais c'est à toi de la nommer,
Elle approche de ta personne.

(La Fable du monde, Paris, N. R. F., 1938.)

LE PREMIER ARBRE

C'était lors de mon premier arbre,
J'avais beau le sentir en moi
Il me surprit par tant de branches,
Il était arbre mille fois.
Moi qui suis tout ce que je forme
Je ne me savais pas feuillu,
Voilà que je donnais de l'ombre
Et j'avais des oiseaux dessus.
Je cachais ma sève divine
Dans ce fût qui montait au ciel
Mais j'étais pris par la racine
Comme à un piège naturel.
C'était lors de mon premier arbre,
L'homme s'assit sous le feuillage
Si tendre d'être si nouveau.
Était-ce un chêne ou bien un orme
C'est loin et je ne sais pas trop
Mais je sais bien qu'il plut à l'homme
Qui s'endormit les yeux en joie
Pour y rêver d'un petit bois.
Alors au sortir de son somme
D'un coup je fis une forêt
De grands arbres nés centenaires
Et trois cents cerfs la parcouraient
Avec leurs biches déjà mères.
Ils croyaient depuis très longtemps
L'habiter et la reconnaître
Les six cors et leurs bramements
Non loin de faons encore à naître.
Ils avaient, à peine jaillis,
Plus qu'il ne fallait d'espérance
Ils étaient lourds de souvenirs
Qui dans les miens prenaient naissance.
D'un coup je fis chênes, sapins,
Beaucoup d'écureuils pour les cimes,
L'enfant qui cherche son chemin
Et le bûcheron qui l'indique,

Je cachai de mon mieux le ciel
Pour ses distances malaisées
Mais je le redonnai pour tel
Dans les oiseaux et la rosée.

(LA FABLE DU MONDE, Paris, N. R. F., 1938.)

TRISTESSE DE DIEU
(DIEU PARLE)

Je vous vois aller et venir sur le tremblement de la
    Terre
Comme aux premiers jours du monde, mais grande
    est la différence,
Mon œuvre n'est plus en moi, je vous l'ai toute don-
    née.
Hommes, mes bien-aimés, je ne puis rien dans vos
    malheurs,
Je n'ai pu que vous donner votre courage et les larmes,
C'est la preuve chaleureuse de l'existence de Dieu.
L'humidité de votre âme c'est ce qui vous reste de
    moi.
Je n'ai rien pu faire d'autre.
Je ne puis rien pour la mère dont va s'éteindre le fils
Sinon vous faire allumer, chandelles de l'espérance.
S'il n'en était pas ainsi, est-ce que vous connaîtriez,
Petits lits mal défendus, la paralysie des enfants.
Je suis coupé de mon œuvre,
Ce qui est fini est lointain et s'éloigne chaque jour.
Quand la source descend du mont comment revenir
    là-dessus ?
Je ne sais pas plus vous parler qu'un potier ne parle
    à son pot,
Des deux il en est un de sourd, l'autre muet devant
    son œuvre
Et je vous vois avancer vers d'aveuglants précipices
Sans pouvoir vous les nommer,
Et je ne peux vous souffler comment il faudrait s'y
    prendre,

Il faut vous en tirer tout seuls comme des orphelins
   dans la neige.
Et je me dis chaque jour au-delà d'un grand silence :
« Encore un qui fait de travers ce qu'il pourrait faire
   comme il faut,
Encore un qui fait un faux pas pour ne pas regarder
   où il doit.
Et cet autre qui se penche beaucoup trop sur son
   balcon,
Oubliant la pesanteur,
Et celui-là qui n'a pas vérifié son moteur,
Adieu avion, adieu homme! »
Je ne puis plus rien pour vous, hélas si je me répète
C'est à force d'en souffrir.
Je suis un souvenir qui descend, vous vivez dans un
   souvenir,
L'espoir qui gravit vos collines, vous vivez dans une
   espérance.
Secoué par les prières et les blasphèmes des hommes,
Je suis partout à la fois et ne peux pas me montrer,
Sans bouger je déambule et je vais de ciel en ciel,
Je suis l'errant en soi-même, et le grouillant solitaire,
Habitué des lointains, je suis très loin de moi-même,
Je m'égare au fond de moi comme un enfant dans
   les bois,
Je m'appelle, je me hale, je me tire vers mon centre.
Homme, si je t'ai créé c'est pour y voir un peu clair
Et pour vivre dans un corps moi qui n'ai mains ni
   visage.
Je veux te remercier de faire avec sérieux
Tout ce qui n'aura qu'un temps sur la Terre bien-
   aimée,
O mon enfant, mon chéri, ô courage de ton Dieu,
Mon fils qui t'en es allé courir le monde à ma place
A l'avant-garde de moi dans ton corps si vulnérable
Avec sa grande misère. Pas un petit coin de peau
Où ne puisse se former la profonde pourriture.
Chacun de vous sait faire un mort sans avoir eu besoin
   d'apprendre,
Un mort parfait qu'on peut tourner et retourner dans
   tous les sens,

Où il n'y a rien à redire.
Dieu vous survit, lui seul survit entouré par un grand
    massacre
D'hommes, de femmes et d'enfants
Même vivants, vous mourez un peu continuellement,
Arrangez - vous avec la vie, avec vos tremblantes
    amours.
Vous avez un cerveau, des doigts pour faire le monde
    à votre goût,
Vous avez des facilités pour faire vivre la raison
Et la folie en votre cage,
Vous avez tous les animaux qui forment la Création,
Vous pouvez courir et nager comme le chien et le
    poisson,
Avancer comme le tigre ou comme l'agneau de huit
    jours,
Vous pouvez vous donner la mort comme le renne,
    le scorpion,
Et moi je reste l'invisible, l'introuvable sur la Terre,
Ayez pitié de votre Dieu qui n'a pas su vous rendre
    heureux,
Petites parcelles de moi, ô palpitantes étincelles,
Je ne vous offre qu'un brasier où vous retrouverez
    du feu.

(LA FABLE DU MONDE, Paris, N. R. F., 1938.)

NOCTURNE EN PLEIN JOUR

Quand dorment les soleils sous nos humbles manteaux
Dans l'univers obscur qui forme notre corps,
Les nerfs qui voient en nous ce que nos yeux ignorent
Nous précèdent au fond de notre chair plus lente,
Ils peuplent nos lointains de leurs herbes luisantes
Arrachant à la chair de tremblantes aurores.

C'est le monde où l'espace est fait de notre sang.
Des oiseaux teints de rouge et toujours renaissants
Ont du mal à voler près du cœur qui les mène
Et ne peuvent s'en éloigner qu'en périssant

Car c'est en nous que sont les plus cruelles plaines
Où l'on périt de soif près de fausses fontaines.

Et nous allons ainsi, parmi les autres hommes,
Les uns parlant parfois à l'oreille des autres.

(LA FABLE DU MONDE, Paris, N. R. F., 1938.)

« BEAU MONSTRE DE LA NUIT,
« PALPITANT DE TÉNÈBRES »

« Beau monstre de la nuit, palpitant de ténèbres,
Vous montrez un museau humide d'outre-ciel,
Vous approchez de moi, vous me tendez la patte
Et vous la retirez comme pris d'un soupçon.
Pourtant je suis l'ami de vos gestes obscurs,
Mes yeux touchent le fond de vos sourdes fourrures.
Ne verrez-vous en moi un frère ténébreux
Dans ce monde où je suis bourgeois de l'autre monde,
Gardant par devers moi ma plus claire chanson.
Allez, je sais aussi les affres du silence
Avec mon cœur hâtif, usé de patience,
Qui frappe sans réponse aux portes de la mort.
— Mais la mort te répond par des intermittences
Quand ton cœur effrayé se cogne à la cloison,
Et tu n'es que d'un monde où l'on craint de mourir. »
Et les yeux dans les yeux, à petits reculons,
Le monstre s'éloigna dans l'ombre téméraire,
Et tout le ciel, comme à l'ordinaire, s'étoila.

(LA FABLE DU MONDE, Paris, N. R. F., 1938.)

NUIT EN MOI, NUIT AU DEHORS

Nuit en moi, nuit au dehors,
Elles risquent leurs étoiles,
Les mêlant sans le savoir.

Et je fais force de rames
Entre ces nuits coutumières,
Puis je m'arrête et regarde.
Comme je me vois de loin!
Je ne suis qu'un frêle point
Qui bat vite et qui respire
Sur l'eau profonde entourante.
La nuit me tâte le corps
Et me dit de bonne prise.
Mais laquelle des deux nuits,
Du dehors ou du dedans?
L'ombre est une et circulante,
Le ciel, le sang ne font qu'un.
Depuis longtemps disparu,
Je discerne mon sillage
A grande peine étoilé.

(LA FABLE DU MONDE, Paris, N. R. F., 1938.)

VISAGES DES ANIMAUX

Visages des animaux
Si bien modelés du dedans à cause de tous les mots
    que vous n'avez pas su dire,
Tant de propositions, tant d'exclamations, de surprise
    bien contenue,
Et tant de secrets gardés et tant d'aveux sans for-
    mule,
Tout cela devenu poil et naseaux bien à leur place,
Et humidité de l'œil,
Visages toujours sans précédent tant ils occupent l'air
    hardiment!
Qui dira les mots non sortis des vaches, des limaçons,
    des serpents,
Et les pronoms relatifs des petits, des grands éléphants.
Mais avez-vous besoin des mots, visages non bour-
    donnants,
Et n'est-ce pas le silence qui vous donne votre sereine
    profondeur,

Et ces espaces intérieurs qui font qu'il y a des vaches
  sacrées et des tigres sacrés.
Oh! je sais que vous aboyez, vous beuglez et vous
  mugissez
Mais vous gardez pour vous vos nuances et la source
  de votre espérance
Sans laquelle vous ne sauriez faire un seul pas, ni
  respirer.
Oreilles des chevaux, mes compagnons, oreilles en
  cornets
Vous que j'allais oublier,
Qui paraissez si bien faites pour recevoir nos confi-
  dences
Et les mener en lieu sûr,
Par votre chaud entonnoir qui bouge à droite et à
  gauche...
Pourquoi ne peut-on dire des vers à l'oreille de son
  cheval
Sans voir s'ouvrir devant soi les portes de l'hôpital.
Chevaux, quand ferez-vous un clin d'œil de conni-
  vence
Ou un geste de la patte.
Mais quelle gêne, quelle envie de courir à toutes
  jambes cela produirait dans le monde
On ne serait plus jamais seul dans la campagne ni
  en forêt
Et dès qu'on sortirait de sa chambre
Il faudrait se cacher la tête sous une étoffe foncée.

          (LA FABLE DU MONDE, Paris, N. R. F., 1938.)

          JE VOUDRAIS DIRE AVEC VOUS,
          HUMBLES PATTES D'ANTILOPES

Je voudrais dire avec vous, humbles pattes d'antilopes,
Ce que je ne puis penser sans vos petites béquilles,
Je voudrais dire avec vous, museau fourré du chat-
  tigre,

Ailes d'oiseaux et vos plumes,
Et nageoires des poissons,
Ce qui sans vous resterait cherchant une expression.
Rien ne me serait de trop,
Ni le bec de l'alouette ni le souffle du taureau,
J'ai besoin de tout le jeu de cartes des animaux,
Il me faut le dix de grive et le quatre de renard,
Et si je devais me taire
Ce serait avec la force de vos silences unis,
Silence à griffes, à mufles,
Silence à petits sabots.

(La Fable du monde, Paris, N. R. F., 1938.)

LA PLUIE ET LES TYRANS

Je vois tomber la pluie
Dont les flaques font luire
Notre grave planète,
La pluie qui tombe nette
Comme du temps d'Homère
Et du temps de Villon
Sur l'enfant et sa mère
Et le dos des moutons,
La pluie qui se répète
Mais ne peut attendrir
La dureté de tête
Ni le cœur des tyrans
Ni les favoriser
D'un juste étonnement,
Une petite pluie
Qui tombe sur l'Europe
Mettant tous les vivants
Dans la même enveloppe
Malgré l'infanterie

Qui charge ses fusils
Et malgré les journaux
Qui nous font des signaux,
Une petite pluie
Qui mouille les drapeaux.

(LA FABLE DU MONDE, Paris, N. R. F., 1938.)

PARIS

O Paris, ville ouverte
Ainsi qu'une blessure,
Que n'es-tu devenue
De la campagne verte.

Te voilà regardée
Par des yeux ennemis,
De nouvelles oreilles
Écoutent nos vieux bruits.

La Seine est surveillée
Comme du haut d'un puits
Et ses eaux jour et nuit
Coulent emprisonnées.

Tous les siècles français
Si bien pris dans la pierre
Vont-ils pas nous quitter
Dans leur grande colère?

L'ombre est lourde de têtes
D'un pays étranger.
Voulant rester secrète
Au milieu du danger

S'éteint quelque merveille
Qui préfère mourir
Pour ne pas nous trahir
En demeurant pareille.

(1939-1945, Paris, Gallimard, 1946.)

LA NUIT...

La nuit, quand je voudrais changer dans un sommeil
Qui ne veut pas de moi, me laissant tout pareil,
Avec mon grand corps las et sans voix pour se plaindre,
Ma cervelle allumée, et je ne puis l'éteindre,
Le mort que je serai bouge en moi sans façons
Et me dit : « Je commence à trouver le temps long,
Qu'est-ce qui peut encor te retenir sur terre,
Après notre défaite et la France en misère. »
Ne voulant pas répondre à qui partout me suit
Et cherchant plus avant un monde où disparaître,
J'étouffe enfin en moi le plus triste de l'être
Et me sens devenir l'humble fils de la nuit.

                    (1939-1945, Paris, Gallimard, 1946.)

LE DOUBLE

Mon double se présente et me regarde faire,
Il se dit : « Le voilà qui se met à rêver,
Il se croit seul alors que je puis l'observer
Quand il baisse les yeux pour creuser sa misère.
Au plus noir de la nuit il ne peut rien cacher
De ce qui fait sa nuit avec ma solitude.
Même au fond du sommeil je monte le chercher,
A pas de loup, craignant de lui paraître rude
Et je l'éclaire avec mon électricité
Délicate, qui ne saurait l'effaroucher,
Je m'approche de lui et le mets à l'étude,
  Voyant venir à moi ce que son cœur élude. »

                    (1939-1945, Paris, Gallimard, 1946.)

L'ENFANT ASSASSINÉ

C'est un sanglot d'enfant mais venu de si loin
Que l'on ne saurait plus que l'appeler silence.
Et pourtant, je suis là qui toujours le repense,
Ne pouvant l'empêcher de hanter mon chemin
Où, dans son naturel, le pleur se recommence.
Mais est-ce bien un pleur, c'est un proche visage
Avec le vieux sanglot cherchant une alliance,
Et plus perdu en moi qu'au tréfonds des forêts,
Visage douloureux, tu gardes ton secret,
Y renonçant soudain pour le livrer aux larmes.
Je te fais place en moi, obscur événement,
Et j'ai l'impression que tout le reste ment,
Je remonte le temps pour t'être plus semblable,
Petit visage errant d'enfant inconsolable.

              (1939-1945, Paris, Gallimard, 1946.)

LOURDE

A A. Ruano Fournier.

Comme la Terre est lourde à porter! L'on dirait
Que chaque homme a son poids sur le dos.
Les morts, comme fardeau,
N'ont que deux doigts de terre,
Les vivants, eux, la sphère.
Atlas, ô commune misère,
Atlas, nous sommes tes enfants,
Nous sommes innombrables,
Toute seule est la Terre
Et pourtant et pourtant
Il faut bien que chacun la porte sur le dos,
Et même quand il dort, encore ce fardeau
Qui le fait soupirer au fond de son sommeil.
Sous une charge sans pareille!
Plus lourde que jamais, la Terre en temps de guerre,
Elle saigne en Europe et dans le Pacifique,

Nous l'entendons gémir sur nos épaules lasses
Poussant d'horribles cris
Qui dévorent l'espace.
Mais il faut la porter toujours un peu plus loin
Pour la faire passer d'aujourd'hui à demain.

(1939-1945, Paris, Gallimard, 1946.)

HOMMAGE A LA VIE

C'est beau d'avoir élu
Domicile vivant
Et de loger le temps
Dans un cœur continu,
Et d'avoir vu ses mains
Se poser sur le monde
Comme sur une pomme
Dans un petit jardin,
D'avoir aimé la terre,
La lune et le soleil,
Comme des familiers
Qui n'ont que leurs pareils,
Et d'avoir confié
Le monde à sa mémoire
Comme un clair cavalier
A sa monture noire,
D'avoir donné visage
A ces mots : femme, enfants,
Et servi de rivage
A d'errants continents,
Et d'avoir atteint l'âme
Pour ne l'effaroucher
D'une brusque approchée.
C'est beau d'avoir connu
L'ombre sous le feuillage
Et d'avoir senti l'âge
Ramper sur le corps nu,
Accompagné la peine
Du sang noir dans nos veines

Et doré son silence
De l'étoile Patience,
Et d'avoir tous ces mots
Qui bougent dans la tête,
De choisir les moins beaux
Pour leur faire un peu fête,
D'avoir senti la vie
Hâtive et mal aimée,
De l'avoir enfermée
Dans cette poésie.

(1939-1945, Paris, Gallimard, 1946.)

ARBRES DANS LA NUIT ET LE JOUR

Candélabres de la noirceur,
Hauts-commissaires des ténèbres,
Malgré votre grandeur funèbre
Arbres, mes frères et mes sœurs,
Nous sommes de même famille,
L'étrangeté se pousse en nous
Jusqu'aux veinules, aux ramilles,
Et nous comble de bout en bout.

A vous la sève, à moi le sang,
A vous la force, à moi l'accent
Mais nuit et jour nous ressemblant,
Régis par le suc du mystère,
Offerts à la mort, au tonnerre,
Vivant grand et petitement,
L'infini qui nous désaltère
Nous fait un même firmament.

Nos racines sont souterraines,
Notre front dans le ciel se perd
Mais, tronc de bois ou cœur de chair,
Nous n'avançons que dans nous-mêmes.
L'angoisse nourrit notre histoire
Et c'est un même bûcheron
Qui, nous couchant de notre long,
Viendra nous couper la mémoire.

Enfants de la chance et du vent,
Vous n'avez de père ni mère,
Vous êtes fils d'une grand-mère
La Terre, son vieil ornement,
Vous qui devenez innombrables
Dans vos branches comme à vos pieds
Et pouvez attraper du ciel
Aussi bien que fixer les sables.

Princes de l'immobilité,
Les oiseaux vous font confiance,
Vous savez garder le secret
D'un nid jusqu'à la délivrance.
A l'abri de vos cœurs touffus,
Vous façonnez toujours des ailes,
Et les projetez jusqu'aux nues
De votre arc secret mais fidèle.

Vous n'aurez pas connu l'amour,
O grandioses solitaires,
Toujours prisonniers de la Terre,
O Narcisses ligneux et sourds,
Ne regrettez pas l'aventure,
Heureux ceux que fixe le sort,
Ils en attendent mieux la mort,
Un voyageur vous en assure.

(1939-1945, Paris, Gallimard, 1946.)

PINS

O pins devant la mer,
Pourquoi donc insister
Par votre fixité
A demander réponse ?
J'ignore les questions
De votre haut mutisme.
L'homme n'entend que lui,
Il en meurt comme vous.

Et nous n'eûmes jamais
Quelque tendre silence
Pour mélanger nos sables,
Vos branches et mes songes.
Mais je me laisse aller
A vous parler en vers,
Je suis plus fou que vous,
O camarades sourds,
O pins devant la mer,
O poseurs de questions
Confuses et touffues,
Je me mêle à votre ombre
Humble zone d'entente,
Où se joignent nos âmes
Où je vais m'enfonçant,
Comme l'onde dans l'onde.

(1939-1945, Paris, Gallimard, 1946.)

CE PEU...

Ce peu d'océan, arrivant de loin,
Mais c'est moi, c'est moi qui suis de ce monde,
Ce navire errant, rempli de marins,
Mais c'est moi, glissant sur la mappemonde,
Ce bleu oublié, cette ardeur connue,
Et ce chuchotis au bord de la nue,
Mais c'est moi, c'est moi qui commence ici,
Ce cœur de silence étouffant ses cris,
Ces ailes d'oiseaux près d'oiseaux sans ailes
Volant, malgré tout, comme à tire d'ailes,
Mais c'est moi, c'est moi dans l'humain souci.
Courage partout, il faut vivre encore
Sous un ciel qui n'a plus mémoire de l'aurore!

(1939-1945, Paris, Gallimard, 1946.)

TU DISPARAIS

Tu disparais, déjà te voilà plein de brume
Et l'on rame vers toi comme au travers du soir,
Tu restes seul parmi les ans qui te consument
Dans tes bras la minceur de tes derniers espoirs.

Où tu poses le pied viennent des feuilles mortes
Au souffle faiblissant d'anciennes amours,
La lune qui te suit prend tes dernières forces
Et te bleuit sans fin pour ton ultime jour.

Pourtant l'on voit percer sous ta candeur chagrine
Tout ce peu qui te reste et fait battre ton cœur
Et parfois un sursaut te hausse et t'illumine
Qui suscite en ta nuit des hiboux de splendeurs.

(1939-1945, Paris, Gallimard, 1946.)

LA DORMEUSE

Puisque visages clos
Ont leur dialectique
Leurs mots et leurs répliques
Sous l'apparent repos,
Et que vous êtes deux
Avec même visage
Suivant le bel usage
Que vous faites des yeux,
Quand ceux-ci, endormis,
Quitteront le pays
Des tombantes paupières
Et lorsqu'ils s'ouvriront,
Clairs dans notre atmosphère,
Aux nuages, aux pierres,
Lianes et buissons,
Qui donc aura raison

De vous, paupières basses,
Ou de vous, l'œil ouvert,
De vous, dans notre espace,
Ou de vous, à couvert?

(1939-1945, Paris, Gallimard, 1946.)

PALE SOLEIL D'OUBLI,
LUNE DE LA MÉMOIRE...

Pâle soleil d'oubli, lune de la mémoire,
Que draines-tu au fond de tes sourdes contrées?
Est-ce donc là ce peu que tu donnes à boire
Ces gouttes d'eau, le vin que je te confiai?

Que vas-tu faire encore de ce beau jour d'été
Toi qui me changes tout quand tu ne l'as gâté?
Soit, ne me les rends point tels que je te les donne
Cet air si précieux, ni ces chères personnes.

Que modèlent mes jours ta lumière et tes mains,
Refais par-dessus moi les voies du lendemain,
Et mène-moi le cœur dans les champs de vertige
Où l'herbe n'est plus l'herbe et doute sur sa tige.

Mais de quoi me plaignais-je, ô légère mémoire...
Qui avait soif? Quelqu'un ne voulait-il pas boire?

*
* *

Regarde, sous mes yeux tout change de couleur
Et le plaisir se brise en morceaux de douleur,
Je n'ose plus ouvrir mes secrètes armoires
Que vient bouleverser ma confuse mémoire.

Je lui donne une branche elle en fait un oiseau,
Je lui donne un visage elle en fait un museau,
Et si c'est un museau elle en fait une abeille,
Je te voulais sur terre, en l'air tu t'émerveilles!

Je te sors de ton lit, te voilà déjà loin,
Je te cache en un coin et tu pousses la porte,
Je te serrais en moi, tu n'es plus qu'une morte,
Je te voulais silence et tu chantes sans fin.

Qu'as-tu fait de la tour qu'un jour je te donnai
Et qu'a fait de l'amour ton cœur désordonné?

*
**

Mais avec tant d'oubli comment faire une rose,
Avec tant de départs comment faire un retour,
Mille oiseaux qui s'enfuient n'en font un qui se pose
Et tant d'obscurité simule mal le jour.

Écoutez, rapprochez-moi cette pauvre joue,
Sans crainte libérez l'aile de votre cœur
Et que dans l'ombre enfin notre mémoire joue,
Nous redonnant le monde aux actives couleurs.

Le chêne redevient arbre et les ombres, plaine,
Et voici donc ce lac sous nos yeux agrandis?
Que jusqu'à l'horizon la terre se souvienne
Et renaisse pour ceux qui s'en croyaient bannis!

Mémoire, sœur obscure et que je vois de face
Autant que le permet une image qui passe...

*
**

J'aurai rêvé ma vie à l'instar des rivières
Vivant en même temps la source et l'océan
Sans pouvoir me fixer même un mince moment
Entre le mont, la plaine et les plages dernières.

Suis-je ici, suis-je là? Mes rives coutumières
Changent de part et d'autre et me laissent errant.
Suis-je l'eau qui s'en va, le nageur descendant
Plein de trouble pour tout ce qu'il laissa derrière?

Ou serais-je plutôt sans même le savoir
Celui qui dans la nuit n'a plus que la ressource
De chercher l'océan du côté de la source
Puisqu'est derrière lui le meilleur de l'espoir ?

(OUBLIEUSE MÉMOIRE, Paris, Gallimard, 1949.)

MADAME

O dame de la profondeur,
Que faites-vous à la surface,
Attentive à ce qui se passe,
Regardant la montre à mon heure ?

Madame, que puis-je pour vous,
Vous qui êtes là si tacite,
Ne serez-vous plus explicite,
Vous qui me voulez à genoux ?

Ce regard solitaire et tendre
Aimerait à se faire entendre ?
Et c'est à lui que je me dois
Puisque vous n'avez pas de voix ?

Grande dame des profondeurs,
O voisine de l'autre monde,
Me voulez-vous en eaux profondes
Aux régions de votre cœur ?

Pourquoi me regarder avec des yeux d'otage,
Jeunesse d'au-delà les âges ?
Votre fixité signifie
Qu'il faut à vous que je me fie ?

Pour quelle obscure délivrance
Me demandez-vous alliance ?

O vous toujours prête à finir,
Vous voudriez me retenir
Sur ce bord même de l'abîme
Dont vous êtes l'étrange cime.

Dame qui me voulez fidèle à votre image
Voilà que maintenant vous changez de visage?
Comment vous suivre en vos détours,
Je suis simple comme le jour.

Comment pourrais-je me fier
A ce que vous sacrifiez,
Ou pensez-vous ainsi me dire
Que changer n'est pas se trahir
Que vous vous refusez au gel
Définitif de l'éternel?

Devez-vous donc, quoi qu'il arrive,
Demeurer secrète et furtive?
Écoutez, mon obscure reine,
Il est tard pour croire aux sirènes.

O vous dont la douceur étonne
Venez-vous de jours sans personne?

Est-ce la cendre de demain
Que vous serrez dans votre main?
Fille d'un tout proche avenir,
Venez-vous m'aider à finir

Avec ce délicat sourire
Qui veut tout dire sans le dire?

O dame de mes eaux profondes
Serais-je donc si près des ombres?
Ou venez-vous m'aider à vivre
De tout votre frêle équilibre?

Que faire d'un si beau fantôme
Dans mes misérables bras d'homme?

Oh si profonde contre moi
Vous mettez toute une buée
Fragile, bien distribuée
Dessus mon plus secret miroir.

Déjà méconnaissable à tous vos changements
Pourquoi vous voilez-vous le visage à présent?
Est-ce pour retrouver enfin votre figure
Véritable, après tant de touchante imposture?

(OUBLIEUSE MÉMOIRE, Paris, Gallimard, 1949.)

LE COQ

O chant qui viens du fond de la géologie
De quels soubassements es-tu la nostalgie?
Tu gravis cent mille ans sans sortir du jardin
Et puis tu les descends, les siècles assassins,
En moins de temps qu'il faut pour le dire à voix basse
Entre hommes chuchotant dans un petit espace.
Et tu mets de la plume, une crête et ton bec
Où rien ne se montrait que de l'angoisse à sec.
Tu déchires le ciel et, suant la pierraille,
De tes schistes aigus tu coupes et tu tailles.
O coq de cette nuit absolument semblable
A celui qui leva le rideau de la fable
De sa voix grande ouverte et, tout en se cherchant,
Rouge comme sa crête élaborait son chant.
Ébréché par les nuits rugueuses de l'histoire,
Tu me trouves l'oreille à travers la nuit noire.
Je livre ma croyance à ton chant de toujours,
De vieux événements abdiquent leurs contours,
Et, surgi des gravats de temples en ruines,
Tu deviens tout un coq des campagnes latines,
Et voilà qu'y répond un frère antérieur
Qui du fond de l'Hellade y va de tout son cœur.
Relevant le défi un coq de Charlemagne,
A son tour, envahit l'entourante campagne.
Une autre voix reprend le chant et le poursuit
Et délègue l'honneur au coq de Charles Huit.
Aussitôt celui-ci chante le mot de passe
Et ces gosiers en feu font tituber l'espace.
Plus présentes toujours, et toujours tout de go,
Cent torches dans la nuit brûlent sur leurs ergots,

Arrachées aux pudeurs de l'histoire endormie
Sur son lit d'asphodèle et de pâles orties.

(OUBLIEUSE MÉMOIRE, Paris, Gallimard, 1949.)

LA MER

C'est tout ce que nous aurions voulu faire et n'avons
pas fait,
Ce qui a voulu prendre la parole et n'a pas trouvé
les mots qu'il fallait,
Tout ce qui nous a quittés sans rien nous dire de
son secret,
Ce que nous pouvons toucher et même creuser par
le fer sans jamais l'atteindre,
Ce qui est devenu vagues et encore vagues parce
qu'il se cherche sans se trouver,
Ce qui est devenu écume pour ne pas mourir tout
à fait,
Ce qui est devenu sillage de quelques secondes par
goût fondamental de l'éternel,
Ce qui avance dans les profondeurs et ne montera
jamais à la surface,
Ce qui avance à la surface et redoute les profondeurs,
Tout cela et bien plus encore,
La mer.

(OUBLIEUSE MÉMOIRE, Paris, Gallimard, 1949.)

CETTE MER QUI A TANT DE CHOSES À DIRE ET LES MÉPRISE...

Cette mer qui a tant de choses à dire et les méprise,
Elle se veut toujours informulée,
Ou simplement murmurante,
Comme un homme qui bourdonne tout seul derrière
ses dents serrées,

Cette mer dont la surface est offerte au navire qui
la parcourt,
  Elle refuse ses profondeurs!
  Est-ce pour contempler en secret sa nudité verticale
  Qu'elle présente l'autre, à la lumière du ciel ?
  Et le ciel, au-dessus, offre sa grande coupe renversée
  Pour faire comprendre à la mer qu'elle n'est pas
faite pour la remplir,
  Coupe et liquide demeurant ainsi face à face,
  Collés l'un sur l'autre depuis les origines du monde,
  Dans une vigilance sans fin qui ne tourne pas à
leur confusion.
  Et cependant,
  Il est des yeux par paires qui regardent à bord du
navire,
  Mais ils ne voient guère mieux que des yeux
d'aveugle qui vont aussi par paires.

        (Oublieuse Mémoire, Paris, Gallimard, 1949.)

DEVANT LA MER SOUS MES YEUX
JE NE PARVIENS A RIEN SAISIR...

Devant la mer sous mes yeux je ne parviens à rien saisir,
Je suis devant un beau jour et ne sais plus m'en servir.
Trop d'océan, trop de ciel
En long, en large, en travers,
Je deviens un peu d'écume qui s'éteint et qui s'allume
Et change de position sur la couche de la mer.
Je ne sais plus où je suis, je ne sais plus où j'en suis.
Nous disions donc que ce jour,
Ce jour ne laissera pas de traces dans ma mémoire.

        (Oublieuse Mémoire, Paris, Gallimard, 1949.)

CE PUR ENFANT

Ce pur enfant, rose de chasteté,
Qu'a-t-il à voir avec la volupté ?
Et fallait-il qu'en luxe d'innocence
Allât finir la fureur de nos sens ?

Dorénavant en cette neuve chair
Se débattra notre amoureux mystère ?
Après nous avoir pris le cœur d'assaut
L'amour se change en l'hôte d'un berceau,

En petits poings fermés, en courtes cuisses,
En ventre rond sans aucune malice
Et nous restons tous deux à regarder
Notre secret si mal, si bien gardé.

> (NAISSANCES, Paris, Gallimard, 1951.)

SORT-IL DE MOI CE CHIEN
AVEC SA LANGUE ALTIÈRE...

Sort-il de moi ce chien avec sa langue altière
Effaré comme s'il improvisait la Terre,
Est-ce encore un peu moi qui se couche à mes pieds
Et regarde parfois si je suis satisfait
          De lui et de moi-même
          Et de tout ce que j'aime ?

Je l'entends respirer, heureux et respectable,
Ce moi plus malchanceux coupé de ses vocables.
Il cherche une sortie à tant de sentiments
Et de confusion qu'il en est haletant.
          Ne lui disons plus rien
          Laissons-le être chien.

> (NAISSANCES, Paris, Gallimard, 1951.)

LA ROSE OU VOUS DEVIEZ
EN VENIR AUJOURD'HUI

La rose où vous deviez en venir aujourd'hui
Après avoir erré dans des zones confuses
Elle ne sait plus rien de vos anciennes ruses,
Naïve, la voilà comme une fleur qui luit,
Sans honte de montrer ses épines fidèles
Dont elle ne rougit pas plus que son modèle.
Soyez rose, si Dieu nous regarde à regret
C'est que nous violons ses lois et son secret
Et qu'ayant décelé votre métamorphose
On voit s'interroger sur pied toutes les roses.
Sachez, roses, que vos destins sont accomplis.
Ne cache pas qui veut une femme en ses plis.

(NAISSANCES, Paris, Gallimard, 1951.)

LE GALOP SOUTERRAIN

Charles Martel où allons-nous
Ainsi dans ce monde sans hommes,
Entourés par des rois de France
Avec leur plus belle couronne ?
— Et toi, Prince-des-Noirs-Tableaux
Ne sais-tu pas où nous allons ?
Demande au voisin Charles VI
Ou à l'autre, le Téméraire,
Moi je ne puis te renseigner,
Depuis le temps que nos chevaux
Qui n'ont plus besoin de litière
Ni de souffler sur notre route,
Nous entraînent sous cette terre,
Comment veux-tu que je comprenne
Le but de ce cruel voyage
Avec la terre dans la bouche
Avec partout sur notre corps

Des éclaboussures de boue.
— Charles Martel est-ce bien toi
Cette figure qui galope?
Es-tu derrière ou devant moi
A ma droite ou bien à ma gauche?
J'entends ton épée et ton heaume,
Dis que tu reconnais ma voix.
(Ici il y eut un silence.)
Charles Martel qu'as-tu donc fait
De ton martel et de ta langue
Puisque tu ne sais plus répondre
A mes demandes raisonnables?
Dis un mot à ton vieil ami
Ah! je ne peux même plus suivre
Ni ton cheval ni ton silence
Ni même en moi ton souvenir.
— C'est ce qu'il faut, le bon chemin
C'est d'avancer toujours plus vite
Sur la crinière du destin
Et sans jamais demander rien
De ce que sera notre gîte.
Il semble bien que notre troupe
S'accroisse d'autres cavaliers,
Qu'ils suivent, toujours plus nombreux,
Comme de sombres alliés.
— Dis donc n'as-tu pas remarqué
Qu'ils font un drôle de silence
Et qu'on n'entend pas davantage
Leur galopade que la nôtre?
— Il s'agit bien de remarquer,
L'essentiel est d'être nombreux
Pour moins sentir notre terreur
De la mortelle chevauchée.
— Nous approchons, ça sent la viande
Que l'on grille pour le retour
Ça sent le poulet sur la broche.
— Hé non! ça ne sent rien du tout.
— Je te dis que ça sent la femme
Qui va se mettre dans mon lit.
— Je te dis que nous chevauchons
Et qu'il n'est plus question de femmes.

Nous galopons dans un trou noir
Qui nous surveille aux entournures
Sans permettre le moindre écart.
— Ça sent le faisan qu'on rôtit
Ça sent la pomme que l'on cuit.
— Mon pauvre ami, laisse-moi rire
Toi qui n'as même plus de nez !
Ce qui t'en reste déraisonne
D'être ainsi rogné jusqu'à l'os.
— Regarde-moi de tes deux yeux
Afin que je sache où j'en suis.
— Ne me parle pas de nos yeux
Ni de nos cœurs dans nos poitrines,
Ce sont des souvenirs sans chair
Ils agrandissent ce désert.
— Alors que veux-tu que je dise
Si tous les mots sont interdits
Ou s'ils ne s'offrent à l'esprit
Que terrassés par leurs contraires ?
— Il nous reste encor *galoper*
Tirons-en le meilleur parti.

1938.

(NAISSANCES, Paris, Gallimard, 1951.)

L'ESCALIER

Pêle-mêle et remplis de zèle
Mais à l'impossible tenus,
Habillés ou à moitié nus,
A la bousculade fidèles,
A pied, à cheval, en voiture,
A bicyclette ou sur nos reins
Accrochés de progéniture
Ou seuls comme un pays lointain,
Par d'invisibles liens liés
Nous descendons un escalier
Pendant que d'autres le remontent
Mais pour le redescendre après
Sans désespoir comme sans honte.

Et des escaliers adjacents
Viennent le grossir d'affluents.
Les uns ont froid les autres chaud
Les uns sont maigres d'autres gros
On pleure, on rit on a la fièvre,
Et certains confondent leurs lèvres.
Les uns vous montrent leurs blessures
Et d'autres, leurs médicaments,
Certains, qu'ils n'ont pas de chaussure
Ou qu'ils ont les pieds élégants.
Alors cette fillette aussi?
Et cet enfant dans son berceau,
Ce garçon qui n'a pas l'air sot
Et sa mère dans ses soucis
Donnant quelques conseils de trop,
En attendant qu'on remercie.
A quel étage en sommes-nous
Est-il encore des étages
Dans l'escalier toujours obscur
Confondant l'ancien, le futur
Et poursuivant même sous terre
Une descente délétère.
Qu'il ferait bon sur un balcon
Un petit moment s'arrêter
Ou sur quelque petit palier!
Et même tombant de sommeil
Il nous faut hiver comme été
Le descendre et le remonter
Cet impénitent escalier,
Lui qui nous fait lever la jambe
Comme à de pauvres innocents.
Parfois l'un tombe et roule en bas
Frappé par balle ou maladie.
La bousculade poursuivie
Fait qu'on ne le voit même pas.
L'un est dans son lit d'hôpital
Et l'autre dans son lit de noces,
Celui-ci veille à son négoce
Et celui-là sur son haut mal,
L'un perd ses tripes, l'autre bâille,
Chacun est là vaille que vaille

Livrant son unique bataille,
Un autre tombe et se rattrape,
Mon pauvre ami, il était temps.
Toujours allant, le jour la nuit,
Mais pour en être au même point.
De loin parfois l'on se sourit
Ou bien on se montre les poings.
Et l'escalier tout-acceptant
Ainsi qu'un homme délirant
Sans qu'il ait à baisser l'échine,
S'ouvre aux murailles de la Chine
Comme aux vagues de l'océan
Disparaissant, reparaissant,
Sous un nouveau ruissellement,
Il s'élargit, il s'amincit
Suivant les besoins du moment.
Depuis que gronde en nous le monde
Que nous en demandons raison
Dans un constant étonnement.

(NAISSANCES, Paris, Gallimard, 1951.)

MON DIEU

O chef-d'œuvre de l'obscur,
Tu ne veux pas qu'on soit sûr.
Tu n'es pas Dieu de surface,
Sous mille plis tu t'effaces
Resserré comme un bouton
De rose en sa cécité.
Ton parfum tu le refuses
Dans l'impassibilité
Et mon cœur est là qui s'use
A ne parler qu'à côté.
Est-ce ainsi qu'on accompagne
Qui demande un compagnon?
Serais-tu Dieu de montagne
Endurci dans ses glaçons?

Pourquoi me laisser debout
Dans ce grand corps qui me pèse,
C'est pour que l'on s'agenouille
Que tu n'offres pas de chaise?
Dieu tant de fois difficile
Et tant de fois étouffé
Attirant, triste et hostile,
Et pourtant pas tout à fait,
Seul Dieu que j'ai mérité.

(NAISSANCES, Paris, Gallimard, 1951.)

VIVRE ENCORE

Ce qu'il faut de nuit
Au-dessus des arbres,
Ce qu'il faut de fruits
Aux tables de marbre,
Ce qu'il faut d'obscur
Pour que le sang batte,
Ce qu'il faut de pur
Au cœur écarlate,
Ce qu'il faut de jour
Sur la page blanche,
Ce qu'il faut d'amour
Au fond du silence.
Et l'âme sans gloire
Qui demande à boire.
Le fil de nos jours
Chaque jour plus mince,
Et le cœur plus sourd
Les ans qui le pincent
Nul n'entend que nous
La poulie qui grince,
Le seau est si lourd.

(NAISSANCES, Paris, Gallimard, 1951.)

DIEU DERRIÈRE LA MONTAGNE

Derrière le mont un sourire
Et un visage conspirent
Et malgré eux se renversent
Dans des ténèbres adverses
Où même un sage soupir
Ne sait plus comment finir.
Et sur ce versant du mont
Le cœur qui toucha le fond,
Entraînant les yeux, les lèvres,
Escalade les ténèbres
Qui se font et se défont
Au gré de la grande fièvre
Divine qui tourne en rond.

Qui suis-je dans l'ombre égoïste
Pour traiter d'égal à égal
Ce Dieu qui soudain me résiste
Ou c'est moi qui lui fais du mal ?
Mais peut-on avoir l'âme à nu
Si longtemps sans perdre la tête
Sous le soleil qui n'a d'issue
Que la personnelle tempête
Et cette face d'insomnie
Qui me regarde dans ma cage
Pour voir comment souffre un visage
Qui doute grand comme l'Asie !

(LE CORPS TRAGIQUE, Gallimard, 1959.)

L'ARBRE-FÉE

Hommage familier à Paul Claudel.

O mon Claudel, tu n'es plus à personne,
Toi qui t'en vas tout seul devant la mort.
Cet arbre-fée tout d'un coup il se nomme,
Mais c'est bien toi, mais c'est l'arbre d'Orphée !

O mon Claudel, ce tendre possessif
Te trouvera peut-être un peu rétif.
Tu t'es toujours pensé plus que les autres,
Ce n'est pas bien, coureur de patenôtres.

Dieu est chez lui chez tous les vrais poètes,
Dans le maquis de leur cœur, de leur tête,
Pour mieux pouvoir par nos yeux épier
Le monde entier duvetant à ses pieds.

Et qui est sûr, au bout de trois mille ans,
D'être couché parmi ses sentiments?
Et qui connaît la longueur de ses ailes?
C'est ce que dit Modeste Supervielle,

Sans être sûr, pour sûr, d'avoir raison,
Mais qui est sûr même d'une chanson?
Je t'aime trop pour quelque chant funèbre
Qui n'aurait pu que me gercer les lèvres,

Sans rien laisser passer de mon tréfonds,
Qu'un peu de fièvre aspirant au pardon.
Pour être à ton niveau, j'eus le grand tort
De te parler comme si j'étais mort.

(LE CORPS TRAGIQUE, Gallimard, 1959.)

A SAINT-JOHN PERSE

Poète qui mettez les îles à la voile
Dans leur cercle d'écume et de ruissellement
Et ce qu'il faut de ciel pour porter les étoiles
Qui guident votre flotte ouverte à votre chant,

Vous enchaînez les mots, c'est pour les délivrer
Du côté du cristal, ami de l'altitude,
A même le ciel bleu vous nous les enivrez
Et les douez d'un sens que sur terre ils éludent.

Tout proches sont vos fruits luisant d'inaccessible,
Dorés par les soleils qui chantent sous la mer,
Où rien ne se montrait, voici grandir vos cibles.
Vibrez, étincelez, flèches de l'univers!

De l'abîme éternel on voit sortir les âges
Comblant à pas de loup l'ancienneté des cœurs
Et sur ces hauts plateaux dont vous êtes le sage
Sourdre le temps secret des grandes profondeurs.

Vos chants vivent en nous mais que deviennent-ils
Vos amis vous cherchant à l'entour de vos livres
Vous qui savez si bien les mots qui rendent libre
Nous condamnerez-vous encore à votre exil?

Vous qui pouvez toujours par grâce musicienne
Apparaître aux tournants de la Terre, du Ciel,
Ne nous aiderez-vous, nous captifs du réel,
A nous trouver aux bords espérants de la Seine.

(LE CORPS TRAGIQUE, Gallimard, 1959.)

LES RIVIÈRES RIAIENT,
DE VILLAGE EN VILLAGE...

Les rivières riaient, de village en village,
Déplaçant les reflets, mêlant les paysages
Au plus pur de leurs eaux,
Puis les emportaient tous, les jetaient pêle-mêle
Au milieu de la mer
Et les toits des maisons, les bouleaux naufragés
Et quelques baldaquins
Qui n'étaient que mirages
Rassasiaient fort mal le ventre des requins.

(LE CORPS TRAGIQUE, Gallimard, 1959.)

DIVERTISSEMENT POUR LAURENCE

Toujours à quatre mois
Et sans bouger un doigt
Elle savait déjà
Ce qu'est un hexamètre,
Ce que l'on peut y mettre
Sans lui faire de mal,
Quand on est un poète
Et non pas un cheval.
Elle apprenait à lire
Dans les yeux de sa mère
Où tout l'univers vire.
Le temps de respirer
Et c'était l'alphabet,
Le temps de mettre un peigne
C'était déjà Montaigne,
Le temps de soupirer
Et c'était Bossuet,
Elle met un chapeau
Et c'était Edgar Poe
Elle ne le met pas
Et Ronsard s'échappa
Puis elle le remet
Et ce fut Mallarmé,
Elle enfile un chausson
Ce fut François Villon,
Puis ne l'enfile pas
Et ce fut son Papa.
Tout était à l'avance
Inscrit dans ses désirs
C'était sa récompense
De ne pouvoir choisir,
De ne pouvoir finir,
De peupler ses loisirs
Avec toute sa science
De l'aurore à venir.

Sans passer d'examen
Elle disait *amen*,
Sans *honoris causa*
Cette Laurence osa
Donner à son berceau
Un toit de mimosas
Et des reflets ponceau.
Et de se présenter
Aux cinq Académies,
Elle ne faisait pas
Les choses à demi.
Si elle y fut admise
L'histoire ne dit pas,
Mais c'est chose permise
De le penser tout bas
Puisqu'on la vit au seuil
Même de l'Institut,
Assise en un fauteuil
Cramoisi de vertus.
Tout le monde se tut
Seule la belle sut
Dire turlututu.

(LE CORPS TRAGIQUE, Gallimard, 1959.)

MA DERNIÈRE MÉTAMORPHOSE

J'étais fort de mauvaise humeur, je refusais de me raser et même de me laver. Le Soleil et la Lune me paraissaient complètement stupides. J'en voulais à mes meilleurs amis tout autant qu'à Altaïr, à Bételgeuse et à toute la Voie lactée. Je me voulais ingrat, injuste, cherchant noise à mon prochain, à mon lointain. Pour me prouver mon existence, j'aurais foncé, tête basse, sur n'importe quoi.

Pour m'amadouer on me faisait des offres de service. Je refusais avec indignation de devenir tatou ou même tapir. Je me voulais affreux, répugnant. J'avais absolument besoin d'une corne sur le nez, d'une bouche fendue jusqu'aux oreilles, d'une peau coriace

genre crocodile et pourtant je savais que je ne trou-
verais aucun apaisement du côté des sauriens. J'avais
un besoin urgent de boucliers indurés aux jambes et
sur un ventre de mammifère.

Soudain, je me sentis comblé. J'étais devenu un
rhinocéros et trottais dans la brousse, engendrant
autour de moi des cactus, des forêts humides, des
étangs bourbeux où je plongeais avec délices. J'avais
quitté la France sans m'en apercevoir et je traversais
les steppes de l'Asie méridionale d'un pas d'hoplite
qui aurait eu quatre petites pattes. Moi, si vulnérable
d'habitude, je pouvais enfin affronter la lutte pour la
vie avec de grandes chances de succès. Ma métamorphose me paraissait tout à fait réussie jusqu'en ses
profondeurs et tournait au chef-d'œuvre, lorsque j'entendis distinctement deux vers de Mallarmé dans ma
tête dure et cornée.

Décidément, tout était à recommencer.

(LE CORPS TRAGIQUE, Gallimard, 1959.)

LE VULNÉRABLE

Les taureaux de la mort encornent notre rêve
Lui soufflent au visage et le laissent couché
Mais dès qu'ils sont partis peu à peu se relève
Le corps aérien où nous étions cachés.

La mort ne nous peut rien que de fortes secousses
Elle nous reviendra et nous retomberons
Mais de nouveau tant bien que mal nous reprendrons
La route de nos jours où l'espoir tendre pousse.

Assis sur votre seuil pour mieux nous voir passer
O vous tous les Seigneurs des demeures trop sûres
Écartez vos yeux secs de nos chères blessures
Craignez la mort, vivants au cœur déjà glacé.

(IL GIORNALE DI POETI,
Rome, 5 février 1957.)

L'INSOLITE ET LE SOLITE

A partir de quinze ans environ, l'insolite commença à m'effrayer. Vers seize ans, j'avais peur de me regarder dans la glace. C'était l'autre, peut-être l'image de mon double que je voyais. Cette étrangeté tapie au meilleur de moi-même me faisait d'autant plus peur que je ne la consumais pas en menant une vie active et que ma perpétuelle rêverie ne faisait que la prolonger. Oui, j'assistais en quelque sorte à cette étrangeté sans la laisser faire partie, tant je la redoutais, de mon chant intérieur. Je lui fermais la porte de mes poèmes tout en la portant indéfiniment. Mon père avait brûlé son besoin d'aventures en allant chercher fortune en Amérique au prix de mille difficultés. Pour vivre en paix avec moi-même, j'essayai de me trouver un conformisme. Je le trouvai dans le sourire de l'humour triste qui est bien autre chose que de la raillerie. C'est même le contraire. C'est le sourire de l'acceptation, celui des saints et des vierges du moyen âge dans nos cathédrales, celui des taoïstes et de Bouddha, un sourire si humain qu'il vous empêche de fondre en larmes.

Il m'arrive de me dire que l'homme de génie, quel qu'il soit, scientifique, littéraire ou même peut-être militaire, est celui qui devrait être fou et ne l'est pas, mais au prix de quelles invisibles souffrances!

(INÉDIT, février 1959).

Phrases

POÉTIQUE.

Avec un peu de feuillage et de tronc
Tu dis si bien ce que je ne sais dire
Qu'à tout jamais je cesserais d'écrire
S'il me restait tant soit peu de raison.

(« A un arbre », *1939-1945*.)

En ne me dévorant pas tout cru, ma rêverie m'a prouvé que si j'étais une bonne pâture pour la poésie, j'étais tout de même trop coriace pour le cabanon.

(Chercher sa pensée (II),
Nouvelle Revue Française, avril 1959, p. 598.)

Au reste, n'ai-je pas souvent éprouvé, que ce n'est jamais sur les lieux mêmes et au moment même où je commence à la ressentir, que je vais au fond de l'émotion, mais, grâce à un lent cheminement qui ne fait aujourd'hui que commencer?

(Boire à la Source, 1933, p. 48.)

Parfois ce qu'on nomme l'inspiration vient de ce que le poète bénéficie d'une opiniâtreté inconsciente et *ancienne* qui finit un jour par porter ses fruits.

(En songeant à un art poétique, p. 63.)

Tendre à ce que le surnaturel devienne naturel [...] faire en sorte que l'ineffable nous devienne familier tout en gardant ses racines fabuleuses.

(Ibid., p. 60.)

Je n'aime l'étrange que s'il est acclimaté, amené à la température humaine.

(*Ibid.*, p. 61.)

Je n'aime en poésie (dans la mienne, du moins) les richesses trop apparentes. Je les préfère sourdes et un peu confuses dans leur éclat, quand elles en ont.

(*Ibid.*, p. 65.)

Le grand problème poétique actuel est celui de l'accessibilité du poème... Oui, si vous voulez, celui qu'on soulève lorsqu'on parle de retour à une poésie populaire. Je conviens qu'il est difficile à résoudre. Pourquoi cependant ne le serait-il pas [résolu], puisque tant de poètes le résolurent sans même s'en douter pendant des siècles, exactement jusqu'à Rimbaud?

(Supervielle à Gabriel d'Aubarède.)

Plus j'avance en âge, plus je trouve que le pire des blasphèmes, pour un écrivain, est de ne pas dire tout ce qu'on pense, de ne pas publier tout ce qu'on a envie de dire.

(*Chercher sa pensée* (II),
Nouvelle Revue Française, avril 1959, p. 598.)

L'UNIVERS ET LES AMIS INCONNUS.

C'est dans la campagne uruguayenne que j'eus pour la première fois l'impression de toucher les choses du monde, et de courir derrière elles!

(*Boire à la Source*, 1933, pp. 62-63.)

Les cerfs à voix humaine emplissaient la montagne
Avec de tels accents
Que l'on vit des sapins s'emplir de roses blanches
Et tomber sur le flanc.

(« La Revenante », *Gravitations*.)

Mais l'étoile se dit : « Je tremble au bout d'un fil,
Si nul ne pense à moi, je cesse d'exister. »

(« La Demeure entourée »,
Les Amis inconnus.)

Il vous naît une étoile au-dessus de la tête,
Elle voudrait chanter mais ne peut faire mieux
Que ses sœurs de la nuit, les étoiles muettes.

(« Les Amis inconnus »,
Les Amis inconnus.)

De quelle lourde tête humaine,
Volubilis, es-tu sorti,
Et d'où vient cette grande peine
Qui se fait jour dans cet épi ?

(« Le Jardin de la mort »,
1939-1945.)

L'ombú n'est pas très robuste, bien que d'apparence
imposante : faut-il dire que le plus bel arbre indigène
de l'Uruguay est fait d'un bois presque spongieux, que son
tronc est creux, et qu'il appartient à la famille
des herbacées! C'est une espèce d'herbe monstrueuse,
une simple tentation d'arbre, mais il tient admirablement le sol, et je n'en vis jamais de déraciné.

(*Boire à la Source*, p. 83.)

A vous la sève, à moi le sang
A vous la force, à moi l'accent
Mais nuit et jour nous ressemblant,
Régis par le suc du mystère,
Offerts à la mort, au tonnerre,
Vivant grand et petitement,
L'infini qui nous désaltère
Nous fait un même firmament.

(« Arbres dans la nuit et le jour »,
1939-1945.)

O pins devant la mer,
Pourquoi donc insister
Par votre fixité
A demander réponse ?
J'ignore les questions
De votre haut mutisme.
L'homme n'entend que lui,
Il en meurt comme vous.

(« Pins », *1939-1945.*)

Visages des animaux
Si bien modelés du dedans à cause de tous les maux que vous
[n'avez pas su dire,
Tant de propositions, tant d'exclamations, de surprise bien
[contenue,
Et tant de secrets gardés et tant d'aveux sans formule,
Tout cela devenu poil et naseaux bien à leur place,
Et humidité de l'œil.

(« Visages des animaux »,
La Fable du monde.)

Les poissons des profondeurs
Qui n'ont d'yeux ni de paupières
Inventèrent la lumière
Pour les besoins de leur cœur.

(« Sous le large », *Gravitations.*)

Alors que la joie chez les animaux reste d'habitude
opaque à cause de tout le poil, la plume, l'écaille qui
la retiennent, toutes les bêtes, avec aisance, rayonnaient de la tête à la queue.

(*L'Arche de Noé*, p. 13.)

Il pensait aux vaches qu'il aimait presque religieu-
sement, parce qu'elles lui rappelaient ses jeunes années.

(*Le Survivant*, p. 187.)

J'ai besoin de tout le jeu de cartes des animaux,
Il me faut le dix de grive et le quatre de renard.

> (« Je voudrais dire... »,
> *La Fable du monde.*)

Mémoire des poissons dans les criques profondes
Que puis-je faire ici de vos lents souvenirs,
Je ne sais rien de vous qu'un peu d'écume et d'ombre
Et qu'un jour comme moi il vous faudra mourir.

> (« Les Poissons », *Les Amis inconnus.*)

LA VIE ET LA MORT.

« Ah! songeait-il, vivre c'est être de plus en plus embarrassé. » Et il tomba à genoux pour y voir plus clair.

> (*L'Arche de Noé*, p. 74.)

Encore frissonnant
Sous la peau des ténèbres,
Tous les matins je dois
Recomposer un homme
Avec tout ce mélange
De mes jours précédents
Et le peu qui me reste
De mes jours à venir.

> (« Encore frissonnant »,
> *La Fable du monde.*)

Rien ne consent à mourir
De ce qui connut le vivre
Et le plus faible soupir
Rêve encore qu'il soupire.

> (« Souffle », *Gravitations.*)

Il faudra pourtant bien qu'on m'empaquette
Et me laisser ravir sans lâcheté,
Colis moins fait pour vous, Éternité,
Qu'un frais panier tremblant de violettes.

(« Vœu », *Gravitations.*)

Moi qui suis sans cesse suprême
Toujours ignorant le loisir,
Qui n'en peux mais avec moi-même
Puisque je ne peux pas finir,
Je veux que tu sois périssable,
Tu seras mortel, mon petit.

(« Dieu pense à l'homme »,
La Fable du monde.)

Je te donne la mort avec une espérance
Ne me demande pas de te la définir,
Je te donne la mort avec la différence
Entre un passé chétif et mieux que l'avenir,
Je te donne la mort pour sa grande clémence
Et pour son contenu qui ne peut pas finir.

(« Dieu parle à l'homme »,
La Fable du monde.)

L'horreur de la mort, avouée,
En feuillages s'est dénouée,
Par là-dessus un peu de vent,
C'est le nouveau contentement.

(« Le Jardin de la mort »,
1939-1945.)

Un jour la Terre ne sera
Qu'un aveugle espace qui tourne,
Confondant la nuit et le jour.

(« Prophétie », *Gravitations.*)

Je ne crois plus à la clarté
De l'après-mort mais à du noir
Qui gagne encore sur le noir
Auquel j'étais habitué.

> (« L'Obscurité me désaltère... »,
> *La Fable du monde.*)

« Mourir enfin tout à fait », pensait-elle.

> (« L'Inconnue de la Seine »,
> *L'Enfant de la haute mer*, p. 89.)

Je suis plus affairé dans la mort qu'en voyage
Et je flotte au lieu de sombrer dans le mourir.

> (« Le Mort en peine », *1939-1945.*)

Et que voulez-vous que je fasse de cette mouette dans un lit, de ce perdreau sur le verre, de cette grande lampe qui fume ? Je ne connais rien de plus désespéré. Ces fragments de la vie, sans la vie, est-ce donc là ce qu'on nomme la mort ?

> (« L'Inconnue de la Seine »,
> *L'Enfant de la haute mer*, p. 85.)

Mais la grande tristesse des Ombres venait surtout de ce qu'elles ne pouvaient rien saisir. Autour d'elles tout semblait à l'état d'abstractions.

> (« Les Boiteux du Ciel »,
> *L'Enfant de la haute mer*, p. 100.)

L'AMOUR.

Ah ! Misère de l'homme au milieu de toutes les femmes. Et ne commencent-elles pas par vous mettre au monde, pour se rendre indispensables.

> (« Barbe-Bleue »,
> *La Belle au Bois*, II, p. 7.)

Je saisis la jeune femme dans mes bras enfin retrouvés, et lui montrai à deux ou trois reprises que nos corps avaient quelque chose à se dire de fort précis et tout compte fait, d'assez agréable.

(*Le Jeune Homme du dimanche
et des autres jours*, pp. 173-174.)

[...] ma nouvelle amie préférait affronter les cliniques chirurgicales plutôt que de quitter un instant son amant durant une nuit d'amour.

(*Ibid.*, p. 175.)

Il avait entendu dire que souvent, dans la campagne américaine, les gestes de l'amour ne sont pas précédés des paroles ni des regards.

(*Le Survivant*, p. 196.)

Ce sont deux têtes qui bourdonnent maintenant et se rapprochent,
Des torses nus sans mémoire cherchent à se comprendre dans
[l'ombre,
Et la peau, la muette de soie, s'exprime par la plus grande
[douceur
Jusqu'au moment où les êtres
Sont déposés interdits, sur des rivages différents.

(« Le Désir », *Les Amis inconnus*.)

— Mais si j'ai absolument besoin d'une Française, dit Bigua, en français cette fois, et sur un ton de férocité, allons au bordel !

(*Le Voleur d'enfants*, p. 109.)

Lugubres mariages de raison
ce n'est pas ici votre terre !

(« Uruguay »,
Boire à la Source, p. 118.)

Et vous, Robinson, vous partagerez avec moi mon

plus beau souvenir d'enfance, le ruisseau où je me
baignais quand j'avais quatre ans.

(Fanny, *Robinson*, I, p. 5.)

Fanny, tout ce que j'ai aimé, ma vie durant, je
vous le donne, toutes les mers que j'ai traversées et
même les autres, et toutes les îles où j'ai débarqué
et même les autres, je vous les donne. Je vous donne
cette vieille terre rajeunie par notre amour.

(Robinson, *Robinson*, III, p. 6.)

Tapi dans les herbes jusqu'à devenir une vraie
motte de terre, je l'épiais hier matin encore pendant
qu'elle hésitait entre les deux allées principales.

(« Barbe-Bleue »,
La Belle au Bois, I, p. 6.)

J'étais devenu ce beau visage, ces bras fermes et
ronds, cette gorge dont j'avais si souvent essayé de
deviner les formes, ce ventre, ces cuisses admirables
qui perdaient brutalement tout mystère pour moi.
Mon aimée s'était changée pour moi en du déjà vu,
du déjà connu, et depuis très longtemps. J'étais arrivé
à la satiété de cette chair sans en avoir connu les
voluptueux prémices.

(*Le Jeune Homme du dimanche
et des autres jours*, p. 57.)

ENFANCE.

> *Ce pur enfant, rose de chasteté,*
> *Qu'a-t-il à voir avec la volupté ?*
> *Et fallait-il qu'en luxe d'innocence*
> *Allât finir la fureur de nos sens ?*

(« Ce pur enfant », *Naissances*.)

Si sévères et si grandes
Ces personnes qui regardent
Et leurs figures dressées
Comme de hautes montagnes.
Suis-je un lac, une rivière,
Suis-je un miroir enchanté?
Pourquoi me regardent-ils?

(« L'Enfant née depuis peu »,
Le Forçat innocent.)

Bien qu'elle n'en eût point
Elle jouait des ailes
Et sans bouger un doigt
Elle faisait du zèle.

(*Chanson pour Laurence,*
Le Figaro littéraire, 5 janvier 1957.)

Elle n'était pas très jolie à cause de ses dents un peu écartées, de son nez un peu trop retroussé, mais elle avait la peau très blanche avec quelques taches de douceur, je veux dire de rousseur. Et sa petite personne commandée par des yeux gris, modestes mais très lumineux, vous faisait passer dans le corps, jusqu'à l'âme, une grande surprise qui arrivait du fond des temps.

(*L'Enfant de la haute mer,* p. 11.)

Et si l'enfant s'irrite, n'est-ce pas souvent parce que rien autour de lui n'est à sa mesure. Ces portes sont beaucoup trop hautes, la marche du perron lui arrive au-dessus du genou, et comme il lui faut lever la jambe pour la gravir! Et l'escalier, tous ces problèmes qui se suivent.

(*Boire à la Source,* 1933, p. 25.)

Notre mémoire des jours lointains, la tyrannique mémoire de notre enfance nous bouche les yeux et les oreilles, nous empêche de voir et d'entendre ce qui se passe en ce moment même.

(*Ibid.,* pp, 151-152.)

Le Corps humain.

Le cœur est un organe nuisible à la santé et qui fort heureusement s'atrophie de jour en jour, faute d'usage. On n'en trouvera bientôt plus trace dans les poitrines humaines. C'est à peine s'il a plus d'importance que le nombril. Comme lui, c'est un souvenir d'enfance.

(*L'Homme de la Pampa*, p. 172.)

> *Et toi rosaire d'os, colonne vertébrale,*
> *Que nulle main n'égrènera,*
> *Retarde notre heure ennemie.*

(« Oloron-Sainte-Marie »,
Le Forçat innocent.)

> *Il ne sait pas mon nom*
> *Ce cœur dont je suis l'hôte,*
> *Il ne sait rien de moi*
> *Que des régions sauvages.*
> *Hauts plateaux faits de sang*
> *Épaisseurs interdites,*
> *Comment vous conquérir*
> *Sans vous donner la mort,*
> *Comment vous remonter,*
> *Rivières de ma nuit*
> *Retournant à vos sources,*
> *Rivières sans poissons*
> *Mais brûlantes et douces.*

(« Cœur », *Le Forçat innocent*.)

Réduits que nous sommes alors à l'extrême nudité de nos
                                                    [organes,
Ces bêtes à l'abandon dans leur sanglante écurie.

(« Le Corps », *La Fable du monde*.)

Comme il rugit votre silence
Dans la chair où sont vos poignards!
Nous échappons par nos regards
Quand vous nous faites violence.

(« Les Nerfs », *Oublieuse Mémoire*.)

Sphères, vous attendez qu'une main vous convie
A sortir peu à peu de votre rêverie,
D'une distraction qui sait la volupté
Mais la diffère pour savoir mieux l'enchanter.

(« Les Seins », *Ibid.*)

Lèvres, vous qui passez du baiser aux paroles,
Corolles du savoir et de la volupté.

(« Les Lèvres », *Ibid.*)

Mon sang a pris mon cœur pour sa montagne
Et se déverse avec un bruit léger
Dans cette plaine humaine et sans vergers
Qui fait le corps cherchant une compagne.

(« Le Sang », *Naissances*.)

Sagesse.

Peut-être était-ce la faute de *l'immonde microbe,*
comme il appelait parfois lui-même sa bonté!
Ou peut-être avait-il agi sagement? La sagesse!
Tristes victuailles.

(*Le Survivant*, p. 129.)

Avec son air très naturel
Le surnaturel vous entoure.

(*Le Jeune Homme du dimanche*
et des autres jours, p. 41.)

Le monde réel est le correctif indispensable du
monde de l'imagination. L'univers du dedans, si on

le laisse faire, tend trop souvent à l'absurde simplification de l'idée fixe. Semblable en cela au squelette, cette blanchâtre obsession qui survit seule sous terre à tout ce qui faisait l'homme, sa chair, ses nerfs, son caprice, sa rêverie.

(*Ibid.*, p. 160.)

Et peut-être dois-je le meilleur de ma sagesse à ce que j'ai eu souvent à dompter un peu de folie.

(*En songeant à un art poétique*, p. 65.)

D'où venaient ces géants dont la population ne cessait de s'accroître ? Il fallait en chercher l'origine dans l'inquiétude même des hommes en quête d'un bonheur déjà difficile à atteindre et qui s'étaient naïvement mis à grandir dans l'espoir de se rapprocher d'un but pourtant invisible.

(« Les Géants », *Les B. B. V.*, pp. 47-48.)

Et pour montrer qu'il était de bonne foi, l'un d'eux regagna soudain sa taille humaine sans fausse honte. [...] Après la folle escapade de la chair et des os, c'était enfin le retour à la raison et ses limites.

(*Ibid.*, p. 55.)

Il rendit sa défroque là-haut, à ce qu'on appelait le *vestiaire* et retrouva aussitôt son apparence humaine, avec son nez qui, décidément, lui allait à la perfection.

(« La Femme retrouvée », *L'Arche de Noé*, p. 185.)

Et je pense aussi à toi, enfant de treize ans, dont on m'a parlé, esclave noire servant vers 1850 chez une grande dame d'autrefois, à toi, timide voleuse de morceaux de sucre, qu'on forçait à porter entre tes repas surveillés (et même la nuit peut-être) une petite muselière de cuir, parce qu'on avait égaré les clefs du buffet et de la dépense...

(*Boire à la Source*, p. 132.)

Heureux les pays où il y a *aussi* des nègres. On se lasse vite des blancs avec leurs visages falots de soleil de minuit.

(*Boire à la Source*, p. 185.)

[...] je tiens à vous dire, Déhère, combien je vous en ai voulu d'apprendre, il y a quelques années, que vous n'étiez qu'un hypocrite, désireux de plaire aux enfants d'un patron que vous leurriez, et si dur à ceux qui travaillaient sous vos ordres qu'aucun d'eux n'osait vous dénoncer.

(*Boire à la Source*, pp. 85-86.)

Dialogues

I. DIEU, LA CRITIQUE ET L'ART

Entretien avec Étiemble [1]

Étiemble. — Vous êtes parti d'un nihilisme, et parliez volontiers du néant, voilà cinquante ans. Il me semble que vous fréquentez plus volontiers le divin désormais : un divin de poète, je sais ; mais comme je n'ignore pas que certains s'efforcent de tirer vers leur église votre Dieu, si vous me disiez où vous en êtes avec lui, en ce mois de février 1959 ?

Supervielle. — Vous tombez bien : je vous lirai une page que j'écrivais hier à ce sujet : « Mes rapports avec Dieu ne sont pas toujours excellents et ce n'est pas toujours de ma faute. Il est d'une terrible susceptibilité, un rien le froisse. Moi aussi, sans trop savoir pourquoi. C'est la vie. Et nous sommes là souvent, à nous chamailler, mais au sein même de la colère je reste toujours très poli. Lui aussi.

« Décidément, je commence à croire que ma familiarité avec le divin est le commencement de ma sagesse. Cela n'empêche pas le mutuel respect et, le chapeau à la main (du moins, de mon côté), et d'amicales tapes sur l'épaule. C'est ainsi qu'il me réconforte. Entre nous l'amitié est parfaite et avec des élans et de longs silences de bonne volonté, qui durent parfois des mois. Tant de compréhension de part et d'autre,

1. Inédit, février 1959.

17

mais c'est là preuve qu'entre nous il ne saurait être question de blasphème.

« Pas besoin d'églises pour prier. On peut s'agenouiller devant un arbre, un serpent mort, un champ de violettes, une rose, toute seule sur son rosier. Ouvrirait-on les cathédrales aux sans-logis que je n'y verrais pas d'inconvénient. Mais il y a les Commissions des Beaux-Arts et il faudrait aussi consulter, directement ou par intermédiaires, le Créateur par excellence. »

ÉTIEMBLE. — Ne m'aviez-vous pas dit l'autre jour que le commencement de votre sagesse, c'était de rassembler en vous vos deux patries, la France et l'Uruguay, ou plutôt, puisque nous sommes en France, l'Uruguay et la France ? De les servir également bien, et sans jamais vous sentir déchiré ?

SUPERVIELLE. — Sans doute ; disons donc, si vous le voulez, que mes deux patries, c'est en moi le commencement de la sagesse internationale.

ÉTIEMBLE. — A mon sens, votre sagesse, c'est aussi de concilier tout cela précisément : l'amour de la poésie qu'il vous arrive de dire « métaphysique » — celle par exemple d'Hugo dans *La Bouche d'ombre* — et le respect de l'esprit critique, etc.

SUPERVIELLE. — J'ai le sentiment, c'est vrai, d'arriver à l'âge du poète métaphysicien ; dans l'anormalité qui sera toujours celle du poète, il me paraît normal d'évoluer en ce sens. Mais il est vrai, aussi, que je ne suis pas de ceux qui méprisent l'esprit critique. En même temps que je chemine sur la voie que je viens de dire, j'écris parfois quelques pages de ce qui pourrait être un journal, et je me surprends à m'y demander pourquoi il est si difficile d'être un grand critique, ou même tout simplement un critique. Ne serait-ce pas parce que nous isolons très difficilement nos facultés critiques de nos dernières lectures, de nos derniers engouements, de l'atmosphère où nous vivons, des événements du jour ? Comment faire abstraction de tout cela pour *n'*être *que* critique ? Oh, je sais qu'un critique doit juger avec tout son être ; encore faut-il que tout ce qui n'est pas à proprement parler la faculté critique ne soit pas obnubilé par le reste. Pour voir

clair dans une œuvre, il faut d'abord faire le vide en
soi ; bien entendu, ce vide ne sera qu'illusion ; on ne
fait jamais le vide en soi par un effort de volonté. Le
vide absolu serait d'ailleurs néfaste. On créerait de la
stupidité, et nullement un état favorable à faire un
bon critique.

ÉTIEMBLE. — Je connais des gens qui regrettent en
vous cette faculté quasi divine de concilier l'inconciliable : et qui, pour cette raison, vous contestent la
vis comica. Qu'en pensez-vous ?

SUPERVIELLE. — Le théâtre, c'est l'art des conflits,
m'avait dit Benjamin Crémieux. Il a raison. Une pièce
de boulevard bien faite, je vais la voir : la *Mamma* de
Roussin, par exemple. J'ai une passion pour Molière,
à qui nul ne conteste le don de créer des conflits ;
et pourtant j'ai les conflits en horreur, même dans
mon théâtre : je voudrais toujours réconcilier tout le
monde.

ÉTIEMBLE. — Si je me souviens bien, Cassona vous
disait à Buenos Aires, après une représentation de *La
Belle au Bois :* « *Le falta picardía* . il vous manque de
savoir mentir. » C'est vrai ; mais, sans mentir, vous
vivez naturellement dans un monde de légendes et de
métamorphoses, qui, tout en conciliant l'apparemment
inconciliable, donnent à votre théâtre une qualité rare,
et même singulière, qui supplée très bien les conflits.
Vous parliez tout à l'heure de Molière, de votre admiration pour lui. Si vous m'autorisiez à vous poser
encore quelques colles du genre de celles qui com-
posaient le fameux questionnaire de Marcel Proust
(auquel vous avez répondu jadis, ou naguère), je vous
demanderais de quel dramaturge vous vous sentez le
plus proche, vous qui me paraissez si seul dans vos
fables, ou si vous préférez : unique.

SUPERVIELLE. — Shakespeare m'a toujours attiré
corps et âme, alors que les classiques français, si je
les admire, c'est littérairement. Je ne suis pas emporté
par eux comme par Shakespeare, ou par ce Molière
que les Anglais du reste admirent beaucoup plus que
Racine et Corneille. Et voici qu'avec les années je
déplore d'avoir été si longtemps un si petit liseur. Je

me fatiguais vite. Comme je regrette de ne pas avoir lu plus tôt Lope de Vega, dont je viens de traduire une œuvre. J'y découvre des affinités avec mon théâtre et ma métrique.

ÉTIEMBLE. — Êtes-vous sensible aux influences, ou vous en défendez-vous ?

SUPERVIELLE. — Plutôt que des influences, je devrais parler d'admirations : tantôt simultanées, tantôt successives, tantôt même intermittentes. Hugo, par exemple, je l'aimais quand j'avais seize ou dix-huit ans, et je me suis repris à l'admirer beaucoup plus tard, mais ce n'était plus le même Victor Hugo, ni le même Supervielle non plus : entre temps, j'avais connu Rimbaud et Mallarmé. Le Hugo des *Contemplations*, celui auquel je songe volontiers maintenant, il ne m'aurait pas touché autrefois. J'admire également plus d'un écrivain pour ce qui le distingue de moi : Montaigne, Diderot, Alain, qui ressemblent si peu au rêveur que je suis, j'ai souvent besoin d'eux pour me confirmer que le réel existe. En revanche, j'ai parlé à Claude Roy de mon admiration pour Francis Thomson, et je ne la conteste pas ; mais je me sens très loin de lui, en fait, sauf dans le titre d'un de ses volumes de vers, *The Hounds of Heaven*, qui me paraît extraordinairement évocateur. A part ça, Thomson est un officiel de la religion, au Dieu bien établi et dogmatique, alors que je suis toujours à la recherche de mon Dieu, et que je le retrouve dans les religions de l'Inde, de la Perse ou de l'Extrême-Orient tout autant que dans la religion chrétienne.

ÉTIEMBLE. — Vous avez maintes fois exprimé votre admiration pour Chateaubriand et Rousseau, pour Renard et Valéry, pour Claudel, Kafka et Melville, pour Ronsard et pour Nerval. J'aimerais que vous me disiez ce que vous dit Ramuz, par exemple.

SUPERVIELLE. — Ce qui m'agace un peu, chez lui, c'est une extrême gaucherie. Son style bute tout le temps sur des cailloux : style de montagnard avec des hauts et des bas, mais quelle originalité !

ÉTIEMBLE. — A trente ans, vous aimiez Maupassant ; plus tard vous avez préféré Dostoïevski, dont

tous ceux qui lisent le russe trouvent le style gauche
et raboteux. Ne serait-ce pas un sens chez vous curieux
de la culpabilité qui vous porte vers cet écrivain-là ?

SUPERVIELLE. — Le remords, le repentir, le sens de
la culpabilité, si je connais ça ! Parce que je ne peux
pas supporter le remords, qui me tue, j'ai tout respecté, tout pris au sérieux, même le mariage.

ÉTIEMBLE. — Comme je ne veux pas vous tuer,
parlons plutôt d'autre chose : de ce qui vous arrache
à vos hantises, par exemple.

SUPERVIELLE. — Je dois beaucoup aux leçons de
dessin que j'ai prises dans mon enfance. J'étais doué,
j'avais le premier prix. Franz Hellens a dit que j'écris
avec un pinceau : cela est vrai. Par le dessin, je me
suis beaucoup rapproché du monde extérieur, où je
trouvais un dérivatif à ce que les savants appelleraient
mon introversion. Mais les musées m'ennuient. J'y
vais peu. Je ne suis presque jamais disponible, et reste
trop souvent fermé, bloqué devant l'œuvre d'art; du
moins à l'instant où je suis devant elle. Je n'y entre
qu'après, quand je sors du musée. De même que je
ne puis lire trois cents auteurs différents le même jour,
jamais je ne puis jouir de l'énorme, de l'excessive
diversité des tableaux qui s'offrent à moi au musée.
Et puis, ces déformations que subit le corps humain
dans la peinture et la sculpture d'aujourd'hui me
déchirent le corps, me le disloquent. Malgré tous mes
efforts, je ne m'y suis jamais fait complètement. Mais
j'aime les impressionnistes, Braque, Bonnard, Vuillard.
Enfin, il m'est très difficile de me séparer de moi pour
admirer l'œuvre d'autrui; c'est que mon œuvre continue et se poursuit en moi malgré moi. Un poète l'est
sans repos. Même quand il dort, des images le hantent.

II. PROSE ET POÉSIE

Entretiens avec Robert Mallet [1]

1. Essai de définitions

ROBERT MALLET. — Jules Supervielle, vos poèmes nous donnent l'impression d'être aussi directs, aussi efficaces que des confidences en prose, quant à vos pages de prose, sans jamais perdre une clarté exemplaire, elles ont le don poétique. En somme, vous familiarisez le lyrisme, et vous anoblissez le prosaïsme. Vous représentez à merveille l'écrivain qui demeure ce qu'il est, quoi qu'il fasse, et qui ne joue que sur un tableau, celui de la sincérité de son besoin d'expression. Vous écrivez ainsi naturellement, à la charnière de la prose et de la poésie. Mais ne pourriez-vous pas, tout de même, Jules Supervielle, essayer de définir ce qu'est la prose en l'opposant au vers ?

JULES SUPERVIELLE. — Très volontiers. Je vais essayer. Il y a une prose qui tourne délibérément le dos à la poésie et qui en est en quelque sorte le contraire.

R. M. — Par exemple ?

J. S. — Ce serait, par exemple, celle du *Code civil*, ou celle de Napoléon, ou celle des définitions du *Dictionnaire*, et il y en a une autre qui vit en parfaite intelligence avec la poésie, qui lui fait des avances plus ou moins déguisées, comme celle de Chateaubriand, de Bossuet, de Claudel, de Jules Renard, de Valéry.

1. Dans le cadre de la série *Parler en prose, et le savoir*. Radiodiffusion française, Chaîne nationale, 8 et 15 mai 1956. Textes jusqu'à ce jour inédits. Nous adressons tous nos remerciements à la R. T. F. qui en a autorisé la reproduction.

R. M. — Des proses bien différentes...

J. S. — Oui, j'ai choisi exprès des noms qui viennent de tous les horizons de la littérature.

R. M. — Mais soit en prose, soit en vers, que représente pour vous exactement « l'acte d'écrire »? C'est une question un peu difficile...

J. S. — J'irai vers la plus grande simplicité. Je vous dirai qu'écrire, pour moi, cela correspond d'abord à la cristallisation de la pensée en images ou en concepts qu'on voudrait originaux et frappants par le mouvement et la netteté. L'image est le lien commun entre les proses des prosateurs-poètes comme Chateaubriand, Bossuet ou Claudel.

R. M. — Le lien et le lieu communs...

J. S. — En effet, toute poésie a un coefficient de prose, sous peine d'être incompréhensible. Si nous prenons par exemple Victor Hugo, nous verrons que ce coefficient de prose est très fort chez lui. Je vais vous citer un poème qui est dans toutes les mémoires, et qui me paraît bien prosaïque : *Booz endormi*. Voyez les six premiers vers :

> *Booz s'était couché de fatigue accablé;*
> *Il avait tout le jour travaillé dans son aire,*
> *Puis avait fait son lit à sa place ordinaire;*
> *Booz dormait auprès des boisseaux pleins de blé.*
> *Ce vieillard possédait des champs de blés et d'orge,*
> *Il était, quoique riche, à la justice enclin;*

On voit que tout est ordinaire ici. Il aurait pu faire son lit à une place extraordinaire, mais pas du tout, il avait fait son lit à la place ordinaire. On dirait qu'il veut aller vers le lieu commun.

R. M. — Est-ce une critique que vous faites à Victor Hugo?

J. S. — Une critique en passant. Mais par ailleurs, j'admire beaucoup Victor Hugo.

R. M. — Si vous opposiez quelque poète à Victor Hugo, je présume que ce serait Mallarmé?

J. S. — Évidemment, Mallarmé est à l'autre extrême. Chez lui, le coefficient de prose dans ses meilleurs poèmes est très faible, il est presque nul.

R. M. — C'est ce qui le rend si hermétique.

J. S. — Hermétique oui. Avec lui, on manque de concept pour guider le lecteur.

R. M. — En somme, plus on va vers la quintessence de la poésie, plus on va vers un dépouillement qui se rapproche de l'obscurité.

J. S. — Oui, et chez les surréalistes, il est également très faible ou nul, ce coefficient de prose, parce que les images sont souvent placées à côté les unes des autres sans lien et sans souci de compréhension.

R. M. — Peut-on parler de grande et petite poésie ?

J. S. — Je vais prendre un auteur très connu, si vous voulez bien, pour définir la petite poésie, c'est Théophile Gautier, que Baudelaire avait l'air d'admirer beaucoup, et cela j'ai du mal à le comprendre. Je me demande s'il n'y avait pas un peu de tactique de sa part.

R. M. — Vous croyez que Baudelaire avait un intérêt à flatter Théophile Gautier, mais pourquoi n'admirez-vous pas ce dernier ?

J. S. — Je trouve qu'il manque de rêve. Il n'y a pas chez lui cette demi-obscurité...

R. M. — Il n'y a pas cette marge de mystère dans laquelle nous devons évoluer nous autres en le lisant ? Il nous impose trop, il ne nous propose pas assez ?

J. S. — C'est cela.

R. M. — Donc les petits poètes seraient pour vous des versificateurs ?

J. S. — En gros, c'est certain.

R. M. — Mais il s'agit de faire des vers avec de la prose, il s'agit de passer de la prose aux vers, de ce qui est en apparence le plus concret, à ce qui certes n'est pas abstrait, mais représente un filtrage du concret ou une orientation particulière du concret. Alors, que représente pour vous ce transfert de la prose au vers, ou plutôt quel serait pour vous l'auteur qui représenterait le mieux l'alliance des deux expressions ?

J. S. — Je crois que l'auteur le plus souple, le plus « disponible » de la littérature française, c'est La Fontaine. C'est lui qui passe le plus facilement de la prose aux vers. Il n'est jamais si prisonnier de la prose qu'il ne puisse la quitter pour le vers ou réciproquement. C'est une force, c'est aussi un peu une faiblesse.

R. M. — Est-ce que vous pourriez nous donner un exemple de cette force-faiblesse?

J. S. — De cette force, vous connaissez les vers admirables sur la volupté :

> *Par toi tout se meut ici-bas.*
> *C'est pour toi, c'est pour tes appâts*
> *Que nous courons après la peine :*
> *Il n'est soldat, ni capitaine,*
> *Ni ministre d'État, ni prince, ni sujet,*
> *Qui ne t'ait pour unique objet.*
> *Nous autres nourrissons, si pour fruit de nos veilles*
> *Un bruit délicieux ne charmait nos oreilles...*

R. M. — Est-ce que, dans les littératures étrangères, vous trouveriez quelqu'un à comparer à La Fontaine?

J. S. — Sans aucun doute, je pense à Shakespeare, qui se fait remarquer lui aussi par son incroyable facilité à passer de la prose au vers.

R. M. — Oui, mais Shakespeare se meut dans la tragédie, tandis que La Fontaine se cantonne à la comédie, et il semble qu'il soit tout de même plus difficile d'être ainsi en équilibre entre la prose et le vers dans la tragédie comme l'était Shakespeare, que comme l'étaient La Fontaine et Molière dans la comédie.

J. S. — Chez Shakespeare, le don de vivre se confond avec le don de la poésie. Le don de vivre sous toutes ses formes, même le don tragico-comique de la vie. Il est sans cesse disponible, toutes les formes de prose ou de vers sont à sa disposition. C'est ici le génie qui transcende, quoi qu'il fasse, prose ou poésie.

R. M. — Le génie n'est-il pas toujours poétique, d'une certaine manière?

J. S. — Parfaitement.

R. M. — Quant à Molière, quelle serait pour vous la façon de le définir? Est-il à vos yeux un prosateur très prosaïque quand il fait des vers?

J. S. — Oui, il est généralement très prosaïque et

grand versificateur, sauf dans certains passages d'*Amphitryon*, qui est une merveille poétique. Mais en général, ses vers sont faits pour plaire aux bourgeois français qui sont souvent si lucides qu'ils en arrivent à être dépourvus de toute poésie, et un peu effrayants.

R. M. — Vous pensez donc que Shakespeare était un génie mieux fait pour séduire les Anglais que les Français ?

J. S. — Oui, je le crois.

R. M. — Changeons un peu de voie, car nous risquons de nous engager vers de la littérature comparée. Je voudrais en revenir à la prose en l'opposant au vers. Pourriez-vous compléter ce que vous avez dit tout à l'heure sur l'acte d'écrire, que ce soit en prose ou en vers ?

J. S. — Écrire, c'est savoir dire tout ce qui vous passe par la tête, ou par la fenêtre, comme dirait Lise Deharme, mais c'est surtout choisir ce qui est fait « pour aller ensemble ». Vous vous rappelez ce que disait Valéry : « Trouver, ce n'est rien, la difficulté est de s'ajouter ce qu'on trouve. » Il faut intégrer les richesses rencontrées en cours de route dans celles qu'on a déjà trouvées.

R. M. — Mais est-ce qu'il n'y a pas aussi une façon de s'enrichir en s'appauvrissant, c'est-à-dire en se dépouillant ?

J. S. — Oui, là nous sommes certainement du même avis. Il y a une façon de se dépouiller qui contribue à enrichir la personnalité. On se dépouille pour commencer, mais on revient là-dessus.

R. M. — Vous voulez dire qu'il faut commencer par dénuder la pensée pour l'habiller ensuite simplement ?

J. S. — En prose, oui.

R. M. — Et en poésie ?

J. S. — Je n'oublie pas ces vers de Baudelaire :

> *Là tout n'est qu'ordre et beauté,*
> *Luxe, calme et volupté.*

R. M. — Pour vous, la poésie serait presque une

recherche non pas de préciosité, mais une recherche de ce qui est précieux ?

J. S. — Je me rappelle encore ce mot de Valéry : « Il faut profiter de l'accident heureux. » L'écrivain véritable abandonne son idée au profit d'une autre, qui lui apparaît en cachant les mots de l'idée voulue par ces mots mêmes.

R. M. — Oui, en abordant le domaine de la préciosité, nous abordons celui de la trouvaille, mais trouvaille et préciosité ne doivent pas être confondues.

J. S. — Bien sûr. Le poète abandonne souvent son idée pour une autre qu'il trouve en chemin.

R. M. — C'est ce que faisait si souvent Mallarmé.

J. S. — Valéry ajoute : « Il passe pour profond et créateur, n'ayant été que critique et chasseur foudroyant. » Vous vous rappelez ce que disait aussi Jules Renard, qui partait à la chasse aux images, et qui aimait à foudroyer son gibier.

R. M. — On ne peut pas mieux définir la trouvaille instantanée. Le poète a la science de l'image et du mot qui traduit l'image, et il abat le mot comme on abat un gibier. Et maintenant, j'aimerais que nous parlions de ce qu'est le prosateur dans son état de lucidité par rapport au poète. Il y a un état de lucidité chez le prosateur. Est-ce que cette lucidité vous paraît nécessaire chez le poète, ou est-ce que le poète vous paraît être *a priori* un être de rêve, je veux dire qui rêve ?

J. S. — Il y a de grands poètes comme Valéry qui se sont beaucoup méfiés du rêve, qui ont mis de la lucidité à peu près partout, mais n'empêche que j'admire aussi, et peut-être davantage, une poésie comme celle de Nerval où il y a une place plus grande pour la folie, l'inattendu et l'inexplicable.

R. M. — Il y a, en effet, chez Valéry, par exemple dans *La Jeune Parque* qui est un vrai rêve, il y a toujours une maîtrise, il y a un gouvernement, un gouvernail, et vous, Jules Supervielle, vous préférez parfois les poètes qui sont moins maîtres de leurs rêves, qui... rêvent leurs rêves. La pensée a quelque chose de mouvant. Comment la fixer ?

J. S. — Pour fixer sa pensée dans une phrase, on est obligé de tuer son mouvement, ou plutôt, de choisir un moment de la pensée au détriment des autres.

R. M. — Il faut donc être encore un chasseur, il faut tuer sa pensée en mouvement.

J. S. — La poésie, surtout la poésie moderne, n'a nullement pour mobile la pensée, elle est plus fluide et moins précise que les poésies passées, et sujette à de multiples interprétations, alors qu'en prose, on cherche à fixer, à immobiliser la pensée.

R. M. — Oui, dans la prose, on cherche à transcrire la pensée, à l'inscrire, à la circonscrire, mais tout de même en poésie, on ne méprise pas la pensée!

J. S. — Oui, ou plutôt ce qui en donne l'équivalent. Mais je ne sais pas si en poésie, c'est vraiment ce qu'on peut appeler de la pensée.

R. M. — C'en est une au second degré.

J. S. — Oui, je le crois, ce n'est pas celle des prosateurs, ce n'est pas une pensée « pure ».

R. M. — C'est une pensée épurée.

J. S. — Irréductible à la prose. C'est tout au moins celle des poètes modernes que nous aimons le mieux, il me semble...

R. M. — Pourriez-vous préciser davantage ce que vous qualifiez « l'équivalent de la pensée en poésie »?

J. S. — Je suis toujours gêné quand on parle de la pensée d'un poète. Il me semble qu'il ne s'agit pas de cela.

R. M. — Pour vous, le poète ne doit pas avoir une pensée préconçue; mais, tout de même, lorsqu'on lit un poème, on aboutit forcément à l'expression d'une pensée.

J. S. — Ou d'un état d'esprit. Est-ce le synonyme de pensée?

R. M. — Je me demande si vous ne défendez pas votre poésie.

J. S. — C'est bien possible.

R. M. — Vous n'avez pas besoin de la défendre, je ne l'attaque certes pas!

J. S. — Il se peut que, malgré moi, je la défende.

R. M. — Qu'est-ce qui est commun à la prose et au vers ?

J. S. — Ce qui est commun aux deux est évidemment l'intensité, l'originalité et même peut-être les aveux du poète ou du prosateur, les confidences involontaires ou non déguisées du poète et du prosateur, aveux souvent indirects, aveux que nous trouvons aussi bien chez Chateaubriand, chez Renard, chez Villon ou Ronsard ou Lamartine, ou chez les auteurs les plus chers, comme Valéry : « Calme, calme, reste calme. » Il s'adresse à lui-même.

R. M. — Il se dit : « Méfie-toi, ne fais pas trop d'aveux. » Les aveux, est-ce que ce ne sont pas des défauts de cuirasse ?

J. S. — Oui, je crois, mais moi, j'aime surtout les poètes qui ne cachent pas leur vulnérabilité, et même qui indiquent : « C'est par ici le défaut de la cuirasse, c'est par ici que cela fait mal, c'est par ici qu'on me touche le plus facilement. »

R. M. — Et vous êtes un exemple de cette vulnérabilité. Vous faites des aveux, et c'est ce qui nous émeut dans tout ce que vous écrivez, aussi bien en prose qu'en vers.

J. S. — Oui, je montre le défaut de la cuirasse dans mes romans, dans mes contes, et surtout dans mes poèmes. Il se peut d'ailleurs que le livre auquel je travaille en ce moment, et qui est un roman, je l'appelle *Le Vulnérable*.

R. M. — Vous vous y mettez en scène ?

J. S. — Est-ce qu'un poète peut faire autrement ?...

2. CHATEAUBRIAND ET CLAUDEL OU LA POÉSIE
D'UN PROSATEUR ET LA PROSE D'UN POÈTE.

R. M. — Vous avez l'intention, Jules Supervielle, de nous parler de la prose de Chateaubriand et de celle de Claudel. Je pense que si vous avez choisi ces

deux auteurs, c'est que vous voulez plutôt les opposer que les comparer ?

J. S. — Ma foi, je ne le sais pas trop. En tout cas,
leur propre grandeur les rapproche certainement, et
ce sont deux poètes. Bien que Chateaubriand n'ait
pas écrit en vers, il est le père d'une prose pleine de
poésie; c'est un poète au sens original, étymologique
du mot, comme le veulent les Allemands qui emploient
toujours ce mot en ce sens.

R. M. — C'est un peu paradoxal que, pour parler
de la prose, nous abordions deux « continents » poétiques.

J. S. — Eh bien, c'est que je trouve que les poètes
n'écrivent pas mal en prose et que ce sont peut-
être les meilleurs prosateurs, du moins ceux qui me
touchent le plus.

R. M. — En effet, il n'y a pas de bons poètes qui
n'écrivent pas bien en prose, tandis qu'il y a de bons
prosateurs qui écrivent de mauvais poèmes. Je vois
bien ce que vous voulez dire quand vous parlez de
Chateaubriand poète. On trouve chez Chateaubriand
une poésie instinctive, et j'aimerais que vous l'expli-
quiez, cette poésie du prosateur Chateaubriand.

J. S. — Eh bien, il me semble que le mieux serait
de commencer par lire son texte qui est assez élo-
quent par lui-même, et sur lequel je compte beaucoup pour expliquer les intentions de l'auteur. Il écrit,
dans son *Voyage en Amérique* :

*Liberté primitive, je te retrouve enfin! Je passe comme cet
oiseau qui vole devant moi, qui se dirige au hasard et n'est
embarrassé que du choix des ombrages. Me voilà, tel que le
Tout-Puissant m'a créé, souverain de la nature, porté triomphant sur les eaux, tandis que les habitants des fleuves accom-
pagnent ma course, que les peuples de l'air me chantent leurs
hymnes, que les bêtes de la mer me saluent, que les forêts
courbent leurs cimes sur mon passage... Qui dira le sentiment qu'on éprouve en entrant dans ces forêts aussi vieilles
que le monde, et qui seules donnent une idée de la création
telle qu'elle sortit des mains de Dieu?... Partout il faut franchir des arbres abattus, sur lesquels s'élèvent d'autres généra-
tions d'arbres. Je cherche en vain une issue dans ces soli-*

tudes... J'écoute : un calme formidable règne sur ces forêts.
On dirait que les silences succèdent à des silences. Je cherche
vainement à entendre dans un tombeau universel quelque bruit
qui décèle la vie. D'où vient ce soupir ? D'un de mes compa-
gnons : il se plaint, bien qu'il sommeille. Tu vis, donc tu
souffres, voilà l'homme !

R. M. — Oui, voilà l'homme Chateaubriand. J'aimerais maintenant qu'à partir de ce texte, vous nous
disiez en quoi la poésie ici règne en maîtresse.

J. S. — Il me semble que cela s'explique presque
tout seul, et là parce que Chateaubriand est profondément poète et en quelque sorte malgré lui. Mais
pourquoi ce voyage, me direz-vous ?

R. M. — Je pense que ce n'était pas pour défricher les forêts d'Amérique !

J. S. — Non, il a voulu se déchiffrer et se défricher
lui-même.

R. M. — Voilà un jeu de mots de poète presque
involontaire, qui vient aux lèvres automatiquement.
Donc, il a voulu se déchiffrer...

J. S. — Il a voulu se délivrer de l'Amérique qui
était en lui avant même son départ.

R. M. — D'après vous, il en avait une idée avant
d'y aller ?

J. S. — J'en suis absolument sûr. Mais il était au-
dessus de la géographie, au large de ses limites. En
réalité, il n'écoutait que lui-même. Il partait pour
aller à la rencontre de lui-même, pour oublier la
France et en avoir la nostalgie, pour oublier les
hommes et les aimer à distance.

R. M. — Vous pensez donc que Chateaubriand ne
savait pas aimer les hommes lorsqu'il était trop près
d'eux ?

J. S. — Oui, il pensait à lui plus qu'aux hommes.
Mais il pensait aussi à l'humanité qui était en lui.

R. M. — Il préférait mettre une certaine distance
entre les hommes et lui-même pour, les distinguant
moins, avoir moins l'impression de ne pas les aimer.
C'est une myopie utile aux gens qui veulent conser-
ver leurs illusions !

J. S. — Je crois qu'il y a de cela. Certes, il savait

qu'il trouverait là-bas des Indiens, mais des Indiens, c'est assez commode. Il ne parlait pas leur langue, alors il pouvait peut-être plus facilement les aimer...

R. M. — Est-ce que vous pourriez trouver dans ce texte quelque chose qui symboliserait, qui résumerait Chateaubriand ?

J. S. — Eh bien, il y a une phrase qui m'étonne entre toutes : « Je passe comme cet oiseau qui n'est embarrassé que du choix des ombrages. »

R. M. — Pourquoi vous étonne-t-elle, cette phrase ?

J. S. — Eh bien, je ne suis pas ornithologue, mais je n'ai jamais eu l'impression qu'un oiseau fût embarrassé par le choix des ombrages. Ceci peut sembler peu naturel dans ce morceau qui, par ailleurs, est constamment admirable. Mais la grandeur est si familière à Chateaubriand qu'elle déteint sur tout, même sur ce qui est fait de chic. Il porte avec lui la vérité, sa vérité. Le grand écrivain n'est-il pas celui qui n'a jamais l'air de mentir ?

R. M. — Il est en tout cas celui qui ne donne jamais l'impression d'être en dehors de la réalité, même lorsqu'il en sort, surtout lorsqu'il en sort.

J. S. — Il peut mentir sans inconvénient. C'est justement une forme de la vérité humaine, de cette pauvre vérité qui varie selon les hommes, qui est à leur merci. Il est vrai qu'elle sort d'un puits toute nue et sans la moindre défense.

R. M. — Vous parlez de la vérité de l'Art qu'on est bien obligé d'habiller, de travestir lorsqu'elle sort du puits ?

J. S. — Je parle des deux vérités, de la vérité de l'Art et de l'autre.

R. M. — Pour bien habiller la vérité en Art, il faut croire qu'on est le premier à la posséder.

J. S. — Eh bien, c'est en cela que Chateaubriand est profondément poète : il se prend très honnêtement pour le premier homme en face de l'Univers.

R. M. — Chateaubriand se rapproche ici de Claudel, pour qui le poète est le premier homme qui absorbe la première gorgée d'air.

J. S. — C'est cela ; et alors, Chateaubriand rejoint,

Jules Supervielle et sa petite-fille Laurence (1958) :
Seule la belle sut
Dire turlututu..........

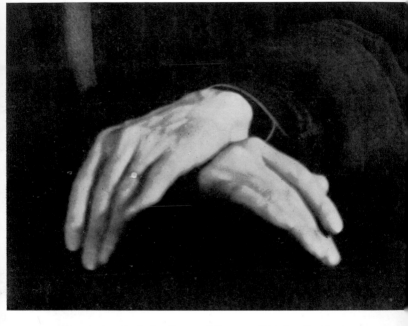

Les mains de Jules Supervielle, par Thérèse Le Prat :

. . . ces mains
Qui me servent à comprendre
Encore plus qu'à saisir

sans escale dans le temps, les premiers jours du monde
en toute tranquillité, parce que le temps ne gêne pas
plus le poète que l'espace.

R. M. — Chateaubriand ajoutait à cette idée de
priorité, une autre idée. Est-ce qu'il ne se croyait pas
aussi *le seul homme?*

J. S. — Bien sûr, bien sûr, comme tout artiste se
croit le seul artiste, le seul poète, le seul peintre, le
seul sculpteur.

R. M. — Pensez-vous être le seul poète, vous, Jules
Supervielle?

J. S. — Non, mais tout de même, quand j'écris, il
y a un moment où je crois être le seul. Après, je ne
suis plus tout à fait de cet avis.

R. M. — Au moment de la création, vous pensez
être le seul; mais quand vous vous entendez, c'est-
à-dire quand on lit votre œuvre devant vous, la modestie chez vous l'emporte sans doute, et c'est alors que
vous ne pensez plus être le seul?

J. S. — Oui, parce que je suis alors redevenu un
être relativement raisonnable.

R. M. — Est-ce un texte « raisonnable » de Claudel que vous avez choisi pour nous le lire, ou un de
ses textes dont l'étrange grandeur procure la sensation
d'un délire rationnel?

J. S. — C'est *La Pensée en mer*, tirée de *Connaissance
de l'Est*. Elle me paraît pleine de raison... lyrique.

*Le bateau fait route entre les îles. La mer est si calme
qu'on dirait qu'elle n'existe pas. Il est onze heures du matin,
et l'on ne sait s'il pleut ou non. La pensée du voyageur se
reporte à l'année précédente. Il voit sa traversée de l'océan
dans la nuit et la rafale, les ports, les gares, l'arrivée le
dimanche gras, le roulement vers la maison, tandis que d'un
œil froid il considérait au travers de la glace souillée de boue
les têtes hideuses de la foule. On allait lui remontrer les
parents, les amis, les lieux, et puis, il faut de nouveau partir.
Amère entrevue! Comme s'il est permis à quelqu'un d'étreindre
son passé. C'est ce qui rend le retour plus triste qu'un départ.
Le voyageur rentre chez lui comme un hôte, il est étranger
à tout, et tout lui est étrange. Servante, suspends seulement
le manteau de voyage et ne l'emporte point, de nouveau, il*

*faudra partir! A la table de famille, le voici qui se rassied,
convive suspect et précaire. Mais, parents, non. Ce passant
que vous avez accueilli, les oreilles pleines du fracas des trains
et de la clameur de la mer, oscillant comme un homme qui
rêve, du profond mouvement qui s'entend encore sous ses pieds
et qui va le remporter, n'est plus le même homme que vous
conduisîtes au quai fatal. La séparation a eu lieu, et l'exil
où il est entré le suit.*

R. M. — Ce très beau texte de Claudel représente
pour vous un poème en prose ou une prose poétique ?

J. S. — Eh bien, c'est presque un poème en prose,
mais je ne trouve tout de même pas qu'il ait suffisamment coupé ses amarres avec la vie de Claudel pour
qu'on puisse le désigner comme « poème en prose »,
par exemple dans le sens où Baudelaire a employé
l'expression. Ce n'est pas un poème détaché et avec
une vie propre, bien qu'on puisse le lire à part. Il
forme un tout, mais pas isolé.

R. M. — Qu'est pour vous le poème en prose ?

J. S. — C'est une île, les ponts sont coupés, c'est
un tout isolé. Le texte de Claudel est d'un poète qui
est aussi un diplomate. Le voyageur est encore trop
personnalisé. Mais comme il nous entraîne loin en
poésie ! Il y a cette phrase que je trouve extraordinaire
et qui vous a frappé sans doute aussi : « On allait
lui remontrer les parents, les amis, les lieux; et puis,
il faut de nouveau partir. »

R. M. — C'est sans doute le « on » qui vous paraît
énigmatique. Que représente « on » ?

J. S. — Ce « on » me paraît en effet très étrange
et très poétique dans son ambiguïté. Est-ce la femme
du poète, ce « on », est-ce le destin, est-ce le Dieu
Tout-Puissant ? Est-ce simplement le dieu des diplo-
mates dans l'exercice de ses fonctions, qui ne permet
que de courtes entrevues avec la patrie ? C'est une
halte dans le temps et dans l'espace.

R. M. — Nous avons avec ce « on » employé de
façon aussi spontanée — car on a vraiment l'impression du mot jailli — un exemple typique, je crois, du
bonheur d'expression involontaire qui crée le mystère

poétique. C'est un tout petit mot qui fait que ce texte devient « de la poésie ».

J. S. — Certainement. De même que cette phrase, cette interjection étonnante : « Servante! suspends seulement le manteau du voyageur et ne l'emporte point » qui est de tous les temps et qui aurait pu se trouver dans Homère. Claudel est un passager clandestin. Il n'est clandestin qu'en poésie, n'est-ce pas, et partout ailleurs, il est diplomate. On se le montre du doigt. Mais à la table de famille, il n'est pas clandestin, il est déjà un étranger.

R. M. — Oui, « suspect et précaire ». Voilà encore deux épithètes remarquables. Quant à la phrase : « La séparation a eu lieu, et l'exil où il est entré le suit », elle implique une modification de l'idée généralement admise : nous « suivons » l'exil. Pour Claudel c'est l'exil qui nous suit. Il en fait quelque chose de vivant, dans notre sillage.

J. S. — Parfaitement. Les déplacements chez Claudel ont fait de lui un voyageur perpétuel qui traîne avec lui tant de souvenirs qu'il ne peut plus être seul avec son corps en un seul endroit. Le cruel don de l'ubiquité, diplomatique ou non, le *suit* partout.

R. M. — Un don cruel, et en même temps bien agréable!

J. S. — Oui, il fait qu'on est exilé, étranger partout. Claudel ne sera plus jamais là seulement où il se trouve. Il sera désormais celui qui n'est immobile qu'en apparence.

R. M. — Il faut retrouver dans sa phrase : « Tu vivras errant », une prophétie qui s'applique à toute sa vie.

J. S. — Oui, Claudel est condamné en quelque sorte à vivre errant dans les mers de la planète, comme il vit errant en poésie.

R. M. — Il vit errant en poésie mais bien solidement amarré en religion!

J. S. — Et il est même solidement amarré en poésie quand il écrit en prose. Il ne se permet pas les libertés infiniment plus grandes qu'il prend dans ses drames.

R. M. — J'aimerais savoir pourquoi vous avez choisi cette page de *Connaissance de l'Est*.

J. S. — Comme le texte de Chateaubriand, c'est un texte d'homme jeune.

R. M. — Mais dans ce texte, vous auriez pu choisir un autre fragment. Pourquoi avez-vous choisi particulièrement celui-là ?

J. S. — Hélas ! ne me le demandez pas trop, vous y trouveriez peut-être une raison égoïste et dont je suis assez confus.

R. M. — Dites-la tout de même.

J. S. — Eh bien, ce qui est peut-être mon meilleur conte, *L'Enfant de la haute mer*, qu'est-ce que c'est, sinon une *idée en mer ?* Je me suis retrouvé dans la page de Claudel. Un poète, qui est toujours subjectif, ne peut faire qu'un genre de critique « personnel », et il s'y montre involontairement égoïste...

Reflets

Paul Éluard.

27 juillet 1949.

Mon cher ami,

De peur d'avoir été injuste envers vous, je relis ce soir — je pars loin demain matin — votre *Choix de poèmes*. Eh bien, oui, je les aime beaucoup.

Mais pourquoi faut-il que nous ne soyons pas tous les deux du même côté du monde ? Comment est-ce possible ? Car, lorsque je vous lis, j'ai conscience de ce qu'est la poésie. Et aussi, de ce qu'est un poète.

Je comprends toute la lumière et tous les contacts que nous pouvons avoir avec elle, contacts de raison, de vérité, malgré toutes les taches noires du soleil.

Mon cher Supervielle, vos poèmes m'aident à vivre. Je veux que vous le sachiez.

Et je serais vraiment heureux et fier d'être votre ami.

Pierre Emmanuel.

Nous ferez-vous bientôt signe, mon cher Jules Supervielle, de vous suivre à pas de loup, dans votre univers enchanté ? A quel point votre poésie nous manque, il n'est, pour le bien sentir, que de relire *Les Poèmes de la France malheureuse* ou *Les Amis inconnus*. Depuis votre départ, il est né bien des poètes en France : tous les arbres de notre pays se sont peuplés d'oiseaux. Certes, leur chant est beau, vous serez heureux de l'entendre : et peut-être l'entendez-vous, une branche de l'Arbre enjambe la mer comme un mur, la voici qui vers

vous se penche. Mais ces poètes ne connaissent plus
le silence. Tous, ils disent des choses utiles, ou profondes : utiles, les uns, qui voient dans le poète un
Définiteur de la Cité, et parlent de leur « rôle social »
avec des mines importantes ; profondes, les autres, qui
se plaisent aux abîmes, et s'assurent un peu trop volontiers qu'ils sont dépositaires de ce que l'homme a de
plus sacré. Il en est bien qui s'essaient au silence,
leurs poèmes brillent par endroits des éclats d'un
silence brisé. Ceux-là ne savent pas que le silence est
partout, qu'il est non point la paillette de l'instant,
mais ce réseau des rapports fragiles distinguant toutes
choses pour les relier dans l'harmonie.

Vous étiez à le savoir, l'un des rares, peut-être le
seul de votre temps. Ces poèmes de vous qui nous
manquent, où le réel est si familier du mystère que
tout notre monde d'apparences y est sans cesse remis
en question, nous avons hâte d'y retrouver l'une de
ces dimensions de notre solitude. Vous nous avez donné
le sens, dirai-je de l'hostilité ? non, de l'étrangeté des
choses, et des signes, gauches un peu, qu'elles font à
notre destin. Ou plutôt, n'est-ce pas nous qui sommes
gauches à les comprendre ? Nous avons tellement, et
si peu, l'habitude des choses... Elles sont là, que nous
croyons faites à notre mesure : la lampe, le fauteuil,
la porte, tous ces « objets » d'un usage courant. Point
si apprivoisées toutefois qu'elles ne se reprennent à
vivre, à notre insu, au centre même de notre vie. Et
c'est alors notre belle sécurité qui s'en va, quand leur
cœur se met à battre plus fort que notre propre cœur.
Un monde toujours menacé de l'irruption de mille
autres mondes, avec lesquels il faut composer, dont
il faut respecter la loi, car elle commande à la gravitation du nôtre. Il y a grande douleur en cet équilibre,
mais pudique et dominée. A force de modeste patience,
s'use même la fatalité. J'admire que le malheur de
la France n'ait point altéré votre voix : la plainte
qu'il tire de vous vient des plus sourdes fibres de l'être,
mais elle est d'un homme qui sait que sa catastrophe
n'est que désordre d'un temps, et que l'esprit poursuit
avec lenteur, par-dessous la souffrance aiguë, la cica-

trisation des blessures, et la force du nouvel amour.
Il est dans la vie personnelle de ces déchirures atroces
qu'il est vain d'agrandir encore par des cris. Pleurer
alors, très simplement et sans honte, est une manière
de grâce, qui sauve cela même que l'on croyait perdu.
Vos poèmes silencieux de la France malheureuse, je
sens les larmes qui les étouffent, des larmes de vieil
homme qui a beaucoup de mémoire derrière lui, et
qui souffre dans toutes ces choses, jusqu'aux plus quo-
tidiennes, qu'il nommait siennes parce qu'elles étaient
la France, et qui sont tout d'un coup ruinées. Comme
un qui ne retrouvera plus sa maison ni sa raison
d'être, et se sent trop vieux un moment pour tisser
de nouveau sa patrie. Mais il sait bien que tout recommence, et qu'on lui donne un peu de ciel, un fleuve
et le nom de Paris, il refera cette présence tremblante
et sacrée, ce « grand miroir poli en forme d'hexa-
gone ». Non plus la présence d'hier : une autre, mieux
aimée parce qu'une fois perdue, et toujours en danger
qu'il la perde.

Peut-être le fond de tout poète est-il une tristesse
infinie. C'est elle qui donne à notre impermanence
ce pathétique sans lequel rien de permanent ne serait
créé. Nul autre que vous ne l'a mieux senti, mon cher
Jules Supervielle. Ceux qui déclament, qui légifèrent,
qui définissent à grands traits le peuple et la patrie,
sans doute sont-ils nécessaires, mais combien plus celui
chez qui *la peur est entrée comme une écharde*, et qui écoute
à chaque instant le souffle bien-aimé; celui qui reconnaît son pays à un arbre, à la couleur d'un matin,
et qui sait que le regard de son peuple est une eau
limpide qu'il suffit de rien pour troubler : celui-là,
qui est vous, nous enseigne une nostalgie que rien
n'apaise, si ce n'est une vigilance toujours tendue
devant ce bien précieux et commun dont nous connaissons maintenant qu'il périrait de nous échapper.

(Lettre à Jules Supervielle,
Poésie 45, n° 24.)

ROBERT MALLET.

Le théâtre de Supervielle ne doit rien à aucun autre : son merveilleux est loin de Cocteau, et loin de Giraudoux sa fantaisie; fresque historique, farce, comédie de caractère ou comédie féerique, ce théâtre possède des ressorts imprévus qui tantôt ont surpris la critique, tantôt l'ont enthousiasmée. Supervielle a continué de ponctuer ses dialogues de strophes en vers comme s'il avait besoin de points d'appui formels pour retrouver la ligne de sa pensée, ou simplement par habitude. L'intrusion de ces couplets dans le corps même du drame n'est pas ce qui étonne le moins, car souvent leur « charge » poétique n'est pas aussi forte que celle des reparties en prose. Mais la cadence soudaine qu'ils imposent au langage, leur ton de comptine et cette façon d'énoncer, presque comme des proverbes, certaines vérités premières, apportent dans le déroulement de l'action des moments étranges, faits autant de tension que de détente, où l'on est sensible sans le savoir au plus inattendu des charmes d'un théâtre unique en son genre.

(Jules Supervielle ou le merveilleux serrurier,
Cahiers de la Compagnie Madeleine Renaud
et Jean-Louis Barrault, décembre 1955.)

FRANZ HELLENS.

Il m'est arrivé plus d'une fois de fermer les yeux sur la féerie du décor et des personnages pour jouir exclusivement et divinement du chant qui s'élevait de la scène et se répandait dans la salle, émis par un petit orchestre aux instruments miraculeux.

(Un Poète considérable, Jules Supervielle,
Dernière Heure, Bruxelles, 31 octobre
1948. A l'occasion d'une représentation
de *Robinson.)*

Marcel Jouhandeau.

Puis-je confesser ici mon regret que Jules Supervielle n'ait pas songé au cinéma, qui permet justement
de réussir où le théâtre achoppe. La féerie est son
domaine comme elle est celui de la poésie. Supervielle
y eût fait merveille. Quelles images il nous eût données,
comme il nous eût rendu sensible cette frange diaprée
de la vie qu'il foule sans cesse, qui est celle du mystère,
du miracle.

(*Jules Supervielle*, *Livres de France*, février 1957.)

Claude Roy.

L'œil de Supervielle a l'ubiquité intelligente de
l'objectif cinématographique. Il aime le cinéma, a été
tenté (a tenté) d'écrire pour l'écran. Ce n'est pas par
caprice ou par malentendu, c'est parce que son procédé
d'écriture le plus normal est ce qu'il faut bien nommer
celui de l'enchaîné.

(*Jules Supervielle*, Pierre Seghers, 1953.)

Léon-Gabriel Gros.

La manière de certains poèmes récents de Supervielle ne fait qu'illustrer un phénomène fréquent dans
le lyrisme européen, la situation de la poésie après
l'expérience romantique et ses prolongements ne pouvant se comparer qu'à celle qu'elle connut après la
Pléiade ou la grande floraison élizabéthaine.
Un recueil comme *La Fable du Monde*, outre son
intérêt exceptionnel au point de vue de l'histoire littéraire, apporte également un témoignage proprement
poétique sur les inquiétudes de ce temps. Je me gar-
derais d'en examiner le message religieux ou d'en dis-
cuter l'orthodoxie mais je crois utile d'en retenir le
pessimisme profond.

L'inspiration cosmique ou panthéiste de Supervielle, si elle se fonde sur les mêmes données que dans *Gravitations* ne se traduit pas par une confiance aussi généreuse dans l'univers. Le climat sentimental de ce livre s'apparente davantage à celui du *Forçat innocent* qu'à l'acte de foi quasi franciscain des *Amis inconnus*. L'idée dominante est celle de l'isolement des êtres et des choses, à commencer par Dieu lui-même, « plus seul dans sa fable — Qu'un agneau perdu dans les bois » et qui ayant créé l'homme pour échapper à sa solitude s'avoue en fin de compte « coupé de son œuvre ». On saisit combien cette conception de Dieu est totalement étrangère à l'idée chrétienne de Providence, d'où l'amertume à peine voilée par l'humour qui déborde de la plupart de ces poèmes. Comme elle est malhabile et douloureuse la médiation que peut tenter la Poésie! Le sentiment de cette impuissance, qui chez tant de lyriques modernes s'achève en négation ou en blasphème, inspire au contraire à Supervielle les émouvants versets de *Prière à l'Inconnu* ou de *Tristesse de Dieu*, qui marquent le point culminant de la pensée du recueil.

(*Morale et Poésie : Paul Éluard-
Pierre-Jean Jouve-Jules Supervielle,
Les Cahiers du Sud*, décembre 1938.)

Luc Estang.

La moindre originalité de Jules Supervielle n'est pas d'avoir soumis le cosmos à la mesure intimiste. Il allie comme personne la familiarité à la solennité. Il n'a cure des vaines orchestrations; il leur préfère la mélodie livrée à ses seules résonances; lesquelles se prolongent discrètement. Pas de gourmandise de langage chez lui; mais des mots exactement choisis « les moins beaux, pour leur faire un peu fête »; guère d'images purement verbales provoquées par des rencontres insolites et gratuites; ses métaphores sont transparentes — ce qui ne signifie pas privées de mystère — et souvent c'est le poème tout entier qui devient métaphore. Parce qu'il est l'illustration d'une mythologie personnelle très cohérente. A preuve les correspondances entre le conteur et le poète.

*(Supervielle du dimanche et des autres jours,
Le Figaro littéraire, 10 août 1957.)*

Joe Bousquet.

Sur le chemin qui va des premiers recueils de Supervielle au volume qui a pour titre *Les Amis inconnus*, nous avons vu un grand poète lyrique, en proie d'abord au sentiment panique de la vie, mais dont la voix devenait de plus en plus forte et plus humaine à mesure qu'il fermait les yeux et semblait ne plus avoir le sentiment que de son cœur. C'est alors que son intelligence si haute a le plus jalousement veillé sur son inspiration. Quand on lit des écrivains de cette classe, on se demande si la pensée n'est pas faite pour débarrasser la poésie du fardeau de l'existence! Mais je n'ai pas à parler des amis inconnus. Je ne veux qu'attirer l'attention sur le fait que quelque chose s'est passé entre le moment où ce livre voyait le jour et l'aubaine des contes réunis sous le titre *L'Arche de Noé*.

L'apparence d'une liberté plus grande : l'illusion que le sens du jeu revient comme pour ranimer le goût de vivre après la plus vertigineuse méditation poétique. Mais il faut ici se défier de la tentation qui nous incline à enfermer l'évolution d'un poète dans les limites d'un mouvement alternatif. Ce serait vraiment trop commode! Non! On dirait qu'en cherchant la vie au zénith de la vie, qu'en l'apercevant soudain comme une étoile dont l'existence de l'homme est la sœur de lait, Jules Supervielle a découvert et aussitôt incarné le principe de la véritable liberté poétique.

Que voyons-nous ici, dès les premières pages? La poésie qui sourit de la poésie : l'invention opposant sa fraîcheur de source aux enchantements éternels de l'imagination : le rire discret des couleurs dans le

manteau glacé que l'esprit répand sur la terre de
poésie. Le vent se lève sur la pensée qui délivre le
songe.

Pourquoi ce phénomène entraîne-t-il des conséquences si inattendues ? Ici, le jour ne s'est levé que
pour planter les tentes de l'ombre. Comme si le cœur
du poète était devenu soudain plus grand que son
regard, un espace intuitif l'attend partout où sa pensée avait rétabli les perspectives universelles.

Je répondrai d'un mot. Comme s'il me suffisait que
Jules Supervielle me comprenne, je dirai : la parole.
Le langage, enfin, a affranchi le poète de la poésie.
A la limite de toutes les passions et quand l'homme
ne fait qu'un avec le monde, la parole prend conscience
d'elle-même et grandit à l'orient de la vie comme si
elle attendait notre dernier souffle pour achever de
se révéler. Les contes de Jules Supervielle sont *parlés*.
Et rien ne pouvait nous émouvoir davantage après
l'attention que nous avons portée à l'évolution de ce
grand poète. Jules Supervielle, nous en sommes sûrs,
a trouvé la clef de Shakespeare.

(Recension de *L'Arche de Noé*,
Les Cahiers du Sud, juillet 1938.)

Émilie Noulet.

Autre autorisation implicite que donne un recueil
que son auteur a composé chronologiquement : celle
de souligner la préférence de certains thèmes, d'abord
spontanée, puis réfléchie, puis exploitée, puis élargie...
celle de suivre l'évolution de son talent parallèle à
la révolution de l'âge. Dans cette double courbe, en
même temps qu'un approfondissement de l'expérience
et de la sensibilité poétique, on voit les poèmes gagner
en plénitude et en densité à mesure que le poète obéit
à plus de règles. Les rythmes libres du début font place
peu à peu aux vers réguliers, les laisses aux strophes,
les assonances aux rimes. Ce n'est pas qu'on déplore
les formes premières ; elles furent sans doute adoptées
pour mieux s'adapter au mouvement de la pensée. Il

n'y a peut-être pas de rapport entre la plus grande
beauté des *Vers récents* et leur plus grande régularité.
Il reste que leur perfection coïncide avec une versifi-
cation plus classique.

(Recension du *Choix de poèmes*,
Orbe, n° 14, Mexico, juillet 1945.)

PHILIPPE JACCOTTET.

Mais, là encore, comme l'âge a bien travaillé!
Toutes ces images légères et colorées, attendries, heureuses, précisément ce sont encore des images, de petits
tableaux, et il semble qu'avec le temps elles n'aient
pas été assez intérieures, assez fortes pour résister au
dernier débat du cœur et du corps qui occupe aujour-
d'hui Supervielle. En fait, le poète n'a plus besoin
des pays étrangers, des grandes distances pour recréer
un monde vaste et merveilleux : il lui suffit bien de
n'importe quelle nuit, parce que son art est devenu
assez subtil (extrêmement subtil, soit dit en passant)
pour que les moindres événements de sa vie, les
moindres objets, le plus pauvre monde, rayonne autant
que le monde étranger :

> *O nuit, nous espérons merveille de tes herbes,*
> *De tes simples obscurs, de ta fausse réserve...*

Bien que Jules Supervielle, comme le montre le
trop bref exemple ci-dessus, ait réussi à tirer de nouvelles mélodies du très vieil et redoutable alexandrin,
bien qu'il continue à tirer parti du verset lorsqu'il
veut donner plus de place à la réflexion ou même au
récit, c'est lorsqu'il use du vers court, à mon goût,
qu'il se rapproche le plus de sa vérité la plus intime
et que, ne ressemblant plus qu'à lui-même, il devient
tout à fait commun, merveilleusement simple et naturel. Le vers bref, avec sa légèreté, convient admirablement à une sorte de tremblement assourdi de la
voix qui est propre à ce poète. Évitant tous les vocables
rares, riches ou éclatants, mais fuyant aussi, d'une

même crainte, avec la même mesure, le mot sottement réaliste, il obtient un chant chuchoté mais sans
petitesse, léger sans frivolité, inimitable, inoubliable.

(*L'Age de vérité*,
La Gazette de Lausanne, 30 mars 1957.)

PIERRE HOURCADE.

Et c'est alors qu'éclate toute son humilité, toute sa
bonne foi, toute sa tristesse aussi d'homme qui n'est
pas dupe de ses propres actions, à qui tout « théisme »
est étranger, même le panthéisme, pour qui tout est
mystère inappréhendable, « qui passe sa vie à penser
à autre chose », qui est le perpétuel dépaysé, qui s'est
fait une société des étoiles, des animaux et des arbres
bien qu'il les sache « sans vie » ou « sans réponse »,
qui ne sait pas bien lui-même s'il existe, mais qui
éprouve un sentiment de complicité totale envers cet
Univers de la présence physique et charnelle, qui
trouve tout naïvement la Terre belle, la vie désirable,
le corps digne de respect et de pitié, l'amitié et l'amour
dignes de fidélité, et qui supplie qu'on ne lui dérobe
pas, que l'on ne dérobe pas à ses semblables, des biens
aussi modestes et sans prix. C'est ici que l'on touche
du doigt à quel point le monde de Supervielle, tout
paré qu'il soit des prestiges de la fantaisie et de l'imaginaire, est un monde de la présence — je répète le
mot à dessein — de l'évidence immédiate, élémentaire, un monde infiniment simple, et secret par la
vertu de cette simplicité même. Il n'y a pas plus de
complexes que d'illusions à la source de cette poésie,
mais pas davantage d'égoïsme ou de glorification du
désir. Ce bonheur de se connaître vivant, voici que
Supervielle le solitaire, le « retranché » n'est en état
de l'éprouver que s'il est garanti à tous ses semblables
en même temps qu'à lui. Ce corps auquel il est sans
cesse ramené, c'est pour lui-même en quelque sorte
qu'il mérite qu'on s'y attache, et non pour la jouissance qu'on en peut tirer. On voit ici transparaître
une très grande idée dont notre monde est en passe

1 - Jules Supervielle, en 1958,
vu par Douglas Glass :

Mettons à jour un posthume
[*sourire*
Faute de mieux

2 - Jules Supervielle, en 1958, vu par Charles Leirens,
à l'époque où il écrit les poèmes du *Corps tragique* (1958) :

Il a peur de bouger même son mince pouce
Quand tout son corps devrait aller à la rescousse

Jules Supervielle, en 1959, chez lui.

de perdre le sens : le respect de la vie, la piété révé-
rentielle envers toute chose créée, le sentiment d'une
éminente dignité de la Création. Mais sans référence
explicite à un Créateur. S'il y a une religion de Supervielle, c'est celle-là : le péché en est exclu à force
d'innocence, et l'espoir comme la terreur, mais non
pas un certain sens du sacré. Je ne connais pas de
poésie moins révolutionnaire, moins ambitieuse et
cependant plus envoûtante, et qui, nous réduisant à
une situation élémentaire, nous touche davantage, et
avec une aussi infaillible sûreté, au plus secret de
nous-mêmes.

> (*Jules Supervielle, poète de la mort et de la vie,*
> *Rivages,* Lisbonne, octobre 1956.)

ARMAND ROBIN.

Supervielle « s'achemine vers sa propre nature, et
par là, vers un art plus simple ».

> (A propos de *L'Arche de Noé,*
> *Esprit,* 1er juin 1938.)

ETTORE SETTANI.

Supervielle est un grand poète, parce qu'il sait rassembler en son cœur, sinon l'humanité tout entière,
du moins les trois quarts de cette magnifique illusion.

> (A propos de *L'Arche de Noé,*
> *Il Meridiano di Roma,* 7 juillet 1938.)

ROBERT SPEAIGHT.

Impossible de lier Supervielle à quelque école que
ce soit : philosophique, politique ou prosodique.

> (*The New Statesman and Nation,*
> 7 avril 1945.)

Contemporain des -*ismes*, on ne saurait le catalo-
guer dans aucun d'entre eux.

> (Programme de la version espagnole
> du *Voleur d'enfants : El Ladrón de niños*,
> Madrid, 8 mai 1950.)

Nulle voix n'est plus pure que la sienne [...] c'est
une des plus attachantes, une des moins dogmatiques
d'aujourd'hui.

> (*Times Literary Supplement*,
> 13 octobre 1950.)

Documents

I. — BIBLIOGRAPHIE

A) Œuvres de Jules Supervielle.

Brumes du passé, s. l. n. d. [1900]; plaquette de vers, 28 p. Éd. originale.

Comme des voiliers, poèmes, avec une eau-forte de Fernand Sabatté, Paris, Collection de La Poétique, 1910. Éd. originale.

Les Poèmes de l'humour triste, ornés de dessins inédits par André Favory, André Lhote et Dunoyer de Segonzac; tirage restreint, Paris, chez Bernouard, A la Belle Édition, 1919. Éd. originale.

Poèmes, Voyage en soi, Paysages, Les Poèmes de l'humour triste, Le Goyavier authentique, préface de Paul Fort, Paris, Eugène Figuière, 1919. Éd. originale, sauf pour Les Poèmes de l'humour triste.

Débarcadères, La Pampa, Une paillote au Paraguay. Distances, Flotteurs d'alarme, Paris, Éditions de la Revue de l'Amérique latine, 1922. Éd. originale. Une édition « revue et augmentée » paraîtra chez A. A. M. Stols, A l'Enseigne de l'Alcyon, Maestricht, Paris, Bruxelles, 1934.

L'Homme de la Pampa, roman, Paris, Nouvelle Revue Française, 1923. Éd. originale (le titre porte par erreur : Jules Supervieille); réédition, Paris, Gallimard, 1955.

Gravitations, poèmes, Paris, Nouvelle Revue Française, 1925. Éd. originale. En 1932, paraît une « édition définitive », Paris, Nouvelle Revue Française, avec de très nombreuses variantes.

Le Voleur d'enfants, roman, Paris, Nouvelle Revue Française, 1926. Éd. originale.

Oloron-Sainte-Marie, poèmes, Marseille, Éditions des Cahiers du Sud, Collection « Poètes », n° 7, 1927. Portrait par André Lhote. Éd. originale.

La Piste et la mare, Paris, aux dépens des Exemplaires M. Seheur, 1927. Éd. originale (99 exemplaires).

SAISIR, poèmes, Paris, Nouvelle Revue Française, Collection « Une œuvre, un portrait », avec un portrait par Borès, gravé sur bois par Georges Aubert, 1928. Éd. originale.

LE SURVIVANT, roman, Paris, Nouvelle Revue Française, 1928. Éd. originale.

URUGUAY, Paris, Émile-Paul, Collection « Ceinture du monde », frontispice de Daragnès, 1928. Éd. originale.

TROIS MYTHES : L'ENFANT DE LA HAUTE MER, LA SIRÈNE 825, LES BOITEUX DU CIEL, avec un bois de Pierre Falké, Madrid, Paris, Buenos Aires, Agrupación de amigos del libro de arte, 1929. Éd. originale.

BOLIVAR ET LES FEMMES, nouvelle historique. Copyright by Jules Supervielle, imprimé chez Victor Allard, Chantelard et Cie, Paris, 1930. Éd. originale.

LE FORÇAT INNOCENT, poèmes, Paris, Nouvelle Revue Française, 1930. Éd. originale (sauf pour Oloron-Sainte-Marie et Saisir).

POÈME CHORÉGRAPHIQUE, musique de Maurice Jaubert (Nuit, Comète, Lune, Crépuscule du matin, L'homme de la caverne), 1931. Éd. originale.

L'ENFANT DE LA HAUTE MER, Paris, Nouvelle Revue Française, 1931. Éd. originale (sauf pour L'Enfant de la haute mer, Les Boiteux du Ciel, La Piste et la mare).

LA BELLE AU BOIS, pièce en trois actes, Paris, Nouvelle Revue Française, 1932. Éd. originale. Une « nouvelle édition » remaniée et augmentée, paraît chez Gallimard en 1947; devenue « féerie en trois actes », La Belle au Bois, version de 1953, paraît chez Gallimard cette même année.

BOIRE A LA SOURCE, sur la couverture récit, Confidences de la mémoire et du paysage, Paris, Corrêa, 1933. Éd. originale (sauf pour les textes publiées dans Uruguay). Réédition, Gallimard, 1951, augmentée de : Journal d'une double angoisse, Le Temps immobile, Les Bêtes.

LES AMIS INCONNUS, poèmes, Paris, Nouvelle Revue Française, 1934. Éd. originale.

PHOSPHORESCENCES, gravures d'Herbert Lespinasse, interprétées par Jules Supervielle, Paris, Librairie de France, Les Amis de l'Amour de l'Art, 1936.

BOLIVAR, pièce en trois actes et onze tableaux, suivie de La Première Famille, « farce en un acte », Paris, Nouvelle Revue Française, 1936. Éd. originale. Une version nouvelle paraîtra dans France Illustration, Le Monde illustré, supplément théâtral et littéraire, 22 juillet 1950, puis chez Gallimard, en 1955.

CHIENS, par Ylla, préface de Jules Supervielle, Paris, Éd. O. E. T., 1936.

LA FABLE DU MONDE, poèmes, Paris, Nouvelle Revue Française, 1938. Éd. originale.

L'ARCHE DE NOÉ, contes, Paris, Nouvelle Revue Française, 1938. Éd. originale.

L'ENFANT DE LA HAUTE MER, illustrations de Mariette Lydis, Buenos Aires, Ateliers graphiques Saint, 1941, 304 exemplaires.

POÈMES DE LA FRANCE MALHEUREUSE (1939-1941), Buenos Aires, Sur, collection des Amis des lettres françaises, nº 2, 1941. Éd. originale. Réédités, suivis de *Ciel et Terre*, Neuchâtel, Éditions de la Baconnière, collection Les Cahiers du Rhône, nº 6, 1942.

LE PETIT BOIS ET AUTRES CONTES, illustrés par Ramon Gaya, Mexico, Ediciones Quetzal, Collection « Renaissance », 1942. Éd. originale. Réédité par Jacques et René Wittmann, Paris, 1947.

LA BELLE AU BOIS, Buenos Aires, Sur, 1944, Collection « La Porte étroite », nº 4. (Édition imprimée aux frais d'amis de la culture française et vendue au profit des œuvres du Comité français de Secours aux victimes de la guerre.)

CHOIX DE POÈMES, Buenos Aires, 1944. « De este libro, publicado en Homenaje a Jules Supervielle, se han impreso trescientos treinta ejemplares... Terminóse de imprimir el quince de Marzo de mil novecientos cuarenta y cuatro, en los talleres de Francisco A. Colombo, Buenos Aires. »

CHOIX DE POÈMES, Montevideo, Université centrale américaine, décembre 1944. (Plaquette polycopiée de 14 pages, donnant une anthologie des poèmes écrits entre 1938 et 1944.)

UNE MÉTAMORPHOSE OU L'ÉPOUX EXEMPLAIRE, Montevideo, La Galatea, 1945. Éd. originale.

1939-1945, poèmes, Paris, Gallimard, 1946. Quelques poèmes paraissent ici en édition originale.

ORPHÉE ET AUTRES CONTES, Neuchâtel, Ides et Calendes, Collection du Fleuron, nº 4, 1946. Éd. en grande partie originale.

L'ENFANT DE LA HAUTE MER, avec 27 lithographies de Pierre Roy, Paris, Gallimard, 1946.

18 POÈMES, Paris, Pierre Seghers, 1946. Aucun poème inédit.

A LA NUIT, postface d'Albert Béguin, Neuchâtel, Paris, Éditions de la Baconnière, Éditions du Seuil, soixante-huitième cahier du Rhône (dix-huitième cahier rouge), 1947. Éd. originale.

LA FUITE EN ÉGYPTE, gravures sur cuivre de Pierre Guastalla, Paris, chez l'Artiste, 1947.

CHOIX DE POÈMES, Paris, Gallimard, 1947 (nombreuses variantes).

OUBLIEUSE MÉMOIRE, Paris, Gallimard, Collection « Métamorphoses », XXXVII, 1949, Éd. originale.

LES B. B. V., Paris, Les Éditions de Minuit, Collection « Nouvelles originales », n° 7, 1949. Éd. originale.

ROBINSON, comédie en trois actes, Paris, Gallimard, 1949. Éd. originale.

SHÉHÉRAZADE, comédie en trois actes, Paris, Gallimard, 1949. Éd. originale.

LE VOLEUR D'ENFANTS, comédie en trois actes et un épilogue, *France illustration littéraire et théâtrale*, 1er décembre 1948, et Paris, Gallimard, 1949. Éd. originale.

PREMIERS PAS DE L'UNIVERS, contes mythologiques, Paris, Gallimard, 1950.

NAISSANCES, poèmes, suivis de *En songeant à un art poétique*, Paris, Gallimard, 1951. Éd. originale.

LA CRÉATION DES ANIMAUX, avec 5 dessins de Jacques Noël, Paris, Presses du livre français, 1951.

LE JEUNE HOMME DU DIMANCHE, illustré par Élie Lascaux, Paris, N. R. F., 1952. Éd. originale.

LE JEUNE HOMME DU DIMANCHE ET DES AUTRES JOURS, roman, Paris, Gallimard, 1955, reprend *Le Jeune Homme du dimanche*, et ajoute, en édition originale, celui *des autres jours*.

LA BELLE AU BOIS, *nouvelle version, suivie de* « ROBINSON OU L'AMOUR VIENT DE LOIN », Paris, Gallimard, 1953.

L'ESCALIER, nouveaux poèmes, suivis de *A la nuit, Débarcadères, Les Poèmes de l'humour triste*, Paris, Gallimard, 1956.

LE CORPS TRAGIQUE, poèmes en partie inédits, Paris, Gallimard, 1959.

LES SUITES D'UNE COURSE, suivi de *L'Étoile de Séville*, théâtre, Paris, Gallimard, 1959.

B) PRINCIPALES TRADUCTIONS EN LANGUES ÉTRANGÈRES.

EL HOMBRE DE LA PAMPA, traduction de Parra del Riego, Montevideo, 1925.

MUŽ DIVORKÝCH KRAJŮ, roman *(L'Homme de la Pampa)*, traduction d'E. Cupra, Praha, Odeon, 1927.

Liriche Moderne francesi, poèmes, traduction de Lionello Fiumi, Milano, Mondadori, 1935.

Das Kind vom hohen Meere (L'Enfant de la haute mer), traduction de Helene Goldschmidt, dans Neue Französische Erzähler, herausgegeben von Felix Bertaux und Hermann Kesten, Berlin, Kiepenheuer, 1930 (pp. 154-167).

Poema, version española por M. Altolaguirre, Paris, Ediciones de « Poesía », 1931. C'est : Dans la forêt sans heures (En el Bosque sin horas).

Bosque sin horas (Poemas), traducidos del frances por Rafael Alberti, con versiones de Pedro Salinas, Jorge Guillén, Mariano Brull y Manuel Altolaguirre, primera edición, Madrid, Editorial Plutarco, S. A., 1932 (réédition augmentée en 1937, à Montevideo).

The Ox and the Ass at the Manger, dans New York Herald Tribune, 25 décembre 1932 (Le Bœuf et l'Ane de la crèche, dans un numéro de Noël).

Souls of the Soulless, illustrated by Mary Adshead, London, Methuen & Cᵒ, 1933. Ce recueil contient Le Bœuf et l'Ane de la crèche, et La Fuite en Égypte, traduits par Darsie Japp et L'Arche de Noé, traduit par Norah Nicholls.

De Os en de Ezel van den Heiligen Stal (Le Bœuf et l'Ane de la crèche), traduction de Maurice Roelants « met prenten van Edgard Tijtgat », Rotterdam, Nijgh & van Ditmar, N. V., 1933 (éd. de luxe numérotée).

Mai Francia Dekameron fordidotta, a bevezetö tanulmányt és az életrajzokat irta Gyergyai Albert, Nyugat-Kiadás, Buda Pest, 1935. Précédée d'une préface, traduction du Bœuf et l'Ane de la crèche, pp. 259-285.

Se-na ho-chang-ti wou-ming niu-tseu (L'Inconnue de la Seine), traduction de Lo Ta-kang, parue en 1934 ou 1935 dans un journal de Tientsin, le Ta-kong-pao, page littéraire. M. Lo Ta-kang, à qui je l'avais demandée, n'a pu retrouver la référence exacte. (Il m'apprend aussi que le poète Tai Wang-chou, mort depuis, traduisit du Supervielle en chinois, mais quoi, et où?)

Noa no Hakobune (L'Arche de Noé), poèmes et contes choisis, traduction japonaise de N. D. Horiguchi, Tokyo, 1936.

Ochs und Esel bei der Krippe (Le Bœuf et l'Ane de la crèche), traduction de Gustav Rademacher, Berlin, F. A. Herbig Verlagsbuchhandlung, s. d. [1937].

La Desconocida del Sena, avec préface de Guillermo de Torre, Buenos Aires, Losada, 1941.

THE OX AND THE ASS AT THE MANGER, translated from
    the French by Naomi Royde Smith, illustrations by
    Muriel Broderick, Londons, Hollis & Carter, 1945.
ANGELS AND BEASTS, new short stories from France, selec-
    ted and introduced by Denis Saurat, London, Wes-
    thouse, 1947 (aux pp. 220-275, traduction de quatre
    contes, par C. H. Sisson).
DE OS EN DE EZEL VAN DE HEILIGE STAL, uit het Frans
    vertaald door Maurice Roelants, tweede Druk, Ams-
    terdam, Uitgeverij Ploegsma, 1948.
ORPHEUS, A SYMPOSIUM OF THE ARTS, edited by John
    Lehmann, London, John Lehmann, vol. I, 1948 (pp. 59-
    64 : *A Child of the high Seas (L'Enfant de la haute mer)*,
    translated from the French by Dorothy Baker).
POEMAS, selección, traducción y prólogo de Leopoldo Rodrí-
    guez Alcade, Adonais, Madrid, Ediciones Rialp, LI,
    1948.
VÄRLDSHAVETS BARN *(L'Enfant de la haute mer)*, översättning
    av Anders Nyblom, Förord av Hans Ruin, Stockholm,
    Wahlström & Wildstrand, Kokard Serien, 1949.
IL LADRO DI RAGAZZI, traduzione dal francese di Vasco
    Pratolini; IL SOPRAVVISSUTO, traduzione dal francese
    di Beniamino Dal Fabbro *(Le Voleur d'enfants, Le Sur-
    vivant)*, Milano, Roma, Bompiani, Collection « Pegaso
    Letterario », vol. 20, 1949.
DER KINDERDIEB, DER UEBERLEBENDE *(Le Voleur d'enfants,
    Le Survivant)*, Autorisierte Uebersetzung von Hedwig
    Andertann, Werner Wulff Verlag, Ueberlingen, 1949.
MEESTERS DER FRANSE VERTELKUNST, Amsterdam, J.
    M. Meulenhoff, 1950 (pp. 168-178 : *De Arke Noachs
    (L'Arche de Noé)*, dans une traduction de N. Brunt).
THE COLONEL'S CHILDREN *(Le Voleur d'enfants)*, translated
    from the French by Alan Pryce-Jones, London, Mar-
    tin Secker and Warburg Limited, 1950.
THE SURVIVOR *(Le Survivant)*, translated from the French
    by John Russell, London, Martin Secker and Warburg
    Limited, in association with Sidgwick and Jackson
    Limited, 1951.
OCHS UND ESEL BEI DER KRIPPE, Deutsch von Gustav Rade-
    macher, Berlin-Grünewald, F. A. Herbig Verlags-
    buchhandlung (Walter Kahnert) 1951 (contient *Le
    Bœuf et l'Ane de la crèche*, ainsi que *La Fuite en Égypte*).
DIE ARCHE NOAH, Erzählungen, Deutsch von Gertrud
    Grohmann, Berlin-Grünewald, F. A. Herbig Ver-
    lagsbuchhandlung (Walter Kahnert), 1951 (contient
    L'Arche de Noé, La Création des animaux, Orphée, L'En-

lèvement d'Europe, Io, Le Bol de lait, La Jeune Fille à la voix de violon, La Piste et la mare).

THE SHELL AND THE EAR, with translations by Marjorie Boulton and an Introduction by Dr. S. J. Collier, Hull, Lotus Press, Acadine Poets Three, 1951 (traductions juxtapaginaires de douze poèmes).

ORPHEUS STORY, traduced by L. Parks, dans *Kenyon Review*, 1953, pp. 614-618.

THE YOUNG MAN WHO CAME ON SUNDAYS *(Le Jeune Homme du dimanche)*, translated by A. A. Hartley, dans *Mandrake*, 1953, pp. 208-222.

THE OX AND THE ASS AT THE MANGER, translated from the French by Dora Starke, M. A. Illustrations by Grace Coe Wilson, Printed for private circulation by Richard Wood, The Talbot Press, Saffron Walden, Essex (s. d.).

HUD OCH HIMMEL, de Ingemar Gustavson, dans *Aftonbladet*, 29 juin 1956, comporte la traduction en suédois de deux poèmes « cosmiques », dont un fragment de *400 atmosphères.*

IN VIAGGIO CON SUPERVIELLE, versioni di Nelo Risi da Jules Supervielle, Disegni di Mitty Risi, Milano, All' Insegna del Pesce d'Oro, 1956 (dix poèmes en traductions juxtapaginaires).

F. CORNFORD, M. BOTTRALL et L. E. JONES ont traduit pour la B. B. C. divers poèmes : *Faces, Desire, The Avenue, This Daylight, France far off.*

Preveo ANTE CETTINEO traduisit dans *Novo Doba* plusieurs poèmes, dont *Les Chevaux du Temps*, Edwige PESCE GORINI, *Le Vulnérable*, dans *Il Giornale dei Poeti*, Rome, le 5 février 1957. En 1958, la revue *Shi'r (Poésie)*, publiée à Beyrouth a donné en arabe plusieurs poèmes de Supervielle. Les éditions Piw, de Varsovie, préparent un *Supervielle.* Etc...

Diverses pièces de théâtre ont été traduites, mais non point encore publiées, savoir :

La Belle au Bois : a) en anglais, par Lucienne Hill *(Beauty in the Wood);*
      b) en espagnol, par Ulalume Ibañez de Gonzalez de León, au Mexique.

Le Voleur d'enfants : a) en anglais, par Donald Coles;
      b) en espagnol *(El Ladrón de niños)*, par Elena Soriano; monté au théâtre par Juan Guerrero Zamora.

Robinson : en espagnol, par Trino Martinez Trives, et mis en ondes pour Radio nacional de España par Juan Guerrero Zamora.

C) Principaux textes
traduits par Jules Supervielle.

Alfonso Reyes, *Amado Novo*, dans la *Revue européenne*, octobre 1927.

Federico García Lorca, *Le Martyre de sainte Eulalie*, dans *Chansons gitanes*, Les Cahiers de Barbarie, nº 10, Tunis, 1935.

William Shakespeare, *Comme il vous plaira*, adaptation de Jules Supervielle, Paris, Nouvelle Revue Française, 1935. Autre texte, revu et corrigé, dans le *Shakespeare* de *La Pléiade*, Paris, Gallimard, 1938.

Susana Soca, Silvina Ocampo et Jorge Guillén, *Poèmes de*, dans *La Licorne*, 1948, II et III.

Jaime Torres Bodet, *Civilisation*, dans *Les Nouvelles littéraires*, 26 mai 1949.

Ricardo Guiraldes, *Don Segundo Sombra*, traduit de l'espagnol par Marcelle Auclair, revu par Jules Supervielle et Jean Prévost, préface de Jules Supervielle, Paris, Gallimard, Collection *La Croix du Sud*, nº 5, 1953.

Juan Zorilla de San Martin, *Tabaré*, traduction française de Jean-Jacques Rhétoré, revue et adaptée par Jules Supervielle. Introduction de Robert Bazin, Paris, Nagel, Collection *Unesco d'Œuvres représentatives*, 1954.

William Shakespeare, *Le Songe d'une nuit d'été*, traduction de Jules Supervielle et de Jean-Louis Supervielle dans les *Œuvres complètes* de Shakespeare, publiées sous la direction de Pierre Leyris et Henri Evans, Paris, Formes et Reflets, t. III, 1956.

D) Principaux textes publiés dans les périodiques,
et qui n'ont pas encore été réunis en volume.

Outre ceux qu'a relevés Tatiana W. Greene, aux pages 422-425 de son *Jules Supervielle*, mais dont certains ont été recueillis depuis lors, je signalerai :

Le Sentiment de la nature dans la poésie hispano-américaine, dans le *Bulletin de la Bibliothèque américaine* (Amérique latine), 15 octobre 1910, 15 mai 1911 et janvier 1912.

Fragments de ce qui aurait dû devenir une thèse.

E) Principaux travaux
consacrés a Jules Supervielle.

1. *Volumes ou monographies.*

La monographie la plus récente à la fois et la plus complète
à ce jour est celle de
Tatiana W. Greene, *Jules Supervielle*, Paris, Genève, Droz
et Minard, 1958.

Outre une étude qu'apprécia Supervielle, cet in-8° de
près de 450 pages fournit en appendice un tableau chronologique des textes dont il existe une préoriginale; un relevé
des variantes des poèmes; un tableau de fréquence des
mots-clé dans les recueils de poèmes; un aperçu analytique,
par ordre chronologique, des principaux ouvrages consacrés à Supervielle, et diverses lettres du poète à Tatiana
W. Greene. Une copieuse bibliographie occupe les pages
418-439. Mon fichier personnel m'a pourtant permis çà et là
d'enrichir ou de préciser cet excellent travail. Voir aussi :
Adolfo Casais Monteiro, *Descorbertas no mundo interior*, *A
Poesia de Jules Supervielle*, Porto, Edições Presença, 1938.

Premier ouvrage sur le poète. On en fit une édition
nouvelle :
A Poesia de Jules Supervielle, estudio e antologia,
Lisbõa, Editorial Confluência, Collection « Antologia
de autores portugueses e estrangeiros », 1946.
Christian Sénéchal, *Jules Supervielle, poète de l'Univers intérieur, essai précédé de vers inédits du poète* : « *Compagnons
du silence* », Paris, Jean Flory, Collection « Les Presses
du Hibou », 1939.

Premier ouvrage français sur le poète. Ne serait-ce qu'à
ce titre (mais à bien d'autres encore), il mérite notre estime.
Adrian Jans, *Jules Supervielle*, Bruxelles, Les Cahiers du
Journal des Poètes, 1940.
Lotte Specker, *Jules Supervielle, eine Stilstudie*, diss., Zurich,
Buchdrückerei Emil Ruegg & Co, 1942.
Dra Ester de Caceres, *Significación de la obra de Jules Supervielle en la culture uruguaya*, Instituto de estudios supe-
riores de Montevideo, Catedra de Historia de la cul-
tura uruguaya, Montevideo, 1943.
Élisabeth Stübel, *Einführung in die Novellen von Jules Supervielle*, fragment d'une thèse de doctorat, Heidelberg,
dans *Zeitschrift für französische Sprache und Literatur*, 1944,
t. LXV. Un autre fragment de ce travail parut en 1948

dans *Romania*, 1948, t. I, sous le titre *Jules Supervielle, l'homme de la Pampa.*

Claude ROY, *Jules Supervielle*, Paris, Pierre Seghers, Collection « Poètes d'aujourd'hui », n° 15, 1949.

Sensible et brillant; un peu rapide; néglige la prose.

Kurt EHRSAM, *Die Novelle Jules Supervielle*, diss., Zurich, von Gempen (Solothurn), s. d. [1956].

A quoi il convient d'ajouter plusieurs mémoires dactylographiés (licence ou doctorat), qu'on peut consulter sur microfilms en s'adressant aux bibliothèques des universités respectives :

Antoinette PORTES, *Jules Supervielle, auteur dramatique et conteur*, Columbia University, 1946.

Gabrielle Madeleine ROGERS, *La Vision cosmique de Jules Supervielle*, Syracuse University, 1948.

Lettre inédite de Supervielle, où je lis notamment : « Il y a fusion en moi entre la vision physique et la métaphysique. Aussi, si c'est mon thème principal, je ne m'en aperçois pas. Il n'y a rien de volontaire là-dedans. » Encore : « Je ne cherche jamais la philosophie en poésie [...] la poésie c'est du concret. » Supervielle apprécie en cette thèse : « Une façon très personnelle de *voir* [s]on œuvre. »

Brian George FLETCHER HOLT, *La Poésie de Jules Supervielle*, Université de Liverpool, 1949.

Monique GÉRARD, *L'Œuvre poétique de Jules Supervielle*, Université de Bruxelles, 1952.

Andrée THONET, *Le Théâtre de Jules Supervielle*, Université de Bruxelles, 1955.

Travail sérieux. Bibliographie détaillée des comptes rendus relatifs aux pièces de théâtre (voir pp. xiv-xix).

2. *Principaux hommages.*

Dès 1928, *La Lanterne sourde* célébrait Supervielle. On peut aussi classer sous cette rubrique : *El Uruguay de Supervielle, Plaqueta U-Voces de Francia*, Buenos Aires, Prats, 1929.

Puis ce furent, successivement :

Julio Supervielle, Número único de homenaje, Montevideo, 1930.

Textes de Juan M. Filartigas, Pedro Leandro Ipuche, Gervasio Guillot Muñoz, E. Oribe, Rainer Maria Rilke et Umberto Zarrilli.

L'Avant-Poste, Verviers, 1935.

Regains, Jarnac, n° 21, été-automne 1938, *Reconnaissance à Supervielle.*

Gants du ciel, Montréal, mars 1945, *Hommage à Jules Supervielle.*

A Jules Supervielle, Homenaje, Salon de Actos Públicos, Universidad de Montevideo (Livre d'Or et témoignages d'admiration).

Combat, 13 mai 1954, *Hommage à Jules Supervielle.*

La Nouvelle Nouvelle Revue Française, 1er août 1954, *Hommage à Supervielle.*

Entregas de la Licorne, Montevideo, n° 7, 1956, *Homenaje a Jules Supervielle.*

3. *Principales anthologies où figurent des textes de Jules Supervielle.*

Il n'est pas indifférent de savoir que l'*Anthologie de la poésie française* publiée par André Gide dans la *Bibliothèque de la Pléiade* ignore Jules Supervielle, mais accueille Franc Nohain et Jean-Marc Bernard.

Outre les anthologies de Marcel Arland, ou de René Lalou, je signale, pour l'importance ou la singularité du choix :

JULES SUPERVIELLE. CONTES ET POÈMES, edited by John Orr, with an Introduction, Edinburgh, The University Press, 1950.

Excellente, l'introduction.

ANTHOLOGIE DES POÈMES DE LA PAIX, préface de Vincent Muselli, Paris, aux Éditions de la Marjolaine, Centre d'expansion française, 1948.

Supervielle est classé à la rubrique *Uruguay,* et représenté, pp. 119-123, par la *Prière de l'Inconnu* (de 1938) et par *Guerre et Paix sur la terre* (de 1945).

THE POETRY OF FRANCE FROM ANDRÉ CHÉNIER TO PIERRE EMMANUEL, An Anthology with Introduction and Notes by Alan Boase, London, Methuen & Co, 1952.

CONTEMPORARY FRENCH POETRY, Manchester University Press, 1952, où Joseph Chiari étudie et cite Supervielle (pp. 45-70).

LA FRANCE A LIVRE OUVERT, Paris, Pierre Seghers, 1954, donne un fragment de poème choisi dans *Le Forçat innocent.*

HOMMAGE A COLETTE, Les Éditions de l'Imprimerie nationale de Monte-Carlo, 1955.

Texte écrit par Supervielle pour Colette.

MID-CENTURY FRENCH POETS, edited by Wallace Fowlie, New York, Grove Press, 1955.

Supervielle : pp. 66-93. Introduction; poèmes en traduction juxtapaginaire.

HEURES DE VOL, par Edmond Petit, préface de Jean Cocteau, Paris, Émile Paul, 1956.
P. 123 : *Terre*, de Supervielle.

> *Ah! tu fais payer cher aux aviateurs*
> *Leurs permissions de vingt-quatre heures.*
> *A trois mille mètres de haut tu leur arraches le cœur*
> *Qui se croyait une fleur dans la forêt du ciel bleu.*

L'ART POÉTIQUE, par Jacques Charpier et Pierre Seghers,
Paris, 1956.
Supervielle, pp. 630-635 : *En manière d'art poétique*. C'est
le texte qui commence ainsi : « La poésie vient de chez moi
d'un rêve toujours latent... »
HOMMAGE DES POÈTES FRANÇAIS AUX POÈTES HONGROIS, Paris,
Pierre Seghers, 1957.
Où reparaît le poème publié dans le *Figaro littéraire*, et
divulgué par tracts en traduction hongroise.
ANTHOLOGIE DES POÈTES DE LA N. R. F., PRÉFACE DE PAUL
VALÉRY, Paris, Gallimard, 1959.
Voilà qui compense et corrige heureusement l'antholo-
gie d'André Gide. Supervielle, aux pages 516-521.

4. *Principaux articles et chapitres d'ouvrages* ###
consacrés à Supervielle

Le nombre de pages attribué à la bibliographie dans cette
collection ne me permet que de signaler une part infime des
articles consacrés à Jules Supervielle, ou des recensions de
chacun de ses ouvrages. Dans la thèse dactylographiée d'Andrée Thovet on trouvera, pp. XIV-XX, une bibliographie du
théâtre de Supervielle, et dans le *Jules Supervielle* de Tatiana
W. Greene, pp. 434-436, quelques indications relatives aux
comptes rendus des ouvrages autres que dramatiques. Je
ne donne ici, par ordre chronologique, que les études qui
me paraissent significatives à des titres divers.
Gabriel BOUNOURE, *Jules Supervielle*, dans les *Cahiers du Sud*,
mai 1928, pp. 329-342.
« Il y a toujours chez Supervielle une présence de l'immensité, un côté Nouveau Monde qui empêchent de le pla-
cer dans le paysage giralducien. »
Marcel RAYMOND, *De Baudelaire au surréalisme*, Corrêa, 1933,
pp. 380-387.
« Le merveilleux de Supervielle, d'autre part, ne nous
oblige pas à sortir de la vie pour contempler les fêtes noc-

turnes que se donne à soi-même un esprit désincarné; il nous invite au contraire à rentrer en notre corps, en notre sang, à coïncider avec notre destin terrestre, dans un esprit de sympathie tremblante et de tragédie secrète. »
Denis SAURAT, *Modernes*, Denoël et Steele, 1935.

Comme d'autres savent gré à Supervielle, pour les avoir guéris de Rimbaud, Saurat aime en lui celui qui « nous guérit du mal que nous fait Proust ».
Henry Alfred HOLMES, *Supervielle, a Superrealist*, dans *The French Review*, t. X, n° 6, mai 1937 et n° 7, octobre 1937.

Article brillant; mais Supervielle n'est pas du tout surréaliste. Il en convient volontiers.
Robert POULET, *Jules Supervielle*, dans *Cassandre*, Bruxelles, 30 avril 1938.

Très bonne présentation d'ensemble, destinée au public belge.
Robert BRASILLACH, *Causerie littéraire . Jules Supervielle*. *L'Arche de Noé*, dans *L'Action française*, 5 mai 1938.

Bon article sur le conteur.
René GABRIEL-GROS, *Morale et Poésie. Paul Éluard, Pierre-Jean Jouve et Jules Supervielle*, dans les *Cahiers du Sud*, décembre 1938, pp. 867-875.

Supervielle, « s'il a su découvrir un monde qui lui appartient en propre, a su également en rendre, de recueil en recueil, l'accès plus aisé au commun des hommes ».
ÉTIEMBLE, *Supervielle et le sens de la nuit*, dans *Lettres françaises*, Buenos Aires, juillet 1942, pp. 18-26 (traduit en espagnol dans *Alfar, Supervielle y el sentido de la noche*).

Aux interprétations romantiques et surréalisantes, l'auteur oppose un Supervielle qui nous montre « que si l'intelligence n'est pas toute la poésie, il n'est, sans la cruelle intelligence, aucune tendre poésie ».
Robert SPEAIGHT, *Books in General*, dans *The New Statesman and Nation*, Londres, 7 avril 1945, p. 227.

Excellent essai sur le poète et le conteur.
Columbia Dictionary of Modern European Literature, Horatio Smith, General Editor, New York, Columbia University Press, 1947.

L'article *Supervielle*, pp. 791-792, tombe assez admirablement entre *Sully-Prudhomme* et *surrealism*. Il est signé E. [tiemble]. Avant Cavafis et Paulhan, avant Léautaud et T. E. Lawrence, Supervielle entre à ce *Dictionnaire* américain.
ÉTIEMBLE, *Il faut de tout pour faire une Fable du monde*, dans *Les Temps modernes*, avril 1948, pp. 1880-1897.

Littérature française, publiée sous la direction de Joseph Bédier et Paul Hazard, nouvelle édition (refondue et augmentée sous la direction de Pierre Martino, 1949).

Au t. II, p. 511, article de Jean Hytier : « Il serait [...] injuste de voir en Supervielle une sorte de Samain du Surréalisme, car nul n'a poussé plus loin le dédain de l'artifice et l'amour de la sincérité! »

ÉTIEMBLE, *L'Évolution de la poétique chez Supervielle entre 1922 et 1924*, dans *Les Temps modernes*, septembre 1950, pp. 532-547.

Publication en France d'un texte qui avait paru au Canada durant la guerre, mais mutilé, puis en Égypte, dans *Valeurs*, nº 6, pp. 51-71.

« Ainsi se clôt le temps du désespoir, de l'artifice, et s'ouvre, pour une poésie enrichie par cent cinquante années de thèmes romantiques, l'espoir enfin de l'espoir et de l'ordre. Bref, l'espoir d'un classicisme neuf. »

Werner KRAFT, *Jules Supervielle, Hinweis auf einen Dichter*, dans *Literarische Revue*, 3ª année, cahier 5, pp. 291-303.

Nombreux textes poétiques traduits en allemand; judicieux article d'ensemble pour le public de langue allemande.

The Poetry of Respect, dans *The Times Literary Supplement*, 13 octobre 1950, p. 644.

Excellente présentation de Supervielle au public anglais.

H. W. J. M. KEULS, *Op bezoek bij Jules Supervielle*, dans *Litterair Paspoort*, mai-juin 1953.

Cette courageuse revue présente Supervielle aux meilleurs lecteurs flamingants.

Carlo Bo, *Della Lettura e altri saggi*, Florence, Vallechi, 1953.

Ancora Supervielle, pp. 473-481. A propos de Gaétan Picon, sévère en effet pour la poésie « discursive » de Supervielle dans son *Panorama de la nouvelle littérature française* (nouvelle édition, Gallimard, 1949), Carlo Bo se reproche d'avoir été lui-même injuste.

Les Écrivains célèbres, Paris, Mazenod, t. III, 1953.

Supervielle, p. 259 : « Sa poésie épique, mythique, cosmogonique, est une *légende du monde* qui ne tombe jamais dans les artifices du didactisme. »

Alain BOSQUET, *Jules Supervielle ou l'amitié cosmique*, dans la *Revue de Paris*, septembre 1956, pp. 124-131.

« Il refuse l'ésotérisme. Il refuse aussi de s'analyser avec l'acharnement que mettrait, par exemple, un Henri Michaux. »

Pierre HOURCADE, *Jules Supervielle poète de la mort et de la vie*, dans *Rivages*, Lisbonne, octobre 1956, p. 3, avec renvoi p. 20.

Excellente présentation de Supervielle au public portugais de langue française.

Marcel JOUHANDEAU, *Jules Supervielle*, dans *Livres de France*, février 1957.

Jouhandeau considère Supervielle « un peu comme un frère jumeau [...] j'ai souvent cru reconnaître quelque parenté entre Guanamiru et M. Godeau. Ce sont là produits d'une même époque [...] »

Octave NADAL, *Jules Supervielle, ou le rêve éveillé*, dans *Le Mercure de France*, décembre 1958, pp. 584-591.

« Le génie de Supervielle est bien celui du songe, comme celui de son art demeure le conte. »

« Il a cru, c'est toute sa religion en poésie, quelle était la chance d'en finir avec la nuit et la solitude [...]. »

« Si le rêve peut expliquer les caractères dominants de la poétique de Supervielle, il reste pourtant que les exigences du métier (« mon grand-père était horloger », déclare le poète) peuvent aller plus loin et dans un tout autre sens que le rêve proprement dit. »

5. *Principales interviouves accordées par Supervielle.*

Les Nouvelles littéraires (19 février 1938; 19 novembre 1938; 15 août 1946; 15 avril 1948; 7 octobre 1948; 1er septembre 1949; 26 octobre 1950 ; 12 avril 1951; 27 septembre 1951; 2 juin 1955).

Revue de l'Amérique latine, 1er avril 1923.

Le Journal des Poètes, 19 décembre 1931 et *Les Cahiers du Journal des Poètes*, 15 novembre 1939.

Marianne, 21 février 1934.

La Revue des Vivants, août 1934.

Suites françaises, 22 juillet 1939.

Paru, août 1948.

II. ICONOGRAPHIE

Qui veut s'initier à l'iconographie de Supervielle doit consulter :

Jules Supervielle. Manuscrits. Documents divers. Éditions originales et illustrées. Photographies. Souvenirs. Peintures. Aquarelles. Dessins. Sculptures. Présentation d'Octave Nadal, Université de Paris, Bibliothèque littéraire Jacques-Doucet, catalogue publié en 1958 pour l'exposition Supervielle (du 8 au 21 décembre).

a) Sculptures et portraits.

Asselin, buste (sculpture).

Borès, portrait, reproduit en 1928, comme frontispice à *Saisir* (gravé par Georges Aubert).

Chénier, portrait de Supervielle jeune (huile).

Fenosa, buste (sculpture).

Lhote, portrait (souvent reproduit en 1929, notamment dans *L'Aurore*, Bruxelles, 27 janvier; *The Chicago Tribune*, 17 février; *La Fiera Letteraria*, Rome, 10 mars).

b) Quelques dessins ou caricatures.

Bouché (Madeleine), dessin à la plume; frontispice au numéro spécial de *Regains* (1938).

Kraos, inspiré par le portrait de Lhote, dans *Suplemento* d'*El Imparcial*, Montevideo.

Mara (Jan), caricature, dans *Carrefour*, juin 1949.

Ontanon (Santiago), caricature, dans *El Comercio*, Lima, 25 janvier 1946.

Pessina (Daisy), dessin à la plume, dans *France-Poésie*, janvier 1948.

Rim (Carlo), dessin, dans *Les Nouvelles littéraires*, 28 avril 1928.

Risi (Mitty), dessin, en frontispice d'*In viagio con Supervielle*, 1956.

Verrier (Claude), caricature : Supervielle devant la *Source Supervielle* (à l'occasion de *Boire à la Source*, réédition), dans *L'Opéra littéraire*, 24 octobre 1951.

Wild (Roger), dessin à la plume, dans *Les Nouvelles littéraires*, 2 juin 1955 : Supervielle en gaucho, qui tient Pégase par la bride.

c) Médaille.

Médaille Supervielle, gravée par Sleinevici, et frappée à la Monnaie de Paris. Avers : un portrait de Supervielle; revers : deux vers d'*Oublieuse Mémoire*

> *Je lui donne une branche elle en fait un oiseau*
> *Et si c'est un oiseau elle en fait une abeille*

d) Photographies.

Très nombreuses, les photos de Supervielle, seul ou en groupe, qui ont paru dans les journaux, les revues et les ouvrages consacrés à l'écrivain. Le catalogue de l'exposition Supervielle à la Bibliothèque Jacques-Doucet en signale d'autres encore, et le présent volume en produit plusieurs inédites. Les plus belles sont peut-être celles de Gisèle Freund, Thérèse Le Prat, Douglas Glass, Charles Leirens. Les plus amusantes, ou les plus émouvantes, *Supervielle au service militaire* (nos 23 et 24 du catalogue Doucet), *Supervielle et Pilar Saavedra* (nos 28 et 29 du catalogue Doucet).

III. — MUSICOGRAPHIE

Voici, par ordre alphabétique, les œuvres de Supervielle qui ont été mises en musique :

Les Amis inconnus (poèmes extraits de ce recueil), par Guy BERNARD.

Arbres dans la nuit et le jour, par JEANNET.

A un arbre, par JEANNET.

Animaux invisibles, par CLIQUET.

Birth of Venus (Naissance de Vénus), par Darius MILHAUD.

Bolivar, opéra de Darius MILHAUD.

Chanson de cloche, par FOURDRAIN.

Chanson de négresse, par Darius MILHAUD.

Christine, par Elsa BARRAINE.

Le Cœur et le Ciel, par Lucien DUCHEMIN.

Comme il vous plaira (adapté par Supervielle), avec musique d'Henri SAUGUET.

Le Départ en mer, par E. d'HARCOURT.

Écoutez, c'est mon nom, par Guy BERNARD.

L'Espérance, par JUDENSTEIN.

Feuille à feuille, par JEANNET.

Le Fond des bois, par JEANNET.

Huit poèmes, par JACOB.

Le Jour, par Maurice JAUBERT.

Lourde, par MARGONI.

Même au loin, par DEVENY.

La Mer secrète, par d'HARCOURT.

Le Petit Bois, par GEORGES AURIC.

Les Pins, par JEANNET.

La Première Famille, par Darius MILHAUD.

Le Réveil, par GUY BERNARD.

Robinson, par Henry SAUGUET.

Saisir, par Maurice JAUBET.

Sans Dieu, par Guy BERNARD.

Shéhérazade, par Darius MILHAUD.

S'il n'était pas d'arbres, par JEANNET.

Tristesse de Dieu, par d'HARCOURT.

Trois chansons, par Ferroud.
Trois poèmes, par Broqua.
Trois poèmes, par Darius Milhaud.
Les Vieux Airs, par Azoulou.
Les Yeux, par Guy Bernard.

Je crois savoir que Maurice Jarre écrit ou vient d'écrire en ce moment la musique d'une chanson intitulée *Eau-forte*.

Enfin, je signale le disque suivant :

Le Bœuf et l'Âne de la crèche, musique originale de Raphaël Passaquet, avec Jacques Fabbri dans le rôle du Bœuf, Louis de Funès dans celui de l'Ane, récitatif de Marie-Rose Carlié (ÉRATO, LDEV 3097).

IV. — PHONOGRAPHIE

Voix de Jules Supervielle [1].

La R. T. F. possède des déclarations et interviouves de Jules Supervielle.
Le Voleur d'enfants, 16.10.48 (2′10″).
Shéhérazade, 31.8.48 (3′).
    Interview par Paul-Louis MIGNON pour « La Voix de l'Amérique ».
On rend hommage à Madeleine Renaud et Jean-Louis Barrault, accueillis à Montevideo (reportage de Samy SIMON) 21.4.50 (3′15″).
A Juan Ramon Jimenez, prix Nobel de littérature, dans une émission de Robert MALLET.
    Jules Supervielle lit un poème de J. R. Jimenez qu'il a traduit : *Solitude*, 6.11.56 (1′40″).
Dans le cadre des émissions « Amitiés musicales », Jules Supervielle parle de ses musiciens préférés (Darius Milhaud, Maurice Jaubert, Maurice Ravel) et lit un de ses poèmes que D. Milhaud mit en musique : *Ce peu d'océan, arrivant de loin...* 14.7.48 (6′30″).
Jules Supervielle parle de l'inspiration poétique (année 1949) (2′) et lit quatre de ses poèmes : *Arbres dans la nuit et le jour, Pointe de flamme, Plein Ciel, Hommage à la vie*, et deux poèmes de Charles Baudelaire : *Le Beau Navire* et *Le Crépuscule du matin*.
Au cours d'une émission de Pierre BARBIER et André FRANK, « Voici le monde », Jules Supervielle lit deux de ses poèmes : *Le Premier Arbre* et *Le Premier Chien*, 12.8.56 (2′40″).

---

1. Mme Cadalguès, de la Radiodiffusion-Télévision française, a bien voulu composer pour moi cette part de la documentation. Je l'en remercie, et ne saurais mieux faire que la donner telle quelle.

ÉMISSIONS CONSACRÉES A JULES SUPERVIELLE.

« *Les Poètes et leurs musiciens* », 31.8.1950 (24'). Œuvres de Supervielle. Mises en musique par Darius MILHAUD et Georges AURIC.
> Émission de Lila MAURICE-AMOUR avec le concours de Jean FONTAINE, Marguerite PIFTEAU, Odette PIGAULT et de l'ensemble Marcel COURAUD.

Dans la série d'émissions.

« *Parler en prose et le savoir* ». Quatre entretiens (15') avec Jules Supervielle, par Robert MALLET, ont été diffusés les 8-15 mai et 2-9 octobre 1956.

« *Combien j'ai douce souvenance* ». Émission de Michel MANOLL, 13.12.1956 (45').
> Présentation des textes lus par Jules SUPERVIELLE. Lecture par Michel BOUQUET.

« *Jules Supervielle* ». Trois émissions de M. A. RIVAIN : 20.11.1950 (30'), 21.11.1950 (30'), 23.11.50 (30').
> Jules Supervielle présente longuement son œuvre poétique.
> Lectures par Silvia MONFORT et Michel BOUQUET.

« *Miracle Supervielle* », 15.12.1957 (12'30").
> Scénario de Pierre Viallet. Musique originale de Pierre Philipp. Mise en onde : Maurice Cazeneuve, avec Jules Supervielle, Marie Déa, François Perrier Pierre Dalbon.

« *Tous les plaisirs du jour.* »
> Diffusé le 26. 12. 1959. Poèmes lus par Michel Bouquet; scènes du *Voleur d'enfants* et de *La Belle au bois*, jouées par Alain Cuny, Claude Berri, Suzanne Michel, Pierre Raymond et Catherine Georges.

ŒUVRES DRAMATIQUES.

Robinson ou l'amour vient de loin.
> Diffusé le 27. 12. 1959. Enregistré en studio par les Comédiens-Français : Louis Seigner, Georges Chamarat, P.-E. Deiber, Claude Winter, etc. Musique d'Henri Sauguet.

Bolivar. (Extrait, 35'.)
Diffusé le 17. 1. 1959. *In* « Émissions classiques d'hier et d'aujourd'hui », avec Renée Faure, J.-L. Jemma, Habib Benglia, Paul Œply, Suzanne Delvé.

La Belle au Bois. Féerie en 3 actes (2 h. 20').
Festival des « Nuits de Bourgogne », diffusé le 28.7.1956, au Palais des Ducs de Dijon. Mise en scène de Jean Le Poulain. (Chorégraphie : Jacques Chazot.) Isabelle Pia, Jean Le Poulain, Martha Vérone, Jeanne Herviale...

Comme il vous plaira (2 heures).
De Shakespeare. Adaptation de Jules Supervielle, diffusée le 13.1.1952. Musique d'Henri Sauguet. Maurice Escande, Jean Delmont, A. Falcon, Jean Davy, Jacques Clancy, Michel Porterat, Georges Baconnet, Robert Hirsch, Mony Dalmes, Denis Noël, Louis Hémon, Pierre Roussillon, Marco Behar, Michel Galabru, Micheline Boudet, Denise Gence.

Shéhérazade (2 h. 5').
Festival d'Avignon, 1948. Jean Davy, Michel Vitold, Silvia Monfort, Robert Hirsch, J.-P. Moulinot, Françoise Spira, R. Hermantier, Jacques Butin, Jean Serge.

ENTRETIENS RADIOPHONIQUES AVEC JULES SUPERVIELLE
RÉALISÉS EN ESPAGNOL PAR LE SERVICE LATINO-AMÉRICAIN
DE LA DIRECTION DES ÉCHANGES INTERNATIONAUX
DE LA R. T. F.

31.12.1954, durée 5'.
Entretien en espagnol de Jules Supervielle avec Pedro Helal sur *Le Voleur d'enfants*, destiné aux radios uruguayennes. Entretien au cours duquel Supervielle lit des passages de son œuvre.

Hiver 1955-1956.
Le Service latino-américain transpose en espagnol, pour les radios uruguayennes, le récital de poèmes de Jules Supervielle, fait par Germaine Moncray au cours d'une réception donnée chez Mme Jean Deschanel par « Les Amis de Jules Supervielle ».

14.12.1955, durée 6'.
Reportage au théâtre Marigny (lors de la première repré-

sentation de *Les Suites d'une course*). Jules Supervielle en espagnol, J.-L. Barrault et Marie Bell en français, Mme Voltera en espagnol. Reportage réalisé par Francisco Diaz Roncero. Programme destiné à être distribué dans tous les pays latino-méricains.

3.1.1959.

Émissions destinées à l'Uruguay (durée 15′). Reportage de l'Exposition sur la vie et l'œuvre de Jules Supervielle. Entretien de Jules Supervielle réalisé par Francisco Diaz Roncero.

Lors des récentes inondations qui ont endeuillé l'Uruguay, le Service latino-américain de la R. T. F. a transmis le message adressé par Jules Supervielle au nom du Comité d'Entraide France-Uruguay.

Tables

TABLE DES ILLUSTRATIONS

Pages

TABLE DES MATIÈRES

ACHEVÉ D'IMPRIMER
PAR L'IMPRIMERIE FLOCH
MAYENNE

(4508)

LE 15 JUIN 1960

Nº d'éd. : 7.611. Dép. lég. : 2ᵉ trim. 1960.

Imprimé en France.